LE DIABLE, TOUT LE TEMPS

DONALD RAY POLLOCK

LE DIABLE, TOUT LE TEMPS

roman

*Traduit de l'américain
par Christophe Mercier*

TERRES D'AMÉRIQUE

ALBIN MICHEL

« Terres d'Amérique »

Collection dirigée par Francis Geffard

*Pour Patsy
encore une fois*

Prologue

En un triste matin de la fin d'un mois d'octobre pluvieux, Arvin Eugene Russell se hâtait derrière son père, Willard, le long d'une pâture dominant un long val rocailleux du nom de Knockemstiff, dans le sud de l'Ohio. Willard était grand et décharné, et Arvin avait du mal à le suivre. Le champ était envahi de plaques de bruyère et de touffes fanées de mouron et de chardon, et la brume sur le sol, aussi épaisse que les nuages gris, montait aux genoux du garçon de neuf ans. Au bout de quelques minutes, ils tournèrent dans les bois et suivirent une étroite coulée de cerf qui descendait la colline, jusqu'au moment où ils parvinrent à un tronc couché dans une petite clairière, vestige d'un grand chêne rouge qui était tombé bien des années auparavant. Une croix usée par les intempéries, faite de planches prises à la grange en ruines derrière leur ferme, penchait un peu vers l'est dans la terre meuble à quelques mètres en dessous d'eux.

Willard s'appuya sur la partie haute du tronc et fit signe à son fils de s'agenouiller à côté de lui dans les feuilles mortes, spongieuses. Quand du whisky ne lui coulait pas dans les veines, Willard se rendait à la clairière matin et soir pour parler à Dieu. Arvin ne savait pas ce qui était le pire, la boisson ou la prière. Aussi loin qu'il pût se souvenir, son père lui semblait avoir passé sa vie à combattre le Démon. Arvin frissonna un peu à cause de l'humidité, et serra sa veste contre lui. Il regrettait son lit. Même l'école, avec tous ses tracas, valait mieux que ça. Mais on était samedi, et il n'y avait pas moyen d'y échapper.

À travers les arbres presque dénudés au-delà de la croix, Arvin apercevait des panaches de fumée montant de quelques cheminées, à sept ou huit cents mètres de là. Quatre cents personnes environ vivaient à Knockemstiff en 1957, et en raison de Dieu sait quelle malédiction, que cela tînt à la lubricité, à la nécessité, ou simplement à l'ignorance, presque toutes étaient liées par le sang. En dehors des cabanes de papier goudronné et des bâtisses en parpaings, le vallon abritait deux bazars, l'Église de l'Union Chrétienne du Christ, et une gargote connue dans tout le canton sous le nom de Bull Pen[1]. Même si ça faisait maintenant cinq ans que les Russell louaient la maison au sommet des Mitchell Flats, la plupart de leurs voisins en contrebas les considéraient toujours comme des étrangers. Dans le bus scolaire, Arvin était le seul gamin à ne pas être parent avec quelqu'un. Trois jours plus tôt, il était encore revenu de l'école avec un œil au beurre noir. « Dieu sait si je n'excuse pas la bagarre, mais il t'arrive d'être trop coulant, lui avait dit Willard ce soir-là. Peut-être que ces gamins sont plus grands que toi, mais la prochaine fois qu'il y en a un qui commence à chercher la merde, je veux

---

1. « Le Parc à Taureaux ».

que tu l'aides à la trouver. » Willard était debout sur le porche, en train de quitter sa tenue de travail. Il tendit à Arvin son pantalon marron, raide de sang séché et de graisse. Il travaillait dans un abattoir à Greenfield, et ce jour-là six cents porcs avaient été mis à mort, un nouveau record pour R. J. Carroll Meatpacking. Le gamin ne savait pas encore ce qu'il voulait faire quand il serait grand, mais il était à peu près certain qu'il ne voudrait pas tuer des cochons pour gagner sa vie.

Ils venaient d'entamer leurs prières quand le craquement sec d'une branche cassée résonna derrière eux. Arvin commença à se retourner, mais Willard se pencha pour l'en empêcher, non sans que le garçon n'ait eu le temps d'apercevoir deux chasseurs dans la lumière pâle, des hommes sales, en loques, qu'il avait vus quelques fois, avachis sur le siège avant d'une vieille berline dévorée de rouille sur le parking du magasin de Maude Speakman. L'un d'eux portait un sac de grosse toile brune dont le fond était taché de sang rouge vif. « Ne fais pas attention à eux, dit doucement Willard. Cet instant appartient au Seigneur, et à personne d'autre. »

Le fait de savoir que les hommes étaient tout proches rendait Arvin nerveux, mais il se remit à genoux et ferma les yeux. Willard considérait que le tronc était aussi sacré que n'importe quelle église construite par la main de l'homme, et son père était bien la dernière personne au monde que l'enfant eût voulu fâcher, même si c'était parfois un combat perdu d'avance. Hormis l'humidité qui s'égouttait des feuilles, et un écureuil qui grignotait, non loin de là, les bois étaient à nouveau silencieux. Arvin commençait juste à penser que les hommes avaient poursuivi

11

leur chemin quand l'un d'eux dit d'une voix rauque : « Mince, ils font une petite réunion de prière. »

Arvin entendit la réponse de l'autre homme. « La ferme.

– Merde. Je pense que c'est le bon moment pour rendre une petite visite à sa nana. Elle doit être quelque part dans le coin, allongée dans son lit pour me le garder au chaud.

– La ferme, merde, Lucas, dit l'autre.

– Quoi ? Me dis pas que ça te ferait pas plaisir. C'est un canon, et Dieu sait si je m'y connais. »

Arvin jeta sur son père un coup d'œil gêné. Les yeux de Willard restaient fermés, ses grosses mains nouées sur le tronc. Ses lèvres bougeaient rapidement, mais les mots qu'il prononçait étaient si faibles que seul le Seigneur pouvait les entendre. Le garçon pensa à ce que Willard lui avait dit l'autre jour, sur le fait de ne pas s'écraser quand on vous cherchait des crosses. À l'évidence, ça aussi ce n'était que des mots. Il avait le sentiment angoissant que le long trajet dans le bus scolaire n'allait pas devenir plus facile.

« Allons, espèce de connard de fils de pute, dit l'autre homme. Ça devient lourd. » Arvin les écouta faire demi-tour et remonter la colline dans la direction d'où ils étaient venus. Longtemps après que le bruit de leurs pas se fut éteint, il entendait encore le rire de celui qui avait une grande gueule.

Quelques minutes plus tard, Willard se leva et attendit que son fils ait fini sa prière. Puis ils reprirent en silence le chemin de la maison, grattèrent sur les marches de la véranda la boue de leurs chaussures et pénétrèrent dans la chaleur de la cuisine. Charlotte, la mère d'Arvin, faisait frire des tranches de bacon dans une poêle en fonte tout en battant à la fourchette des œufs dans un bol bleu. Elle versa une tasse de café à Willard, posa un verre de lait devant Arvin. Ses cheveux noirs, brillants, étaient ramassés en une queue de cheval maintenue par un élastique. Elle portait une robe d'un rose fané et une paire de chaussettes pelucheuses dont l'une était percée au talon. Tout en la regardant se déplacer dans la pièce, Arvin essayait d'imaginer ce qui se serait passé si les deux chasseurs étaient venus à la maison au lieu de faire demi-tour. Sa mère était la femme la plus jolie qu'il ait jamais vue. Il se demanda si elle les aurait invités à entrer.

Dès que Willard eut fini de manger, il repoussa sa chaise et sortit à l'extérieur, le visage sombre. Il n'avait pas dit un mot depuis la fin des prières. Charlotte se leva de la table, son café à la main, et s'approcha de la fenêtre. Elle le regarda traverser le jardin d'un pas lourd et entrer dans la grange. Elle envisagea la possibilité qu'il y ait caché une bouteille de whisky. Il n'avait pas touché depuis plusieurs semaines à celle qu'il gardait sous l'évier. Elle se retourna et regarda Arvin. « Ton père est fâché contre toi ? » demanda-t-elle.

Arvin secoua la tête. « J'ai rien fait.

– Ce n'est pas ce que je t'ai demandé, dit Charlotte en s'appuyant sur le plan de travail. Tu sais aussi bien que moi comment il peut être. »

Pendant un instant, Arvin envisagea de dire à sa mère ce qui s'était passé au tronc à prières, mais sa honte était trop grande. Il était malade à l'idée que son père pouvait écouter un homme parler d'elle de cette façon et faire comme si de rien n'était. « On a fait une petite réunion de prière, c'est tout, dit-il.

13

– Une réunion de prière ? dit Charlotte. D'où est-ce que tu sors ça ?

– Je ne sais pas, j'ai entendu ça quelque part. » Puis il se leva et traversa le couloir pour aller dans sa chambre. Il referma la porte et s'allongea sur le lit, remontant la couverture sur lui. Il se tourna sur le côté et regarda l'image encadrée de Jésus sur la croix que Willard avait accrochée au-dessus de la commode rayée et burinée par le temps. Il y avait de semblables images du supplice du Sauveur dans chaque pièce de la maison, sauf dans la cuisine. Charlotte avait tracé une limite, comme elle l'avait fait quand il avait commencé à emmener Arvin prier dans les bois. « Uniquement le week-end, Willard », avait-elle dit. Selon elle, trop de religion pouvait être aussi néfaste que trop peu, et peut-être même pire. Mais la modération n'était pas dans la nature de son mari.

Environ une heure plus tard, Arvin fut réveillé par la voix de son père. Il sauta de son lit et lissa les plis de la couverture de laine, puis s'approcha de la porte de la cuisine et y colla son oreille. Il entendit Willard demander à Charlotte si elle avait besoin qu'il prenne quelque chose au magasin. « Il faut que j'aille faire le plein pour le boulot », lui dit-il. Quand il entendit les pas de son père dans le couloir, Arvin s'éloigna précipitamment de la porte et traversa la chambre. Il était debout près la fenêtre, faisant semblant d'observer une pointe de flèche qu'il avait prise dans sa petite collection de trésors posés sur le rebord, quand la porte s'ouvrit. « On va faire un tour, dit Willard. C'est ridicule que tu passes toute la journée à rester assis là, comme le chat de la maison. »

Tandis qu'ils sortaient par la porte de devant, Charlotte,

depuis la cuisine, leur cria : « N'oubliez pas le sucre. » Ils montèrent dans le pick-up, suivirent jusqu'au bout leur chemin défoncé, puis descendirent Baum Hill Road. Au stop, Willard tourna à gauche sur la bande de route pavée qui traversait Knockemstiff en son milieu. Le trajet jusqu'au magasin de Maude ne prenait pas plus de cinq minutes, mais Arvin avait toujours l'impression que, lorsqu'ils descendaient des Flats, ils entraient dans un autre pays. Devant chez Patterson, un groupe de garçons, certains plus jeunes que lui, étaient debout devant la porte ouverte d'un garage délabré, se passant des cigarettes, donnant tour à tour des coups de poing dans une carcasse de cerf suspendue à un crochet. Quand ils passèrent à côté d'eux, un des garçons poussa des cris de joie et effectua quelques swings dans l'air glacé, et Arvin s'enfonça un peu plus sur son siège. Devant la maison de Janey Wagner, un bébé rose rampait dans le jardin, sous un érable. Debout sur le porche affaissé, Janey montrait le bébé et, à travers un carreau cassé remplacé par du carton, hurlait à l'intention de quelqu'un à l'intérieur. Elle portait la même tenue qu'à l'école, une jupe écossaise rouge et un corsage blanc élimé. Janey n'était qu'une classe au-dessus d'Arvin, mais, dans le bus, elle était toujours assise au fond avec les garçons plus âgés. Il avait entendu d'autres filles dire qu'ils l'autorisaient à se mettre au fond parce qu'elle écartait les jambes et les laissait fourrer le doigt dans sa chatte. Il espérait qu'un jour peut-être, quand il serait un peu plus vieux, il comprendrait exactement ce que ça voulait dire.

Au lieu de s'arrêter au magasin, Willard obliqua sèchement à droite et prit le chemin gravillonné appelé Shady Glen. Il appuya sur le champignon et tourna à toute vitesse dans le jardin dénudé et boueux qui entourait le Bull Pen. Il était jonché de capsules, de mégots et de cartons de bière. Un ancien cheminot du nom de Snooks Snyder, à la peau couverte d'excroissances dues au cancer, vivait là avec sa sœur Agatha, une vieille fille qui passait ses journées assise à une fenêtre à l'étage, vêtue de noir comme une veuve éplorée. Snooks vendait de la bière et du vin sur le devant de la maison et, à ceux dont la tête lui était vaguement familière, quelque chose de plus raide, à l'arrière. Pour le confort de ses clients, plusieurs tables de pique-nique étaient installées sous quelques grands sycomores sur le côté, ainsi qu'un jeu de fer à cheval et des toilettes extérieures qui semblaient toujours sur le point de s'écrouler. Les deux hommes qu'Arvin avait vus dans les bois ce matin étaient assis sur l'une des tables, en train de boire de la bière, leurs fusils appuyés contre un arbre derrière eux.

Le contact à peine coupé, Willard ouvrit la portière et sortit d'un bond. L'un des chasseurs se leva et jeta une bouteille qui se refléta sur le pare-brise du véhicule avant d'atterrir bruyamment sur le chemin. Puis l'homme se retourna et commença à courir, les pans de sa veste crasseuse battant derrière lui, ses yeux injectés de sang regardant follement l'homme imposant qui le poursuivait. Willard le rattrapa et le précipita dans la flaque glissante devant les toilettes. Il le retourna et, de ses genoux, plaqua au sol les frêles épaules de l'homme dont il commença à marteler des poings le visage barbu. L'autre chasseur empoigna l'un des fusils et se précipita vers une Plymouth verte, un sac de papier brun sous le bras. Il démarra à toute vitesse, ses pneus lisses projetant des cailloux jusqu'à l'église.

Au bout de quelques minutes, Willard arrêta de frapper. Il secoua ses mains qui le brûlaient, respira profondément et s'approcha de la table où les deux hommes, tout à l'heure, étaient assis. Il prit le fusil appuyé contre l'arbre, retira deux cartouches rouges, puis le balança comme une batte de base-ball contre le sycomore, le faisant voler en éclats. Avant de se diriger vers le pick-up, il jeta un coup d'œil derrière lui et vit Snooks Snyder debout à sa porte, pointant sur lui un pistolet ventru. Il fit quelques pas dans sa direction. « Si tu veux la même chose que lui, mon vieux, dit Willard d'une voix forte, il te suffit d'avancer d'un pas. Je te planterai ce fusil dans le cul. » Il attendit que Snooks ait refermé la porte.

Une fois dans le pick-up, Willard tendit la main sous le siège pour trouver un chiffon avec lequel il essuya le sang sur ses mains. « Tu te rappelles ce que je t'ai dit, l'autre jour ? demanda-t-il à Arvin.

— À propos de ces garçons dans le bus ?

— Oui, c'est ce que je voulais dire, dit Willard avec un signe de tête en direction du chasseur. Il suffit de choisir le bon moment.

— Oui, monsieur, dit Arvin.

— Dans le coin, il y a un tas de putains de bons à rien.

— Plus de cent ? »

Willard se mit à rire et passa une vitesse. « Ouais, au moins. » Il commença à embrayer. « Je pense que ça serait mieux que ça reste entre nous, d'accord ? Inutile d'inquiéter ta mère.

— Non, elle a pas besoin de ça.

— Bien, dit Willard. Et maintenant, si je t'achetais une barre au chocolat ? »

17

Pendant longtemps, Arvin pensa souvent à cette journée comme à la meilleure qu'il ait passée avec son père. Ce soir-là, après dîner, il suivit à nouveau Willard au tronc à prières. Quand ils y arrivèrent, la lune se levait, rondelle de vieil os piqueté de trous, accompagnée d'une unique étoile scintillante. Ils s'agenouillèrent et Arvin jeta un coup d'œil aux jointures écorchées de son père. Quand elle lui avait posé la question, Willard avait dit à Charlotte qu'il s'était fait mal à la main en changeant un pneu. C'était la première fois qu'Arvin entendait son père mentir, mais il était certain que Dieu lui pardonnerait. Dans l'obscurité envahissant les bois silencieux, les sons qui montaient du vallon, ce soir-là, étaient particulièrement clairs. En bas, au Bull Pen, les claquements des fers à cheval contre les piquets de métal faisaient comme un bruit de cloches, et les cris et les huées des ivrognes rappelaient à l'enfant le chasseur ensanglanté allongé dans la boue. Son père avait donné à cet homme une leçon qu'il n'oublierait jamais, et la prochaine fois que quelqu'un lui chercherait noise, Arvin ferait la même chose. Il ferma les yeux et commença à prier.

PREMIÈRE PARTIE

SACRIFICE

1

C'était un vendredi après-midi, à l'automne 1945, peu après la fin de la guerre. Le Greyhound effectuait son arrêt habituel à Meade, Ohio, à une heure au sud de Colombus, une petite ville où il y avait une fabrique de papier et qui sentait l'œuf pourri. Les étrangers se plaignaient de la puanteur, mais les gens du crû aimaient se vanter de ce qui leur semblait être le doux parfum de l'argent. Le chauffeur du car, un homme affable et court sur pattes qui portait des chaussures à semelles compensées et un nœud papillon flasque, s'arrêta dans l'allée devant la gare routière et annonça une pause de quarante minutes. Il aurait aimé pouvoir prendre une tasse de café, mais son ulcère recommençait à le travailler. Il bâilla et avala une lampée d'un médicament rose dont il gardait le flacon sur le tableau de bord. La cheminée, de l'autre côté de la ville, de loin le bâtiment le plus haut de cette partie de l'État, cracha un nouveau nuage marron sale. On la voyait à des kilomètres, soufflant comme un volcan prêt à faire exploser son crâne chauve.

S'enfonçant sur son siège, le chauffeur baissa sur ses yeux sa casquette de cuir. Il vivait juste à la sortie de Philadelphie, et si jamais il avait dû habiter dans un endroit comme Meade, Ohio, il se serait flingué. Dans cette ville, on ne trouvait même pas une laitue. Tout ce que les gens mangeaient, apparemment, c'était du gras, et encore du gras. S'il avait dû manger comme eux, il serait mort en moins de deux mois. Sa femme disait à ses amies qu'il était délicat, mais quelque chose dans sa voix l'incitait à se demander si elle était vraiment compatissante. S'il n'avait pas eu son ulcère, il serait parti se battre avec les autres. Il aurait massacré toute une patrouille d'Allemands, et lui aurait montré comme il était délicat. Son plus grand regret, c'était toutes les médailles qu'il avait ratées. Un jour, son vieux avait reçu un diplôme des chemins de fer parce qu'en vingt ans, il n'avait pas manqué une seule journée de travail et pendant les vingt années suivantes, chaque fois qu'il avait vu son chétif rejeton, il avait pointé le doigt sur ce diplôme. Quand le vieux avait fini par calancher, le chauffeur avait tenté de convaincre sa mère de fourrer le diplôme dans le cercueil, pour ne plus avoir à le regarder. Mais elle avait insisté pour le laisser exposé dans le salon, comme un exemple de ce qu'un être humain peut faire de sa vie s'il ne se laisse pas troubler par une petite indigestion. Les funérailles, un événement que le chauffeur attendait depuis longtemps, avaient failli être gâchées par toutes ces discussions autour de ce minable morceau de papier. Quand tous les soldats démobilisés seraient enfin arrivés à destination, il serait content de ne plus avoir à contempler ces imbéciles. Au bout d'un moment, la réussite des autres, ça vous pèse.

Le soldat Willard Russell avait bu au fond du car en compagnie de deux marins de Géorgie, mais l'un des deux s'était évanoui et l'autre avait vomi dans sa dernière chope. Il n'arrêtait pas de se dire que si jamais il arrivait chez lui, plus jamais il ne quitterait Cold Creek, Virginie-Occidentale. Il avait grandi dans les montagnes et il en avait vu de dures, mais ce n'était rien à côté de ce dont il avait été témoin dans le Pacifique. Sur une des îles Salomon, lui et deux autres hommes de son unité étaient tombés sur un Marine écorché vif par les Japonais et cloué à une croix faite de deux palmiers. Le corps dénudé et sanglant était couvert de mouches. Ils voyaient encore le cœur de l'homme battre dans sa poitrine. Ses plaques pendaient au bout de ce qui restait de l'un de ses gros orteils : sergent d'artillerie Miller Jones. Incapable d'offrir autre chose qu'un peu de pitié, Willard avait achevé le Marine d'une balle derrière l'oreille, puis ils l'avaient décroché et recouvert de pierres au pied de la croix. Depuis, Willard n'avait plus jamais été le même dans sa tête.

Quand il entendit le chauffeur rondouillard annoncer un arrêt, Willard se leva et se dirigea vers la porte, dégoûté par les deux marins. Selon lui, la marine était une arme qui ne devrait jamais autoriser les siens à boire. Pendant les trois années où il avait servi, il n'avait pas rencontré un seul marin capable de tenir l'alcool. Quelqu'un lui avait dit que c'était à cause du salpêtre qu'on leur faisait ingurgiter pour les empêcher de devenir fous et de s'enculer mutuellement quand ils étaient en mer. Il traîna autour de la gare routière et vit, de l'autre côté de la rue, un petit restaurant qui s'appelait le Wooden Spoon[1]. Un morceau

---

1. La Cuiller en Bois.

de carton blanc dans la vitrine annonçait comme plat du jour un pain de viande pour trente-cinq cents. Sa mère lui avait préparé un pain de viande la veille de son départ pour l'armée, et il considéra ça comme un bon présage. Il s'installa dans un box près de la fenêtre et alluma une cigarette. Une étagère faisait le tour de la salle, avec de vieilles bouteilles, des ustensiles de cuisine anciens et des photographies en noir et blanc craquelées, comme pour que la poussière s'y accumule. Un article de journal fané, à propos d'un policier de Meade abattu par un braqueur de banque devant la gare routière, était épinglé à la paroi du box. Willard s'approcha pour mieux voir, et s'aperçut que l'article était daté du 2 février 1936. Il calcula que c'était quatre jours avant son douzième anniversaire. Le seul autre client, un vieil homme, était courbé sur sa table au milieu de la salle, lampant bruyamment un bol de potage aux légumes. Ses fausses dents étaient posées sur une plaquette de beurre, devant lui.

Willard termina sa cigarette et il s'apprêtait à partir quand une serveuse aux cheveux noirs finit par sortir de la cuisine. Elle attrapa un menu sur une pile près de la caisse et le lui tendit. « Je suis désolée, dit-elle. Je ne vous avais pas entendu entrer. » Tandis qu'il contemplait ses pommettes hautes, ses lèvres charnues et ses longues jambes minces, Willard découvrit, quand elle lui demanda ce qu'il voulait manger, qu'il avait la bouche sèche. Il pouvait à peine parler. Ça ne lui était encore jamais arrivé, pas même en plein milieu du pire combat sur Bougainville Island. Pendant qu'elle s'éloignait pour transmettre la commande et aller lui chercher une tasse de café, l'idée lui traversa la tête que, juste deux mois plus tôt, il était persuadé que sa vie allait finir sur un caillou embrumé et inutile au milieu de l'océan Pacifique ; et voilà que maintenant il était là, toujours vivant et à quelques heures seulement de chez lui, servi par une femme qui ressemblait à une pin-up de cinéma en chair et en os. Pour autant qu'il le sût, c'est à ce moment-là qu'il tomba amoureux. Que le pain de viande soit sec, les haricots verts en bouillie et le petit pain aussi rassis qu'un morceau de charbon était sans importance. Elle lui servit le meilleur repas qu'il ait mangé de sa vie. Et quand il l'eut terminé, il remonta dans le car sans même demander son nom à Charlotte Willoughby.

À Huntington, de l'autre côté du fleuve, quand le car effectua un nouvel arrêt, il trouva un magasin d'alcool et acheta cinq pintes de whisky bouché qu'il fourra dans son paquetage. Maintenant, il était assis à l'avant, juste derrière le chauffeur. Il pensait à la fille du *diner* et guettait un signe qui lui indiquerait qu'il se rapprochait de la maison. Il était encore un peu ivre. Soudain, le chauffeur demanda : « Vous ramenez des médailles ? » Il jeta un coup d'œil à Willard dans le rétroviseur.

Willard secoua la tête. « Juste cette vieille carcasse toute maigre. Je flotte dedans.

– Je voulais partir, mais ils ont pas voulu de moi.

– Vous avez eu de la chance », dit Willard. Le jour où ils étaient tombés sur le Marine, les combats sur l'île étaient presque terminés, et le sergent les avait envoyés à la recherche d'eau potable. Deux heures après qu'ils eurent enterré le corps écorché de Miller Jones, quatre Japonais affamés avec du sang frais sur leurs machettes sortirent des rochers les mains en l'air, et se rendirent. Quand Willard et ses deux camarades entreprirent de les ramener à la croix, les soldats japonais tombèrent à genoux et commencèrent à supplier, ou à s'excuser, Willard ne savait pas vraiment. « Ils ont essayé de s'échapper, mentit-il au sergent, plus tard, au camp. On n'a pas eu le choix. » Quand ils eurent exécuté les Japs, un des hommes qui étaient avec lui, un garçon de Louisiane qui portait autour du cou une patte de rat musqué pour écarter les balles des bridés, leur coupa les oreilles d'un coup de rasoir. Il avait une boîte à cigares remplie d'oreilles qu'il avait fait sécher. Il avait prévu de vendre ces trophées cinq dollars pièce une fois de retour à la civilisation.

« J'ai un ulcère, dit le chauffeur.

– Vous n'avez rien manqué.

– Je ne sais pas, dit le chauffeur. J'aurais bien aimé ramener une médaille, pour sûr. Peut-être deux. J'imagine que j'aurais pu tuer assez de ces salopards de mangeurs de choucroute pour en avoir deux. Je suis assez habile de mes mains. »

Tout en regardant la nuque du chauffeur, Willard repensa à la conversation qu'il avait eue à bord du bateau avec un jeune prêtre à l'air sombre, après qu'il se fut confessé d'avoir abattu le Marine afin d'abréger ses souffrances. Le prêtre était écœuré de toutes les morts qu'il avait vues, de toutes les prières qu'il avait prononcées sur des rangées de cadavres et des tas de membres dépareillés. Il dit à Willard que si seulement la moitié de son histoire était vraie, alors la seule chose à laquelle pouvait servir ce monde dépravé et corrompu, c'était à se préparer à l'autre. « Vous saviez que les Romains éviscéraient des ânes, cousaient des chrétiens vivants dans leurs carcasses et les laissaient pourrir au soleil ? » demanda Willard au chauffeur. Le prêtre était une mine d'histoires de ce genre.

« Quel rapport ça peut bien avoir avec une médaille ?

– Réfléchissez un peu. Vous vous trouvez ligoté comme une dinde dans une casserole, avec juste la tête qui dépasse du cul d'un âne mort. Et les asticots qui vous dévorent jusqu'à ce que vous aperceviez la Gloire. »

Le chauffeur fronça les sourcils, et serra son volant un peu plus fermement.

« Je ne vois pas ce que vous voulez dire, mon gars. Je parlais de rentrer chez soi avec une grosse médaille épinglée sur la poitrine. Est-ce que ces types, les Romains, donnaient des médailles aux gens avant de les fourrer dans des ânes ? C'est ce que vous voulez dire ? »

Willard ne savait pas ce qu'il voulait dire. Selon le prêtre, seul Dieu pouvait comprendre les hommes. Il humecta ses lèvres sèches, pensa au whisky dans son sac. « Ce que je dis, c'est qu'à la fin, tout le monde finit par souffrir.

– Eh bien, dit le chauffeur, j'aimerais bien avoir ma médaille avant. Mince ! À la maison, j'ai une femme qui devient folle à chaque fois qu'elle en voit une. Vous parlez de souffrance ! Chaque fois que je suis sur la route, je me fais du souci à m'en rendre malade, de crainte qu'elle ne se fasse la malle avec un type qui a été décoré de la Purple Heart. »

Willard se pencha en avant et le chauffeur sentit sur sa nuque l'haleine chaude du soldat, huma les vapeurs de whisky et les odeurs aigres d'un repas bon marché. « Vous pensez que Miller Jones s'en ferait si sa nana le faisait cocu ? dit Willard. Il changerait de place avec vous tout de suite, mon pote.

– Qui diable est ce Miller Jones ? »

Willard, par la fenêtre, regarda le sommet brumeux de Greenbrier Mountain qui commençait à apparaître dans le lointain. Ses mains tremblaient, son front était luisant de sueur. « Juste un pauvre type qui est parti faire la guerre dont vous avez été privé, c'est tout. »

Willard était sur le point de craquer et d'ouvrir une des pintes quand son oncle Earskell arrêta sa Ford brinquebalante devant la station Greyhound de Lewisburg, à l'angle de Washington et Court. Ça faisait près de trois heures qu'il était assis sur un banc, serrant dans sa main un gobelet de café froid et regardant les gens qui passaient près du Drugstore Pioneer. Il avait honte de la façon dont il avait parlé au chauffeur du car ; il était désolé d'avoir, comme il l'avait fait, mis sur le tapis le nom du Marine ; et il s'était juré que, même s'il ne l'oublierait jamais, plus jamais il ne mentionnerait le sergent d'artillerie Miller Jones. Une fois qu'ils eurent pris la route, il plongea la main dans son sac marin et tendit à Earskell une des pintes et un Luger. Il avait troqué un sabre de cérémonie japonais contre le pistolet sur une base du Maryland, juste avant sa démobilisation. « C'est censé être le pistolet dont Hitler s'est servi pour se faire sauter la cervelle, dit Willard en essayant de réprimer un sourire.

– Des conneries », dit Earskell.

Willard se mit à rire. « Quoi ? Tu crois que le type m'a menti ?

– Tu parles », dit le vieil homme. Il décapsula la bouteille, avala une longue gorgée, puis frissonna. « Seigneur, c'est du bon !

– Finis-la. J'en ai encore trois autres dans mon paquetage. » Willard ouvrit une autre pinte et alluma une cigarette. Il sortit le bras par la fenêtre. « Comment va ma
mère ?

– Eh ben, je dois dire, quand ils ont renvoyé le corps
de Junior Carver, elle a un peu perdu la tête. Mais maintenant ça a l'air d'aller. » Earskell prit une autre gorgée et
coinça la pinte entre ses jambes. « Elle s'inquiétait pour
toi, c'est tout. »

Ils montèrent lentement à travers les collines en direction
de Coal Creek. Earskell avait envie d'entendre des histoires
de guerre, mais pendant l'heure qui suivit son neveu parla
uniquement d'une femme qu'il avait rencontrée dans
l'Ohio. De sa vie, jamais il n'avait entendu Willard parler
autant. Il aurait voulu lui demander s'il était vrai que les
Japs mangeaient leurs propres morts, comme le disait le
journal, mais il se dit que ça pouvait attendre. Et en plus,
il devait faire attention à sa conduite. Le whisky descendait
trop facilement et ses yeux n'étaient plus aussi bons
qu'autrefois. Ça faisait longtemps qu'Emma attendait le
retour de son fils, et ça serait une honte s'il avait un accident et les tuait, son neveu et lui, avant qu'elle ait pu le
revoir. À cette idée, Earskell eut un gloussement muet. Sa
sœur était l'une des personnes les plus respectueuses de
Dieu qu'il ait jamais connues, mais pour lui faire payer
une chose pareille, elle serait capable de le suivre jusqu'en
Enfer.

« Alors, qu'est-ce qui te plaît tant chez cette fille, exactement ? » demanda Emma Russell à Willard. Il était près
de minuit quand Earskell avait garé la Ford au pied de la

montagne et qu'ils avaient gravi à pied le chemin montant à la petite maison en rondins. Lorsqu'il franchit la porte, elle fit des simagrées pendant un moment, s'agrippant à lui et mouillant de ses larmes le devant de son uniforme. Par-dessus l'épaule de sa mère, il vit son oncle se glisser dans la cuisine. Depuis la dernière fois, les cheveux de sa mère étaient devenus gris. « Je te demanderais bien de t'agenouiller avec moi pour remercier le Seigneur, dit-elle en essuyant ses larmes avec le bord de son tablier. Mais je sens l'alcool dans ton haleine. »

Willard acquiesça. Il avait été élevé dans la croyance qu'on ne parle pas à Dieu quand on est sous l'influence de l'alcool. Un homme devait toujours agir franchement avec le Seigneur, au cas où il ait vraiment besoin de Lui un jour. Même Tom Russell, le père de Willard, un bootlegger qui avait été pourchassé par la malchance et les ennuis jusqu'au jour où il était mort d'une maladie de foie dans une prison de Parkersburg, en était persuadé. Aussi désespérée que pût être la situation – et c'était arrivé un paquet de fois à son vieux – il ne demanderait pas l'aide du Tout-Puissant s'il avait bu ne fût-ce qu'une cuillerée d'alcool.

« Allons, retourne à la cuisine, dit Emma. Tu pourras manger et je vais faire du café. Je t'ai préparé un pain de viande. »

À trois heures du matin, Earskell et lui avaient descendu quatre pintes ainsi qu'un plein bol de whisky de contrebande, et ils s'activaient sur la dernière bouteille. Willard avait la tête brumeuse, et du mal à trouver ses mots, même si, de façon évidente, il avait parlé à sa mère de la serveuse du *diner*. « Qu'est-ce que tu m'as demandé ? dit-il à sa mère.

– Cette fille dont tu parlais. Qu'est-ce qui te plaît, chez elle ? » Elle était en train de lui servir une nouvelle tasse du café qui bouillait dans la casserole. La langue de Willard était engourdie, mais pourtant il était sûr de se l'être déjà brûlée plus d'une fois. Une lampe à kérosène suspendue à une poutre au plafond éclairait la pièce. La large ombre de sa mère oscillait sur le mur. Il recracha un peu de café sur la toile cirée qui recouvrait la table. Emma secoua la tête et tendit la main pour prendre un torchon.

« Tout, dit-il. Tu devrais la voir. »

Emma imagina que c'était juste le whisky qui parlait, mais le fait que son fils ait annoncé qu'il avait rencontré une femme la mettait mal à l'aise. Mildred Carver, la plus authentique chrétienne de Coal Creek, avait prié chaque jour pour son Junior, et ils l'avaient renvoyé dans une caisse en bois. Dès qu'elle avait appris que les porteurs doutaient qu'il y eût quoi que ce soit dans le cercueil, léger comme il était, Emma avait commencé à attendre un signe qui lui dirait quoi faire pour assurer la sécurité de Willard. Elle cherchait encore quand la famille d'Helen Hatton périt dans un incendie, laissant la pauvre fille toute seule. Deux jours plus tard, après avoir beaucoup réfléchi, Emma se mit à genoux et promit à Dieu que s'Il permettait à son fils de rentrer vivant, elle ferait en sorte qu'il épouse Helen et prenne soin d'elle. Mais à cet instant, tandis que, debout dans la cuisine, elle regardait les épais cheveux noirs de son fils et ses traits burinés, elle comprit à quel point elle avait été folle de promettre une chose pareille. Helen portait un bonnet sale noué sous son menton carré, et son long visage chevalin était le portrait tout craché de sa grand-mère Rachel, considérée par bien des gens comme

31

la femme la plus banale à avoir jamais franchi les limites de Greenbrier County. Sur le moment, Emma n'avait pas pris en compte ce qui pourrait arriver si elle ne parvenait pas à tenir sa promesse. Si seulement Dieu lui avait accordé un fils laid ! pensa-t-elle. Le Seigneur avait une façon étrange de faire comprendre aux gens qu'il était mécontent.

« L'apparence n'est pas tout, dit Emma.

– Qui a dit ça ?

– La ferme, Earskell, dit Emma. Comment s'appelle cette fille, déjà ? »

Willard haussa les épaules. Il plissa les yeux pour mieux voir l'image de Jésus portant sa croix, suspendue au-dessus de la porte. Depuis qu'il était entré dans la cuisine, il avait évité de la regarder, de peur de gâcher son retour en pensant à Miller Jones. Mais maintenant, pendant un instant, il s'abandonna à l'image. Elle était là depuis aussi longtemps qu'il pût se souvenir, tachée par l'âge dans son modeste cadre de bois. À la lumière vacillante de la lanterne, elle semblait presque vivante. Il pouvait presque entendre le fouet claquer, les sarcasmes des soldats de Pilate. Il jeta un coup d'œil sur le Luger posé sur la table à côté de l'assiette d'Earskell.

« Quoi ? Tu ne connais même pas son nom ?

– J'lui ai pas demandé, dit Willard. Mais je lui ai laissé un dollar de pourboire.

– Elle n'oubliera pas une chose pareille, intervint Earskell.

– Et bien, tu pourrais peut-être prier pour ça avant de retourner traîner en Ohio, dit Emma. Ça fait du chemin. » Toute sa vie, elle avait été persuadée que les gens devaient suivre la volonté du Seigneur, et non leur volonté à eux. On devait être persuadé que tout, en ce monde, advient selon ce qui a été écrit. Mais Emma avait perdu ce type de foi, elle avait fini par essayer de marchander avec Dieu comme s'il n'était rien de plus qu'un marchand de chevaux mâchant sa chique, ou un rétameur en loques, colportant sur la route des objets cabossés. Maintenant, quoi qu'il puisse arriver, elle devait au moins faire un effort pour tenir sa promesse – ou du moins la part qui la concernait. Après ça, elle laisserait l'affaire entre Ses mains. « Je ne pense pas que ça puisse faire de mal, non ? Si tu priais pour ça ? » Elle se retourna et commença à recouvrir d'un torchon propre les restes du pain de viande.

Willard souffla sur son café, puis en prit une gorgée et grimaça. Il pensait à la serveuse, à la mince cicatrice, à peine visible, au-dessus de son sourcil gauche. Encore deux semaines, pensa-t-il, et il prendrait la voiture pour aller lui parler. Il regarda son oncle qui essayait de se rouler une cigarette. Les mains d'Earskell étaient noueuses et tordues par l'arthrose, ses articulations aussi grosses que des pièces de monnaie. « Non, dit Willard en versant un peu de whisky dans sa tasse, ça ne peut pas faire de mal. »

2

Assis tout seul sur l'un des bancs du fond de l'Église du Saint-Esprit Sanctifié de Coal Creek, Willard avait la gueule de bois et il tremblait. Il était presque sept heures et demie, le jeudi soir, mais le service n'avait pas encore commencé. C'était la quatrième soirée de la semaine annuelle de cérémonies revivalistes de l'Église, destinées essentiellement aux endurcis et à ceux qui n'avaient pas encore été sauvés. Willard était rentré depuis plus d'une semaine, et c'était le premier jour que son haleine ne sentait pas l'alcool. La veille au soir, Earskell et lui avaient été au Lewis Theater pour voir John Wayne dans *"etour aux Philippines*[1]. Il était sorti à la moitié du film, écœuré par sa stupidité, et avait fini par se bagarrer dans la salle de billard au bout de la rue. Il frissonna et regarda autour de lui, décrispant ses mains endolories. Emma était toujours à l'avant de l'église, en discussion avec quelqu'un. Des lanternes fumeuses étaient suspendues le long des murs ; à mi-chemin du bas-côté, sur la droite, il y avait un poêle à

---

1. *Back to Bataan*, d'Edward Dmytryk, 1945.

bois cabossé. Les bancs de pin avaient été rendus lisses par vingt années de foi. L'église était le même endroit modeste qu'elle avait toujours été, mais Willard craignait d'avoir pas mal changé depuis qu'il avait voyagé au-delà des mers.

Le révérend Albert Sykes avait créé cette Église en 1924, peu après l'effondrement d'une mine de charbon qui l'avait enfermé dans l'obscurité en compagnie de deux hommes tués sur le coup. Ses deux jambes étaient fracturées en divers endroits. Il avait réussi à atteindre un paquet de tabac à chiquer Five Brothers dans la poche de Phil Drury, mais n'avait pu s'étirer suffisamment pour saisir le sandwich beurre confiture que, il le savait, Burl Meadows avait dans sa veste. Il disait avoir été touché par l'Esprit au cours de la troisième nuit. Il réalisa qu'il n'allait pas tarder à rejoindre les hommes à côté de lui, qui déjà puaient la mort, mais ça n'avait plus d'importance. Quelques heures plus tard, alors qu'il était endormi, les sauveteurs franchirent les décombres. Pendant un instant, il fut persuadé que la lumière qu'ils projetaient dans ses yeux était le visage du Seigneur. C'était une bonne histoire à raconter dans un sermon, et il y avait toujours beaucoup d'alléluias quand il arrivait à ce moment-là. Willard se disait qu'il avait entendu le vieux prédicateur raconter ça cent fois au fil des ans, boitillant d'avant en arrière devant la chaire vernie. À la fin de l'histoire, le révérend sortait toujours de la veste de son costume élimé le paquet vide de Five Brothers, et le tendait vers le plafond, bien à l'abri dans la paume de ses mains. Il l'avait toujours sur lui. Bien des femmes des environs de Coal Creek, en particulier celles qui avaient encore des maris et des fils dans la mine, le considéraient

35

comme une relique sacrée, l'embrassant à chaque fois qu'elles en avaient l'occasion. Et, de fait, Mary Ellen Thompson, sur son lit de mort, l'avait demandé plutôt que le docteur.

Willard regardait sa mère parler à une femme mince portant de travers des lunettes cerclées de fer sur un long visage maigre, un bonnet bleu délavé noué sous son menton pointu. Au bout de quelques minutes, Emma saisit la main de la femme et la conduisit vers le banc, à l'arrière, où Willard était assis. « J'ai demandé à Helen de venir se mettre avec nous », dit-elle à son fils. Il se leva pour les laisser s'installer, et, lorsque la fille passa devant lui, une odeur de sueur rancie lui fit monter les larmes aux yeux. Elle portait une bible de cuir usé, et quand Emma la présenta à son fils elle garda la tête baissée. Il comprenait maintenant pourquoi sa mère, ces derniers jours, n'avait pas arrêté de répéter que la beauté n'avait aucune importance. Il était bien d'accord que, dans la plupart des cas, l'esprit était plus important que la chair. Mais, que diable, même son oncle Earskell se lavait les aisselles de temps en temps.

Comme l'église n'avait pas de cloche, le révérend Sykes, quand il était temps que le service commence, s'approchait de la porte ouverte et appelait ceux qui traînaient encore dehors avec leurs cigarettes, leurs cancans et leurs doutes. Un petit chœur, deux hommes et trois femmes, se levèrent et entonnèrent « Pêcheur, prépare-toi. » Puis Sykes se dirigea vers le pupitre. Il étudia l'assistance, essuya avec un mouchoir blanc la sueur sur son front. Il y avait cinquante-huit personnes assises sur les bancs. Il les compta deux fois. Le révérend n'était pas un homme avide, mais il espérait que, ce soir, la quête lui rapporterait au moins trois ou quatre dollars. Sa femme et lui, cette semaine, n'avaient mangé que des biscuits de marin et de la viande d'écureuil bouillie. « Ah, qu'est-ce qu'il fait chaud ! dit-il avec un grand sourire. Mais il va faire plus chaud encore, n'est-ce pas ? Surtout pour ceux qui ne se conduisent pas bien envers le Seigneur.

– Amen, dit quelqu'un.

– C'est sûr, dit un autre.

– Eh bien, poursuivit Sykes, on va s'occuper de ça rapidement. Ce soir, ce sont deux garçons des environs de Topperville qui vont diriger le service, et d'après ce que tout le monde me dit, ils ont un bon message. » Il jeta un coup d'œil sur les deux étrangers assis dans l'ombre sur le côté de l'autel, dissimulés à l'assemblée par un rideau noir élimé. « Frère Roy et Frère Theodore, approchez-vous et aidez-nous à sauver quelques âmes perdues », dit-il avec un geste de la main dans leur direction.

Un grand homme maigre se leva et poussa l'autre, un gros garçon dans un fauteuil roulant qui grinçait, jusqu'au centre de l'église, devant l'autel. Celui qui avait de bonnes jambes portait un costume noir trop grand et une paire de lourdes bottes à lacets usées. Ses cheveux bruns huilés étaient peignés en arrière, ses joues creuses étaient pourpres, creusées de cicatrices d'acné. « Je m'appelle Roy Laferty, dit-il d'une voix douce. Et voici mon cousin Theodore Daniels. » L'invalide acquiesça et sourit à l'assistance. Il tenait sur les genoux une guitare hors d'âge, et avait les cheveux coupés au bol. Sa salopette était couverte de pièces taillées dans un sac de grain, et ses jambes maigres, pliées sous lui, faisaient un angle aigu. Il portait une chemise blanche sale et une cravate à fleurs de couleurs vives. Plus tard, Willard déclara que l'un d'eux ressemblait au Prince des Ténèbres et l'autre à un clown tombé dans la mouise.

Dans le silence, Frère Theodore finit d'accorder sa guitare acoustique. Quelques spectateurs bâillèrent, d'autres commencèrent à murmurer entre eux, déjà impatientés par ce qui semblait être le début d'un service ennuyeux dirigé par un tandem d'étrangers timides et inutiles. Willard regretta de ne pas s'être glissé sur le parking avant le début de l'office, pour trouver quelqu'un qui ait une cruche d'alcool. Il n'avait jamais aimé prier Dieu au milieu d'étrangers entassés dans une bâtisse. « Ce soir, nous ne ferons pas circuler les panières, dit finalement Frère Roy quand l'invalide lui eut fait signe qu'il était prêt. On ne veut pas d'argent pour le service du Seigneur. Theodore et moi, on peut se nourrir de la douceur de l'air si on y est forcés et, croyez-moi, on l'a fait un certain nombre de fois. Sauver des âmes, ça n'a rien à voir avec un billet crasseux. » Roy regarda le vieux prédicateur, qui réussit un pauvre sourire et acquiesça à contrecœur. « Maintenant, ce soir, on va faire descendre l'Esprit Saint sur cette petite église. Ou du moins on fera tout notre possible pour y arriver, ça, je peux vous le jurer. » Et sur ces mots le gros garçon fit un accord sur sa guitare et Frère Roy se pencha en arrière et émit un atroce gémissement haut perché qui donnait l'impression qu'il essayait de secouer les portes du Paradis. La moitié de l'assemblée faillit bondir de son siège. Quand il sentit sa mère tressaillir à côté de lui, Willard eut un petit rire.

Le jeune prédicateur commença à arpenter le bas-côté, demandant autour de lui d'une voix sonore : « Alors, de

38

quoi avez-vous le plus peur ? » Il agitait les bras et décrivait l'atrocité de l'Enfer – la saleté, l'horreur, le désespoir – et l'éternité qui s'étend devant chacun, pour toujours, pour toujours, sans jamais de fin. « Si votre pire terreur, ce sont les rats, alors Satan fera en sorte que vous en soyez entourés. Mes frères et mes sœurs, ils vous dévoreront le visage pendant que vous serez immobiles, incapables de lever ne fût-ce qu'un doigt pour vous en défendre, et ça n'aura jamais de fin. Un million d'années dans l'éternité ne sont pas même l'équivalent d'une après-midi à Coal Creek. N'essayez même pas de vous les imaginer. Aucun cerveau humain n'est capable de mesurer une pareille misère. Vous vous souvenez de cette famille assassinée dans son lit, l'an dernier, à Millersburg ? Ces gens dont les yeux ont été arrachés par ce fou ? Imaginez d'être torturé comme ça pendant un billion d'années – c'est un million de million, j'ai vérifié –, sans jamais mourir ? Avoir vos mirettes arrachées de votre tête avec un vieux couteau plein de sang, encore et encore, pour toujours et à jamais. J'espère que ces pauvres gens étaient d'accord avec le Seigneur, quand le fou s'est glissé par leur fenêtre, pour sûr je l'espère. Et vraiment, mes frères et mes sœurs, on ne peut pas imaginer les façons dont Satan nous torturera, il a jamais existé un homme aussi diabolique, pas même ce Hitler, jamais un homme capable d'égaler la façon dont Satan fera payer les pêcheurs au Jour du Jugement. »

Pendant que Frère Roy prêchait, Theodore gardait sur sa guitare un rythme adapté au flux des paroles, suivant des yeux le moindre mouvement de l'autre. Roy était son cousin du côté maternel, mais il arrivait au gros garçon de regretter qu'ils soient si proches parents. Même s'il était content d'être capable de répandre l'Évangile à ses côtés, il éprouvait depuis longtemps des sentiments qu'aucune prière ne pouvait écarter. Il savait ce que disait la Bible, mais il ne pouvait accepter l'idée que le Seigneur considère une telle pensée comme un péché. L'amour, c'est l'amour, pensait Theodore. Mince, est-ce qu'il ne l'avait pas prouvé, est-ce qu'il n'avait pas montré à Dieu qu'il l'aimait plus que personne ? Avaler ce poison au point d'en devenir infirme, montrer au Seigneur qu'il avait la foi, même si maintenant, parfois, il ne pouvait s'empêcher de penser qu'il s'était montré un peu trop enthousiaste. Mais pour l'instant, il avait Dieu et il avait Roy et il avait sa guitare, et il n'avait besoin de rien de plus en ce monde, même si plus jamais il ne pourrait se tenir droit. Et si Theodore devait prouver à Roy à quel point il l'aimait, il le ferait tout aussi volontiers, tout ce qu'il demanderait. Dieu était amour, et Il était partout, et en toute chose.

Puis Roy bondit de nouveau vers l'autel, tendit la main sous le fauteuil roulant de Frère Theodore, et en sortit une cruche d'un gallon. Tout le monde, sur les bancs, se pencha un peu en avant. Une masse sombre semblait bouillonner à l'intérieur de la cruche. Quelqu'un cria : « Gloire à Dieu », et Frère Roy dit : « C'est vrai, mes amis. C'est vrai. » Il brandit la cruche et la secoua violemment. « Laissez-moi vous dire quelque chose, vous tous, continua-t-il. Avant que je trouve le Saint-Esprit, j'avais une peur bleue des araignées. C'est pas vrai, Theodore ? Depuis que j'étais un petit môme qui se planquait dans les jupes de sa mère. Les araignées grouillaient dans mes rêves, pondaient des œufs dans mes cauchemars, et je ne pouvais même pas aller aux toilettes dehors sans quelqu'un pour me tenir la main.

Partout elles m'attendaient, suspendues dans leurs toiles. C'était une vie horrible, tout le temps dans la terreur, endormi ou éveillé, tout le temps. Et l'Enfer, c'est comme ça, mes frères et mes sœurs. Je n'étais jamais à l'abri de ces démons à huit pattes. Pas avant que je trouve le Seigneur. »

Puis Roy tomba à genoux et imprima une nouvelle secousse à la cruche avant d'en dévisser le bouchon. Theodore ralentit le rythme, jusqu'à ce qu'il n'en reste plus qu'une hymne funèbre, lugubre, menaçant, qui glaça la salle, lui donna la chair de poule. Tendant la cruche audessus de lui, Roy regarda l'assemblée, prit une profonde inspiration et la retourna. Une masse bigarrée d'araignées, des brunes, des noires, des rayées orange et jaune, lui tombèrent sur les épaules et le sommet de la tête. Puis un frisson parcourut son corps, comme un courant électrique, et il se leva et jeta la cruche sur le sol, projetant des éclats dans toutes les directions. Il émit à nouveau un atroce cri perçant, et commença à trembler des bras et des jambes, les araignées tombant sur le sol et s'enfuyant en s'éparpillant. Une femme entortillée dans un châle de tricot bondit de son banc et se précipita vers la porte, de nombreuses autres hurlèrent, et au milieu de l'agitation, Roy fit un pas en avant, quelques araignées encore accrochées à son visage en sueur, et cria : « Écoutez-moi bien, vous tous, le Seigneur, si vous Le laissez faire, vous libérera de toutes vos peurs. Voyez ce qu'Il a fait pour moi. » Puis il eut un petit haut-le-cœur, et cracha quelque chose de noir.

Une autre femme commença à secouer sa robe, hurlant qu'elle avait été mordue, et deux enfants se mirent à brailler. Le révérend Sykes courait ici et là, essayant de rétablir l'ordre, mais déjà les gens se pressaient, paniqués, vers l'étroite porte. Emma prit Helen par le bras, tentant de l'entraîner hors de l'église. Mais la fille se dégagea et avança dans le bas-côté. Elle tenait sa bible contre sa poitrine plate, les yeux fixés sur Frère Roy. Grattant toujours sa guitare, Theodore regarda son cousin balayer nonchalamment une araignée de son oreille, puis sourire à la fille frêle et ordinaire. Il n'arrêta de jouer que lorsqu'il vit Roy faire signe à cette salope de s'approcher.

Sur le chemin du retour, Willard dit : « Ces araignées, mon vieux, c'était une bonne idée. » Il avança la main droite et commença à agiter doucement les doigts le long du bras potelé et flasque de sa mère.

Elle poussa un cri perçant et lui donna une tape : « Arrête un peu ça. Déjà que ce soir je pourrai pas m'endormir.

– T'avais déjà entendu prêcher ce type ?

– Non, mais ils font des trucs bizarres dans cette église à Topperville. Je parie que le révérend Sykes regrette déjà de les avoir invités. Celui qui est en fauteuil a bu trop de strychnine, ou d'antigel, ou de je ne sais quoi, et c'est pour ça qu'il ne peut pas marcher. C'est une vraie pitié. Éprouver leur foi, ils appellent ça. Mais à mon avis, c'est pousser les choses un peu loin. » Elle soupira et appuya sa tête contre le siège. « J'aurais bien aimé qu'Helen vienne avec nous.

– Eh bien, au moins personne ne s'est endormi pendant le sermon, il faut lui accorder ça.

– Tu sais, dit Emma, elle aurait pu faire la chose avec toi si tu avais fait un peu plus attention à elle.

– Oh, d'après ce que j'ai vu, Frère Roy va lui en faire autant qu'elle pourra en prendre.

– C'est bien de ça que j'ai peur, dit Emma.

– Mère, je repars dans l'Ohio dans un jour ou deux. Tu le sais. »

Emma ignora sa remarque. « Elle ferait une bonne épouse, cette Helen. »

Quelques semaines après que Willard fut parti pour l'Ohio afin de retrouver la serveuse, Helen frappa à la porte d'Emma. C'était par un chaud mois de novembre, au début de l'après-midi. La vieille femme était assise dans son salon, écoutant la radio et relisant une fois de plus la lettre qu'elle avait reçue le matin même. Willard et la serveuse s'étaient mariés une semaine auparavant. Ils allaient rester dans l'Ohio, du moins pour l'instant. Il avait trouvé un boulot dans un abattoir, et il disait qu'il n'avait jamais vu autant de porcs de sa vie. L'homme à la radio mettait les températures hors de saison sur le compte des bombes atomiques lâchées pour gagner la guerre.

« Je voulais vous le dire la première, parce que je sais que vous vous êtes fait du souci pour moi », dit Helen. C'était la première fois qu'Emma la voyait sans un bonnet sur la tête.

« Me dire quoi, Helen ?

– Roy m'a demandé de l'épouser. Il m'a dit que Dieu lui avait fait un signe, et que nous étions faits l'un pour l'autre. »

Debout à la porte avec la lettre de Willard à la main, Emma pensa à la promesse qu'elle n'avait pas réussi à tenir. Elle avait craint un accident grave, ou une maladie hor-

43

rible, mais il s'agissait d'une bonne nouvelle. Peut-être que, finalement, tout allait bien se passer. Elle sentit son regard se troubler par les larmes. « Où est-ce que vous allez vivre ? demanda-t-elle, incapable de trouver autre chose à dire.

– Oh, Roy a une maison à Topperville, derrière la station-service. Theodore va habiter avec nous. Au moins pendant un petit moment.

– Celui qui est en fauteuil ?

– Oui, m'dame, dit Helen. Ça fait longtemps qu'ils sont ensemble. »

Emma avança sur la véranda et serra la fille contre elle. Il émanait d'elle une légère odeur de savon Ivory, comme si elle avait pris un bain récemment. « Tu veux entrer t'asseoir un moment ?

– Non, il faut que j'y aille, dit Helen. Roy m'attend. » Emma regarda en bas de la pente. Une voiture couleur de bouse, en forme de tortue, était arrêtée derrière la vieille Ford d'Earskell. « Il prêche à Millersburg ce soir, là où les gens se sont fait arracher les yeux. On a passé la matinée à récolter des araignées. Dieu merci, avec ce temps, elles sont encore assez faciles à trouver.

– Fais bien attention, Helen, dit Emma.

– Oh, vous inquiétez pas, dit la fille en commençant à descendre. Une fois qu'on a pris l'habitude, elles sont pas si méchantes que ça. »

3

Au printemps 1948, Emma reçut des nouvelles de l'Ohio : elle était enfin grand-mère. La femme de Willard avait donné le jour à un robuste garçon baptisé Arvin Eugene. À partir de ce moment-là, la vieille femme fut rassurée : Dieu lui avait pardonné sa brève perte de foi. Ça faisait presque trois ans, et rien de grave n'était arrivé. Un mois plus tard, elle remerciait encore le Seigneur de ce que son petit-fils ne fût pas né aveugle et idiot comme les trois enfants d'Edith Maxwell, à Spud Run, quand Helen apparut à la porte avec sa nouvelle à elle. Emma l'avait rarement vue depuis que la fille avait épousé Roy et était passée à l'église de Topperville. «Je voulais m'arrêter pour vous le dire», dit Helen. Ses bras et ses jambes étaient pâles et minces, mais son ventre était énorme.

« Mon Dieu, dit Emma en ouvrant la porte-moustiquaire. Entre, mon cœur, et reste un peu. » Il était tard dans la journée, et des ombres gris-bleu couvraient le jardin plein de mauvaises herbes. Une poule gloussait doucement sous la véranda.

« Pour l'instant, je ne peux pas.

– Allons, ne sois pas si pressée. Laisse-moi te préparer

quelque chose à manger, dit la vieille femme. Ça fait des siècles qu'on n'a pas bavardé.

– Merci, Mrs Russell. Peut-être une autre fois. Il faut que j'y retourne.

– Roy prêche, ce soir ?

– Non, dit Helen. Ça fait deux mois qu'il a pas prêché. Vous l'avez pas su ? Une de ces araignées l'a salement mordu. Sa tête a enflé, aussi grosse qu'un potiron. Il a pas pu ouvrir les yeux pendant une semaine au moins.

– Eh bien, dit la vieille femme, il trouvera peut-être du travail à la compagnie d'électricité. Quelqu'un m'a dit qu'ils embauchaient. Ils doivent amener le courant ici dans pas longtemps.

– Oh, je crois pas, dit Helen. Roy a pas renoncé à prêcher. C'est juste qu'il attend un message.

– Un message ?

– Il en a pas envoyé depuis un moment, et ça inquiète Roy.

– Qui n'en a pas envoyé ?

– Le Seigneur, évidemment, Mrs Russell. Il est le seul que Roy écoute. » Elle commença à descendre les marches. « Helen ? »

La fille s'arrêta et se retourna. « Oui, m'dame. »

Emma hésita, ne sachant pas vraiment quoi dire. Elle regarda la voiture couleur de bouse au bas de la colline. Elle voyait une silhouette sombre assise au volant. « Tu feras une bonne mère », dit-elle.

Après avoir été mordu par l'araignée, Roy passa la plus grande partie de son temps cloîtré dans la penderie de sa chambre, à attendre un signe. Il était persuadé que le

Seigneur l'avait forcé à ralentir afin de le préparer à de plus grandes choses. Quant à Theodore, le fait que Roy saute cette salope était la goutte qui faisait déborder le vase. Il commença à boire et à passer la nuit dehors, jouant dans des clubs et des bouis-bouis illégaux dissimulés en pleine cambrousse. Il apprit des dizaines de chansons coupables qui parlaient de femmes infidèles, de meurtres de sang-froid et de vies gâchées derrière les barreaux. En général, celui en compagnie de qui il avait terminé la nuit, qui que ce soit, le déchargeait ivre et couvert de pisse devant la maison, et Helen devait sortir à l'aube pour l'aider à rentrer tandis qu'il la maudissait et maudissait ses jambes abîmées et maudissait ce soi-disant prédicateur qui la sautait. Elle finit bientôt par avoir peur des deux hommes, et elle changea de chambre avec Theodore, le laissant dormir dans le grand lit à côté de la penderie de Roy.

Un soir, quelques mois après la naissance du bébé, une petite fille qu'ils baptisèrent Lenora, Roy sortit de la chambre persuadé qu'il pouvait ressusciter les morts. « Merde, t'es juste un cinglé », dit Theodore. Il buvait une canette de bière tiède pour se caler l'estomac. Il avait une petite lime de métal et un tournevis posés sur les genoux. Le soir précédent, il avait joué huit heures de suite à une fête d'anniversaire à Hungry Holler, pour dix dollars et un litre de vodka russe. Un salopard s'était moqué de son infirmité, et avait essayé de le tirer de son fauteuil roulant et de le faire danser. Theodore posa la bière et se remit à travailler à la pointe du tournevis. Il détestait tout ce putain de monde. La prochaine fois que quelqu'un l'emmerderait comme ça, ce fils de pute finirait avec un trou dans les boyaux. « T'as plus ce qu'il faut, Roy. Le Seigneur t'a abandonné, comme Il m'a abandonné.

– Non, Theodore, non, dit Roy. C'est pas vrai. Je viens de Lui parler. Il était assis dans la chambre avec moi il y a une minute. Et Il ressemble pas à ses images. Pour commencer, Il a pas de barbe.

– Fou comme un lapin, dit Theodore.

– Je peux le prouver !

– Comment tu vas faire ? »

Roy arpenta la pièce pendant quelques minutes, agitant les mains comme s'il essayait de tirer son inspiration de l'air. « On va se faire un chat, annonça-t-il, et je te montrerai que je peux le ressusciter. » Après les araignées, les chats étaient la plus grande terreur de Roy. Sa mère racontait toujours qu'elle en avait surpris un en train de l'étouffer quand il était bébé. Au fil des années, Theodore et lui en avaient massacré des dizaines.

« Tu te fous de moi, non ? dit Theodore. Un putain de chat ? » Il se mit à rire. « Non, maintenant, pour que je te croie, il faudrait que tu sois un peu plus sérieux. » Il appuya son pouce contre l'extrémité du tournevis. Il était bien pointu.

Roy s'essuya la sueur du visage avec une couche sale du bébé. « Quoi, par exemple ? »

Theodore regarda par la fenêtre. Helen était debout dans le jardin, tenant dans ses bras la gamine aux joues roses. Ce matin, une fois de plus, elle lui avait fait la tête, disant qu'elle en avait assez qu'il réveille le bébé. Ces temps-ci, elle lui menait la vie dure, beaucoup trop dure, selon lui. Merde, sans l'argent qu'il rapportait à la maison, ils seraient tous morts de faim. Il jeta à Roy un regard rusé. « Et si tu ramenais Helen à la vie ? Alors, on serait certain que t'es pas cinglé. »

Roy secoua violemment la tête. « Non, non, je peux pas faire ça. »

Theodore eut un sourire suffisant et prit la canette de bière. « Tu vois ? Je savais bien que tu racontais des conneries. T'as toujours fait ça. T'es pas plus prédicateur que ces ivrognes pour qui je joue tous les soirs.

– Dis pas ça, Theodore, dit Roy. Pourquoi tu dis des trucs pareils ?

– Parce qu'on avait la belle vie, nom de Dieu, et il a fallu que tu te maries. Ça a épuisé la lumière en toi, et t'es trop bête pour voir ça. Montre-moi qu'elle est revenue, et on recommencera à répandre l'Évangile. »

Roy se rappela la conversation qu'il avait eue dans la penderie, la voix de Dieu aussi claire dans sa tête qu'un son de cloche. Par la fenêtre, il regarda sa femme debout à côté de la boîte aux lettres, chantant doucement pour le bébé. Peut-être Theodore n'avait-il pas tout à fait tort. Après tout, se dit-il, Helen était en règle avec le Seigneur et, pour autant qu'il le sache, elle l'avait toujours été. Quand il s'agissait de résurrection, ça ne pouvait que faciliter les choses. Il préférait cependant effectuer d'abord un essai sur un chat. « Je dois encore y réfléchir.

– Il faudra qu'il y ait pas de truc, dit Theodore.

– Seul le Diable a besoin de trucs. ». Roy prit une gorgée d'eau à l'évier de la cuisine, juste assez pour s'humecter les lèvres. Une fois rafraîchi, il décida de prier encore un peu, et prit la direction de la chambre.

« Si tu réussis un truc pareil, Roy, dit Theodore, il y aura pas dans toute la Virginie-Occidentale une église assez

grande pour contenir tous les gens qui voudront t'entendre
prêcher. Merde, tu seras plus célèbre que Billy Sunday. »

Quelques jours plus tard, Roy demanda à Helen de laisser son bébé chez son amie, la vieille Russell, pendant qu'ils
iraient faire un tour en voiture. « Juste pour mettre un peu
le nez hors de cette fichue maison, expliqua-t-il. Je te pro-
mets que j'en ai fini avec la penderie. » Helen se sentit
soulagée : Roy, soudain, avait recommencé à agir comme
autrefois, il parlait de reprendre les prêches. Et pas seulement ça, mais Theodore avait cessé de sortir le soir, apprenait de nouvelles hymnes, et s'en tenait au café. Il lui
arrivait même de prendre le bébé dans ses bras quelques
minutes, ce qu'il n'avait encore jamais fait auparavant.

Après avoir déposé Lenora chez Emma, ils roulèrent une
demi-heure jusqu'à une forêt à quelques kilomètres à l'est
de Coal Creek. Roy gara la voiture et demanda à Helen
de venir se promener avec lui. Theodore était sur le siège
arrière, faisant semblant de dormir. Au bout de quelques
mètres, Roy dit : « On ferait peut-être mieux de commencer par prier. » Theodore et lui avaient eu une discussion
à ce sujet, Roy disant qu'il voulait qu'il s'agisse d'un
moment d'intimité entre lui et sa femme, tandis que l'invalide insistait pour voir de ses yeux l'Esprit la quitter, afin
d'être sûr qu'ils ne faisaient pas semblant. Quand ils s'agenouillèrent sous un hêtre, Roy tira de son pantalon trop
large le tournevis de Theodore. Il passa un bras autour de
l'épaule d'Helen, et l'attira à lui. Pensant qu'il s'agissait
d'un geste de tendresse, elle se retourna pour l'embrasser
à l'instant où il lui plongeait profondément l'extrémité
pointue dans le cou. Il la lâcha et elle tomba sur le flanc,
puis se redressa, agrippant frénétiquement le tournevis.

Quand elle réussit à l'extraire, du sang jaillit et aspergea le devant de la chemise de Roy. Par la fenêtre de la voiture, Theodore la regarda essayer de s'enfuir en rampant. Elle n'avança que de quelques pas avant de tomber tête la première dans les feuilles et de frétiller une minute ou deux. Il l'entendit appeler plusieurs fois Lenora. Il alluma une cigarette et attendit quelques minutes avant de s'extirper de la voiture.

Trois heures plus tard, Theodore déclara : « T'y arriveras pas, Roy. » Il était assis dans son fauteuil roulant à quelques mètres du corps d'Helen serrant toujours le tournevis. Roy était à genoux à côté de sa femme, lui tenant la main, essayant encore de la ramener à la vie. Au commencement, ses supplications avaient résonné dans les bois gonflées de ferveur et de foi, mais plus le corps froid d'Helen tardait à produire la contraction attendue, plus elles étaient devenues dénaturées, folles. Theodore commençait à sentir poindre le mal de tête. Il regretta de ne pas avoir apporté quelque chose à boire.

Roy leva les yeux sur son cousin infirme, le visage couvert de larmes. « Seigneur Jésus, je crois que je l'ai tuée. »

Theodore rapprocha son fauteuil, et pressa le dos de sa main sale sur le visage d'Helen. « Elle est bien morte, c'est sûr.

— La touche pas, dit Roy.

— Je voulais juste t'aider. »

Roy frappa le sol de son poing. « Ça devait pas se passer comme ça.

— Ça me plaît pas de dire ça, mais s'ils te prennent, ces types de Moundsville te feront frire comme du bacon. »

Roy secoua la tête, essuya de sa manche la morve de

son nez. « Je ne sais pas ce qui a pas marché. J'étais sûr que... »

Sa voix se tut, et il lâcha la main d'Helen.

« Merde, t'as mal calculé ton coup, c'est tout, dit Theodore. Ça aurait pu arriver à tout le monde.

– Qu'est-ce que je vais faire, maintenant ?

– Tu peux toujours t'enfuir. Dans une situation pareille, c'est la seule chose intelligente à faire. Je veux dire, merde, qu'est-ce que t'as à perdre ?

– M'enfuir où ?

– J'ai pensé à ça, et je suppose que si tu en prenais bien soin, cette vieille bagnole pourrait arriver jusqu'en Floride.

– Je sais pas, dit Roy.

– Bien sûr que si, dit Theodore. Écoute, une fois qu'on sera là-bas on vendra la bagnole, et on recommencera à prêcher. C'est ce qu'on aurait dû faire tout ce temps. » Il baissa les yeux sur Helen, pâle et en sang. Elle avait fini de pleurnicher. Il regrettait presque de ne pas l'avoir tuée lui-même. Elle avait tout gâché. Sans elle, maintenant, ils auraient pu avoir leur église à eux, et peut-être même passer à la radio.

« Nous ?

– Et ouais, dit Theodore. Tu vas bien avoir besoin d'un guitariste, non ? » Ça faisait longtemps qu'il rêvait d'aller en Floride, de vivre près de l'océan. C'était dur, pour un infirme, de vivre entouré de toutes ces montagnes et de ces bois stupides.

« Mais elle ? dit Roy en montrant le cadavre d'Helen.

– Il va falloir l'enterrer bien profond, mon pote, dit Theodore. J'ai mis une pelle dans la malle, juste au cas où ça se passe pas comme tu l'espérais.

– Et Lenora ?

– Crois-moi, le bébé sera mieux avec la vieille. Tu veux pas que ta fille grandisse en cavale, non ? » Il leva les yeux à travers les arbres. Le soleil avait disparu derrière une muraille d'épais nuages et le ciel était devenu couleur de cendre. Il y avait dans l'air l'odeur moite de la pluie. De l'arrière de Rocky Gap, arrivait un long et à peine perceptible grondement de tonnerre. « Maintenant, tu ferais mieux de commencer à creuser avant qu'on soit trempés. »

Quand Earskell rentra, ce soir-là, Emma était assise dans un fauteuil près de la fenêtre, berçant Lenora. Il était près de onze heures du soir, et la tempête commençait juste à se calmer. « Helen m'avait dit qu'ils ne seraient pas partis plus de deux heures, dit la vieille femme. Elle ne m'a laissé qu'une bouteille de lait.

– Tu connais ces prédicateurs, dit Earskell. Ils ont dû aller s'en prendre une bonne. D'après ce qu'on m'a dit, cet infirme serait capable de boire à m'en faire rouler sous la table. »

Ella secoua la tête. « Il y a quelque chose qui me semble bizarre dans cette histoire. »

Le vieil homme observa l'enfant endormie. « Pauvre petite, dit-il. Elle ressemble beaucoup à sa mère, non ? »

4

Quand Arvin eut quatre ans, Willard décida qu'il ne voulait pas que son fils grandisse à Meade, au milieu de tous ces dégénérés. Depuis leur mariage, ils habitaient dans le vieil appartement de Charlotte, au-dessus de la teinturerie. Il avait l'impression que tous les pervers du sud de l'Ohio se trouvaient réunis à Meade. Ces temps-ci, le journal était rempli de leurs combines de malades. Pas plus tard que deux jours avant, un dénommé Calvin Claytor avait été arrêté au magasin Sears and Roebuck avec trente centimètres de saucisse fixée à la cuisse. Selon la *Meade Gazette*, le suspect, vêtu seulement d'une salopette déchirée, avait été surpris à se frotter contre une vieille femme en ce que le reporter décrivait comme « un geste obscène et agressif ». Pour Willard, ce fils de pute de Claytor était encore pire que l'ancien représentant de l'État que le shérif avait surpris garé le long de la route, aux abords de la ville, avec une poule accrochée à ses parties intimes, une Rhode Island Red qu'il avait achetée cinquante cents dans une ferme des environs. Ils avaient dû le conduire à l'hôpital pour l'en séparer. Les gens disaient que l'adjoint, par respect pour les autres patients, ou peut-être pour la victime, avait couvert le volatile de sa veste d'uniforme pendant qu'ils faisaient entrer l'homme aux urgences. « C'est à la mère de quelqu'un que ce salaud faisait ça, dit Willard à Charlotte

– Lequel ? » demanda-t-elle. Elle était debout devant le fourneau, en train de remuer une casserole de spaghettis

« Seigneur Jésus, Charlotte, l'homme à la saucisse. Ils auraient dû lui fourrer ce truc dans la gorge.

– Je ne sais pas, dit sa femme. Je ne trouve pas ça aussi mal que de s'accoupler avec un animal. »

Il regarda Arvin, assis sur le sol en train de faire rouler un camion d'avant en arrière. Tout indiquait que ce pays allait de plus en plus mal. Deux mois auparavant, sa mère lui avait écrit qu'on avait fini par retrouver le cadavre d'Helen Laferty, du moins le peu qu'il en restait, enfoui dans les bois, à quelques kilomètres de Coal Creek. Pendant une semaine, il avait relu la lettre chaque soir. Charlotte avait remarqué qu'ensuite Willard avait commencé à être de plus en plus préoccupé par ce qu'il lisait dans les journaux. Roy et Theodore étaient les premiers suspects, mais ça faisait trois ans qu'il n'y avait plus trace d'eux, nulle part, et le shérif ne pouvait écarter l'hypothèse qu'eux aussi aient été assassinés et enterrés quelque part ailleurs. « On n'en sait rien, ça pourrait bien être le même type qui avait accompli ce massacre à Millersburg », dit le shérif à Emma quand il vint lui apprendre que la tombe d'Helen avait été découverte par deux cueilleurs de ginseng. « Il se peut qu'il ait tué la fille, puis découpé les garçons avant d'éparpiller leurs corps. Celui qui était dans un fauteuil roulant devait être une proie facile, et tout le monde sait que l'autre était bête à manger du foin. »

En dépit de ce que disaient les autorités, Emma était convaincue que tous deux étaient encore en vie, et coupables, et elle ne serait pas tranquille tant qu'ils ne seraient pas bouclés ou morts. Elle disait à Willard qu'elle élevait la petite fille du mieux qu'elle le pouvait. Il lui avait envoyé cent dollars pour l'aider à payer un enterrement décent. Assis à regarder son fils, Willard ressentait un intense besoin de prière. Cela faisait des années qu'il ne s'était pas adressé à Dieu, pas la moindre requête, pas la moindre louange, depuis qu'il avait trouvé le Marine crucifié, pendant la guerre, mais il sentait maintenant que ça grossissait en lui, le besoin urgent de se mettre en règle avec son Créateur avant que quelque chose de mauvais n'arrive à sa famille. Mais en parcourant des yeux l'appartement exigu, il comprit qu'il ne pouvait entrer en contact avec Dieu ici, pas plus qu'il n'en était capable autrefois dans une église. Il allait avoir besoin d'une forêt pour prier à sa façon. « Il faut qu'on parte d'ici », dit-il à Charlotte en posant le journal sur la table basse.

Ils louèrent une ferme en haut des Mitchell Flats, pour trente dollars par mois, à Henry Delano Dunlap, un avocat replet, efféminé, aux ongles immaculés, qui habitait plus loin, en lisière du Meade Country Club, et jouait à l'agent immobilier en dilettante. Au début, Charlotte était opposée à ce projet, mais elle tomba rapidement amoureuse de la maison délabrée, pourrie de fuites. Ça ne la dérangeait même pas d'aller pomper son eau au puits. Quelques semaines après qu'ils s'y soient installés, elle parlait de l'acheter, un jour. Son père était mort de tuberculose quand elle avait cinq ans, et sa mère avait succombé à une infection du sang juste après son entrée au lycée. Sa vie durant, elle avait vécu dans des appartements lugubres, infestés de cafards, loués à la semaine ou au mois. La seule famille qu'elle eût encore était sa sœur, Phyllis, mais Charlotte ne savait même plus où elle vivait. Un jour, six ans auparavant, Phyllis était entrée au Wooden Spoon, arborant un chapeau neuf, et avait tendu à Charlotte la clef des trois pièces qu'elles partageaient au-dessus de la teinturerie sur Walnut Street. « Voilà, petite sœur, je t'ai élevée, et maintenant c'est à mon tour », et elle était partie. Posséder la ferme représenterait enfin une certaine forme de stabilité, une chose dont elle avait envie plus que tout, surtout maintenant qu'elle était mère. « Arvin a besoin d'un endroit qu'il puisse appeler son foyer, dit-elle à Willard. Une chose que je n'ai jamais eue. » Chaque mois, ils bataillaient afin d'économiser trente dollars supplémentaires pour l'acompte. « Attends un peu et tu verras, dit-elle. Un jour, cet endroit sera à nous. »

Mais ils s'aperçurent qu'il n'était pas facile d'être en affaires avec leur propriétaire, à propos de quoi que ce soit. Willard avait toujours entendu dire que la plupart des avocats étaient des connards tordus et malhonnêtes, mais Henry Dunlap, en cette matière, s'avéra de première classe. Dès qu'il apprit que les Russell étaient intéressés par l'achat de la maison, il commença à jouer à un petit jeu, augmentant le loyer un mois pour le baisser le mois suivant, puis changeant d'avis et laissant entendre que finalement il n'était plus certain d'avoir envie de vendre. De plus, à chaque fois que Willard venait à son bureau pour lui apporter le montant du loyer, de l'argent qu'il s'était crevé le cul à gagner à l'abattoir, l'avocat aimait lui dire à quoi il allait le dépenser. Pour une raison mystérieuse, l'homme riche éprouvait le besoin de faire comprendre à l'homme pauvre que cette malheureuse liasse de dollars ne représentait rien pour lui. Il faisait de ses lèvres pâles un grand sourire à Willard et lâchait que cette somme couvrait à peine le prix de quelques belles tranches de viande pour son dîner de dimanche, ou celui des glaces des copains de son fils au club de tennis. Les années passèrent, mais Henry ne se lassa jamais de narguer son locataire. Chaque mois il y avait une nouvelle vexation, une nouvelle raison pour Willard de botter le cul du gros homme. La seule chose qui le retenait, c'était la pensée de Charlotte, assise à la table de la cuisine devant une tasse de café, attendant nerveusement qu'il revienne à la maison sans qu'ils en aient été chassés. Comme elle le lui rappelait régulièrement, ce que disait ce moulin à paroles n'avait pas d'importance. Même si, au moins dans le cas de Willard, ce n'était pas vrai, les riches pensaient toujours qu'on avait envie de ce qu'ils possédaient. Tandis qu'il était assis, devant le large bureau de chêne, en face de l'homme de loi qu'il écoutait jacasser, Willard pensait au tronc à prières qu'il avait installé dans les bois, à la paix et au calme qu'il lui procurerait quand il serait rentré, qu'il aurait dîné, et qu'il irait y faire un tour. Parfois, dans sa tête, il répétait même une prière qu'il y disait toujours après sa visite mensuelle au bureau de Dunlap : « Merci, mon Dieu, de m'avoir donné la force de ne pas serrer entre mes mains le gros cou d'Henry Dunlap. Et que ce fils de pute obtienne tout ce qu'il peut souhaiter, même si, je dois l'avouer, Seigneur, j'aimerais un jour le voir étouffer dessous. »

Ce que Willard ignorait, c'est que Henry Dunlap utilisait sa grande gueule pour dissimuler le fait que sa vie était un bourbier lâche et honteux. En 1943, en sortant de la faculté de droit, il avait épousé une femme qui, il le découvrit peu après leur nuit de noces, n'était jamais rassasiée des hommes les plus inattendus. Edith avait baisé dans son dos pendant des années – avec des livreurs de journaux, des mécaniciens, des laitiers, des amis, des clients, avec son ancien associé –, la liste était interminable. Il s'en était accommodé, avait même fini par l'accepter. Jusqu'à ce que, peu de temps auparavant, il ait embauché, en remplacement de l'adolescent avec qui elle s'envoyait en l'air, un homme de couleur pour s'occuper de la pelouse, persuadé que même elle ne tomberait pas si bas. Mais moins d'une semaine après, alors que, sans prévenir, il rentrait chez lui en milieu de journée, il l'avait vue courbée sur le divan du salon, le cul en l'air, et le grand jardinier maigre qui l'enculait, pour ce que ça valait. Elle émettait des sons qu'il n'avait jamais entendus. Après avoir regardé pendant quelques minutes, il s'était éclipsé silencieusement et était retourné à son bureau, où il avait descendu une bouteille de scotch en repassant sans fin la scène dans sa tête. Il sortit de son bureau un Derringer plaqué argent et le contempla longtemps, puis le remit dans le tiroir. Il pensa qu'il valait mieux envisager d'abord d'autres moyens de résoudre son problème. Inutile de se faire sauter la cervelle si ce n'était pas indispensable. En près de quinze années passées à exercer sa profession d'avocat à Meade, il avait rencontré plusieurs hommes qui connaissaient sans doute des gens qui le débarrasseraient d'Edith pour quelques centaines de dollars, mais il ne lui semblait possible de se fier à aucun d'entre eux. « Ne te précipite pas, Henry, se dit-il. C'est comme ça qu'on se plante. »

Quelques jours plus tard, il embaucha le Noir à plein temps, et l'augmenta même d'un *quarter* de l'heure. Il était en train de lui dresser une liste de travaux à effectuer quand Edith déboucha dans l'allée au volant de sa Cadillac neuve. Ils étaient tous deux debout dans le jardin et la regardèrent sortir de la voiture avec ses emplettes, et entrer dans la maison. Elle portait un pantalon noir moulant et un pull rose qui soulignait ses gros seins mous. Le jardinier regarda l'avocat avec un sourire rusé sur son visage plat criblé de petits trous. Au bout d'un moment, Henry lui rendit son sourire.

« Bêtes comme des ânes », dit Henry à ses copains de golf. Dick Taylor lui avait, une fois de plus, posé des questions sur ses locataires de Knockemstiff. À part l'écouter se vanter et se rendre ridicule, les autres hommes riches de Meade ne savaient pas trop quoi faire de lui. C'était le plus gros bouffon du country club. Chacun d'eux avait baisé sa femme au moins une fois. Edith ne pouvait même pas nager dans la piscine sans qu'une autre femme n'essaie de lui arracher les yeux. Selon la rumeur, elle était maintenant à la recherche de chair noire. Avant peu, plaisantaient-ils, Dunlap et elle déménageraient sans doute à White Heaven, la section de l'ouest de la ville réservée aux gens de couleur. « Je vous jure, continua Henry, qu'ils se ressemblent tellement que je pense que ce type a épousé sa sœur. Mais, mon Dieu, vous devriez la voir. Si on la nettoyait un peu, elle ne serait pas si mal. S'ils ont du retard dans le loyer, peut-être que je la prendrai en échange.

– Qu'est-ce que tu lui ferais ? demanda Elliott Smitt avec un clin d'œil à Dick Taylor.

– Merde, je courberais cette douce petite chose, et ...

– Ah ! dit Bernie Hill. Vieux cochon, je parie que tu l'as déjà défoncée. »

Henry sortit un club de son sac. Il soupira et, une main sur le cœur, contempla le fairway d'un air rêveur. « Je lui ai promis que je ne dirais rien, les gars. »

Plus tard, quand ils furent rentrés au club-house, un dénommé Carter Oxley s'approcha du gros avocat accoudé au bar, et lui dit : « Tu devrais faire gaffe à ce que tu dis à propos de cette femme. »

Henry se retourna et fronça les sourcils. Oxley était nouveau au Meade Country Club. C'était un ingénieur qui s'était hissé au rang de numéro 2 de l'usine de papier. Bernie Hill l'avait amené pour compléter leur quatuor. Il n'avait pas dit deux mots de toute la partie. « Quelle femme ? demanda Henry.

– Tu parlais bien d'un dénommé Willard Russell, non ?

– Ouais, il s'appelle Russell. Et alors ?

– Ce ne sont pas mes affaires, mais il a failli tuer à coups de poings un homme qui avait dit des cochonneries sur sa femme. Le type qu'il a tabassé n'est toujours pas bien remis. Il reste assis avec un gobelet accroché au cou pour récupérer sa bave. Tu devrais réfléchir à ça.

– Tu es sûr qu'on parle du même homme ? Celui dont je parle ne dirait pas *merde* s'il en avait plein la bouche. »

Oxley haussa les épaules. « C'est peut-être juste un type qui ne fait pas de bruit. C'est de ceux-là qu'il faut se méfier.

– Comment tu sais tout ça ?

– Tu n'es pas le seul à posséder du terrain à Knockem-stiff. »

Henry sortit de sa poche un étui à cigarettes en or et en proposa une à l'autre homme. « Tu sais quoi d'autre, à son sujet ? » demanda-t-il. Ce matin-là, Edith lui avait dit qu'elle pensait qu'ils devraient acheter un pick-up au jardinier. Elle était debout à la fenêtre de la cuisine, mangeant une pâtisserie mousseuse. Henry ne put s'empêcher de remarquer que le gâteau était couvert d'un glaçage au chocolat. C'est tout indiqué pour elle, pensa-t-il, la putain de salope. Cependant, il était content de voir qu'elle prenait du poids. Avant peu, son cul serait aussi large qu'une porte. Alors ce connard qui coupait l'herbe pourrait bien le pilonner. « Il est inutile qu'il soit neuf, ajouta-t-elle. Juste un truc avec quoi il puisse aller et venir. Les pieds de Willie sont trop grands pour qu'il vienne tous les jours travailler à pinces. » Elle prit une autre pâtisserie dans le sac. « Mon Dieu, Henry, ils sont deux fois plus longs que les tiens. »

5

Depuis le début de l'année, Charlotte avait des douleurs intestinales. Elle essaya de se persuader que c'était juste des pertes, ou peut-être une indigestion. Sa mère avait beaucoup souffert d'ulcères, et Charlotte la revoyait, les dernières années de sa vie, ne mangeant rien d'autre que des toasts sans rien dessus et du gâteau de riz. Elle arrêta le sel et le poivre, mais ça sembla ne faire aucun effet. Puis, en avril, elle commença à saigner un peu. Quand Arvin et Willard étaient partis, elle passait des heures allongée sur son lit, et les crampes diminuaient nettement si elle se lovait sur le flanc et restait immobile. Soucieuse de ne pas dépenser en factures d'hôpital tout l'argent qu'ils avaient économisé pour la maison, elle gardait son mal secret, espérant follement que ce qui la minait disparaîtrait tout seul. Après tout, elle n'avait que trente ans, elle était trop jeune pour avoir quoi que ce soit de sérieux. Mais à la mi-mai, le sang s'écoulait en un goutte-à-goutte continu, et pour calmer la douleur elle s'était mise à boire en cachette dans la cruche d'Old Crow que Willard conservait sous l'évier. Vers la fin de ce même mois, juste avant les vacances d'été, Arvin la trouva évanouie sur le sol de la cuisine, dans une mare de sang mêlé d'eau. Une plaque de biscuits brûlait dans le four. Ils n'avaient pas le téléphone, alors il lui souleva la tête sur un oreiller et nettoya le désordre du mieux qu'il put. Assis par terre à côté d'elle, il écoutait sa faible respiration et priait pour qu'elle ne s'arrête pas. Ce soir-là, quand son père rentra du travail, elle était encore inconsciente. Ainsi que le docteur le dit à Willard quelques jours plus tard, à ce stade-là, c'était trop tard. Quelqu'un était toujours en train de mourir quelque part, et au cours de l'été 1958, l'année où Arvin Eugene Russell eut dix ans, ce fut le tour de sa mère.

Après deux semaines à l'hôpital, Charlotte se dressa dans son lit et dit à Willard : « Je crois que j'ai fait un rêve.
– Un beau rêve ?
– Ouais », dit-elle. Elle tendit la main pour serrer un peu celle de son mari. Elle jeta un coup d'œil à la cloison de toile blanche qui la séparait de la femme d'à côté, puis baissa la voix. « Je sais que ça paraît dingue, mais je veux qu'on rentre à la maison, et que pendant un moment on fasse semblant d'en être propriétaires.
– Comment veux-tu faire ça ?
– Avec ce truc qu'ils m'ont donné, dit-elle, ils pourraient me dire que je suis la reine de Saba que je ne verrais pas la différence. En plus, tu as entendu ce que le docteur a dit. S'il y a bien une chose dont je suis sûre, c'est que je ne veux pas passer le temps qui me reste dans un endroit pareil.
– C'était à propos de ça, ton rêve ? »
Elle le regarda, surprise. « Quel rêve ? »
Deux heures plus tard, ils quittaient l'hôpital. Sur la

Route 50, en direction de leur maison, Willard s'arrêta et lui acheta un milk-shake, mais elle ne parvint pas à le garder. Il la porta dans la chambre de derrière et l'installa confortablement, puis lui donna un peu de morphine. Ses yeux devinrent vitreux et elle s'endormit en une minute. « Reste là avec ta mère, dit-il à Arvin. Je reviens dans pas longtemps. » Il traversa le champ, une fraîche brise sur le visage. Il s'agenouilla au tronc à prières et écouta le bruit léger, apaisant, de l'après-midi dans les bois. Plusieurs heures s'écoulèrent tandis qu'il contemplait la croix. Il envisageait leur malheur selon tous les angles possibles, mais il finissait toujours avec la même réponse. Pour les médecins, le cas de Charlotte était désespéré. Ils lui avaient donné cinq semaines, six au maximum. Il n'y avait pas d'autre issue. Maintenant, tout dépendait de Dieu, et de lui.

Quand il retourna à la maison, il commençait à faire sombre. Charlotte était toujours endormie, et Arvin était assis à côté de son lit, sur une chaise à dossier droit. Willard s'aperçut que le garçon avait pleuré. « Est-ce qu'elle s'est réveillée ? demanda-t-il à voix basse.

– Ouais. Mais, papa, pourquoi elle ne sait pas qui je suis ?

– C'est juste les médicaments qu'ils lui donnent. Dans quelques jours, elle ira bien. »

Le garçon regarda Charlotte. Il n'y a pas plus de deux mois, elle était la femme la plus jolie qu'il ait jamais vue, mais maintenant la plus grande partie de sa beauté avait disparu. Il se demanda à quoi elle ressemblerait quand elle serait guérie.

« On devrait peut-être manger quelque chose », suggéra Willard.

Il prépara pour Arvin et lui des sandwichs aux œufs,

puis fit réchauffer du bouillon pour Charlotte. Elle le vomit, et Willard nettoya les dégâts et la serra dans ses bras, sentant son cœur battre rapidement contre lui. Il éteignit la lumière et approcha la chaise du lit. À un moment donné, au cours de la nuit, il somnola, mais il se réveilla en nage en pensant à Miller Jones, à la façon dont le cœur de l'homme continuait de battre après qu'il eut été crucifié, écorché vif, à ce palmier. Willard approcha le réveil de son visage, et vit qu'il était presque quatre heures. Il ne se rendormit pas.

Plus tard dans la matinée, il répandit tout son whisky sur le sol. Il alla à la grange chercher des outils : une hache, un râteau, une faux. Il passa le reste de la journée à élargir la clairière autour du tronc à prières, arrachant les bruyères et les petits arbustes, ratissant finement le sol. Le lendemain, il commença à arracher des planches de la grange, et demanda à Arvin de l'aider à les porter au tronc à prières. Jusque tard dans la nuit, ils érigèrent huit croix supplémentaires autour de la clairière, toutes de la même hauteur que la croix d'origine. « Ces docteurs ne peuvent plus rien faire pour ta maman, dit-il à Arvin, tandis qu'ils rentraient à la maison dans le noir, mais j'ai l'espoir qu'on la sauve, si on s'y donne assez fort.

– Est-ce qu'elle va mourir ? » demanda Arvin.

Willard réfléchit une seconde avant de répondre. « Le Seigneur peut tout faire, si on sait le Lui demander.

– Comment on va faire ?

– Je te montrerai demain matin. Ça ne sera pas facile, mais on n'a pas le choix. »

Willard prit un congé, disant au contremaître que sa femme était malade, mais que bientôt elle irait mieux. Arvin et lui passaient des heures chaque jour à prier au tronc.

Chaque fois qu'ils prenaient le chemin de la forêt, Willard expliquait à nouveau que leurs voix devaient atteindre le Paradis, et que la seule façon d'y arriver était d'être absolument sincères dans leurs prières. Au fur et à mesure que Charlotte faiblissait, les prières devenaient plus fortes et commençaient à porter jusqu'au bas de la colline, jusqu'au vallon. Chaque matin, les habitants de Knockemstiff se réveillaient au son de leurs supplications, et elles les accompagnaient au lit chaque soir. Parfois, Charlotte avait une crise particulièrement douloureuse, et Willard accusait son fils de ne pas vouloir qu'elle aille mieux. Il frappait le garçon, lui donnait des coups de pied puis, plus tard, était envahi de remords. Parfois, il semblait à Arvin que son père s'excusait chaque jour auprès de lui. Au bout d'un moment, il arrêta d'y faire attention et accepta les coups, les mots blessants et les regrets qui allaient avec comme un simple élément de la vie qu'ils menaient désormais. La nuit, ils continuaient à prier jusqu'à ce que leurs voix s'éteignent, puis rentraient titubants de fatigue à la maison et buvaient de l'eau tiède dans le seau du puits, sur le comptoir de la cuisine, avant de s'écrouler sur leur lit, épuisés. Le matin, ils recommençaient. Pourtant, Charlotte était de plus en plus maigre, se rapprochait de la mort. Quand il lui arrivait d'émerger du sommeil de la morphine, elle suppliait Willard d'arrêter cette folie, de la laisser partir en paix. Mais il n'était pas prêt à renoncer. Si quelque chose qu'il avait en lui était nécessaire, qu'il en soit ainsi. À tout moment, il espérait que l'esprit de Dieu allait descendre et la guérir, et quand la deuxième semaine de juillet arriva à sa fin, il put trouver un peu de réconfort dans le fait qu'elle avait déjà duré plus longtemps que le docteur l'avait prédit.

On était la première semaine d'août, et maintenant Charlotte, la plupart du temps, n'avait plus sa tête à elle. Tandis qu'il tentait de la rafraîchir avec des vêtements humides par une après-midi étouffante, il vint à l'esprit de Willard qu'on attendait peut-être de lui plus que des prières et de la sincérité. L'après-midi du lendemain, il revint du parc à bestiaux de la ville avec un agneau sur le plateau du pick-up. Il avait une patte abîmée, et n'avait coûté que cinq dollars. Arvin bondit du porche et courut dans le jardin. « Je peux lui donner un nom ? demanda-t-il à son père quand celui-ci arrêta le pick-up devant la grange.

– Seigneur Jésus, c'est pas un fichu animal de compagnie, cria Willard. Rentre dans la maison auprès de ta mère. » Il fit reculer le pick-up dans la grange, et ficela précipitamment avec une corde les pattes arrière de l'animal, puis il le hissa, tête en bas, à l'aide d'une poulie fixée à l'une des poutres soutenant le grenier à foin. Il fit avancer le pick-up de quelques mètres. Ensuite il abaissa l'animal terrifié jusqu'à ce que son museau se trouve à quelques dizaines de centimètres du sol. Avec un couteau de boucher, il lui trancha la gorge et récupéra le sang dans un seau de vingt litres. Il s'assit sur une balle de foin et attendit que l'entaille cesse de saigner. Puis il apporta le seau au tronc à prières et versa soigneusement le sang sacrificiel dessus. Cette nuit-là, quand Arvin fut allé se coucher, il tira la carcasse de l'agneau jusqu'en bordure du champ, et la jeta dans le ravin.

Quelques jours plus tard, Willard commença à ramasser des animaux tués au bord des routes : des chiens, des chats, des opossums, des marmottes, des daims. Les dépouilles qui étaient trop raides et trop putréfiées pour saigner, il les suspendait aux croix et aux branches des arbres autour du tronc à prières. La chaleur et l'humidité les faisaient pourrir rapidement. La puanteur leur donnait des haut-le-cœur, à Arvin et à lui, quand ils s'agenouillaient pour implorer la pitié du Seigneur. Des asticots tombaient des arbres et des croix comme des gouttelettes de graisse blanche qui se tortillaient. Le sol autour du tronc était perpétuellement gluant de sang. Le nombre d'insectes grouillant tout autour se multipliait chaque jour. Tous deux étaient couverts de piqûres de mouches, de moustiques, de puces. Bien qu'on fût en août, Arvin se mit à porter une chemise de flanelle à manches longues, une paire de gants de chantier et un mouchoir sur le visage. Ils ne se lavaient plus ni l'un ni l'autre. Ils vivaient de viande froide et de crackers achetés chez Maude. Le regard de Willard se fit dur et sauvage, et son fils avait l'impression que sa barbe en broussaille était devenue grise du jour au lendemain.

« C'est comme ça, la mort, dit sombrement Willard un soir où Arvin et lui étaient à genoux devant le tronc putride, gorgé de sang. C'est ce que tu veux pour ta mère ?

– Non, monsieur », dit le garçon.

Willard frappa du poing sur le tronc. « Alors prie, nom de Dieu ! »

Arvin retira de son visage le mouchoir crasseux, et respira profondément l'odeur pestilentielle. À partir de ce moment-là, il cessa de tenter d'éviter le désordre, les prières interminables, le sang souillé, les carcasses décomposées. Mais pourtant sa mère ne cessait de décliner. Maintenant, tout sentait la mort, même le couloir qui menait à la chambre de la malade. Willard se mit à fermer à clef la porte de Charlotte, et dit à Arvin de ne pas la déranger. « Elle a besoin de repos », dit-il.

6

Un après-midi, au moment où Henry Dunlap s'apprêtait à quitter son bureau, Willard apparut avec plus d'une semaine de retard pour le loyer. Au cours des dernières semaines, chaque après-midi, l'avocat se glissait chez lui quelques minutes pour regarder sa femme et son amant noir s'en donner à cœur joie. Il avait bien le sentiment que, de sa part, ça relevait d'une espèce de maladie, mais il ne pouvait s'en empêcher. Son espoir, cependant, était d'arriver à coller le meurtre d'Edith sur le dos de l'amant. Dieu sait si ce salopard le méritait, à baiser la femme de son employeur blanc. Au stade où ils en étaient, Willie aux pieds plats prenait des airs supérieurs et arrivait au travail chaque matin parfumé de l'odeur de la réserve personnelle de cognac d'importation d'Henry et de sa lotion après-rasage française. Les pelouses étaient dans un état déplorable. Il allait devoir embaucher un eunuque pour tondre la pelouse. Edith insistait toujours pour qu'il achète un véhicule à ce fils de pute.

« Seigneur Jésus, mon gars, vous n'avez pas l'air bien », dit Henry à Willard quand sa secrétaire le fit entrer.

Willard sortit son portefeuille et posa trente dollars sur le bureau. « Ni vous non plus, d'ailleurs, dit-il.

– Eh bien, j'ai eu pas mal de soucis ces temps-ci, dit l'avocat. Prenez une chaise, asseyez-vous une minute.

– Aujourd'hui, j'ai pas besoin d'entendre vos conneries. Je veux juste un reçu.

– Allons, voyons. Prenez un verre. Vous avez l'air d'en avoir besoin. »

Willard resta debout un moment, les yeux fixés sur Henry, doutant de l'avoir bien entendu. C'était la première fois qu'Henry Dunlap lui proposait un verre, ou agissait de façon courtoise, depuis le jour où ils avaient signé le bail, six ans plus tôt. Il arrivait prêt à se faire engueuler par l'avocat parce qu'il payait son loyer en retard, et il était déjà décidé à lui casser la figure s'il ouvrait trop sa grande gueule ce jour-là. Il jeta un coup d'œil à la pendule murale. Il fallait qu'il aille chercher une nouvelle ordonnance pour Charlotte, mais le drugstore était ouvert jusqu'à six heures. « Ouais, je suppose que j'en ai besoin », dit Willard. Il s'assit sur la chaise en face du confortable fauteuil en cuir de l'avocat tandis que Henry sortait d'un bar deux verres et une bouteille de scotch. Il servit les verres et en tendit un à son locataire.

L'avocat prit une gorgée, s'enfonça dans son fauteuil et regarda longuement l'argent posé sur le bureau devant Willard. À force de se faire du souci à cause de sa femme, Henry avait des aigreurs d'estomac. Ça faisait plusieurs semaines qu'il pensait à ce que le golfeur lui avait dit à propos de son locataire, qui avait tabassé cet homme. « Ça vous intéresse toujours, d'acheter la maison ? demanda Henry.

– Maintenant, c'est impossible que j'arrive à avoir assez d'argent, dit Willard. Ma femme est malade.

– Ça me fait de la peine de l'apprendre, dit l'avocat. Pour votre femme, je veux dire. C'est grave ? » Il poussa la bouteille vers Willard. « Allez-y, servez vous. »

Willard se versa deux doigts de whisky. « C'est un cancer, dit-il.

– Ma mère est morte d'un cancer du poumon. Mais c'était il y a longtemps. Depuis, la médecine a fait beaucoup de progrès.

– À propos de ce reçu ?

– Il y a près de vingt hectares qui vont avec la maison, dit Henry.

– Pour le moment je n'ai pas d'argent, je vous l'ai dit. »

L'avocat se tourna sur sa chaise et regarda le mur au-delà de Willard. Il n'y avait d'autre bruit que celui d'un ventilateur qui pivotait d'avant en arrière dans le coin de la pièce, soufflant de l'air chaud. Il se servit un autre verre. « Il y a quelque temps, j'ai surpris ma femme en train de me tromper, dit-il. Depuis, je ne vaux plus rien. » Reconnaître devant ce bouseux qu'il était cocu était plus difficile qu'il ne l'avait pensé.

Willard observa le profil du gros homme, regarda un filet de sueur couler sur son front et tomber de l'extrémité de son nez grumeleux sur sa chemise. Ce que l'avocat venait de dire ne le surprenait pas. Après tout, quel genre de femme fallait-il être pour épouser un homme pareil ? Une voiture passa dans la rue. Willard prit la bouteille et remplit son verre. Il plongea la main dans la poche de sa chemise pour prendre une cigarette. « Ouais, ça doit être dur à accepter », dit-il. Il se fichait complètement des problèmes matrimoniaux de Dunlap, mais il n'avait pas pris un vrai verre depuis qu'il avait ramené Charlotte à la maison, et le whisky de l'avocat était de première qualité.

L'avocat regarda au fond de son verre. « Je pourrais divorcer mais, nom de Dieu, l'homme avec qui elle baise est noir comme l'as de pique », dit-il. Il releva les yeux sur Willard. « Pour le bien de mon fils, je préférerais que personne en ville ne sache une chose pareille.

– Eh bien, pourquoi vous lui bottez pas le cul, mon gars ? suggéra Willard. Balancez un coup de pelle dans la tête de ce salopard, et il comprendra le message. » Seigneur, pensa Willard, tant que tout se passe bien pour eux, les gens riches savent comment faire, mais dès que ça commence à sentir la merde, ils partent en bouillie comme des poupées de papier abandonnées sous la pluie.

Dunlap secoua la tête. « Ça ne servira à rien. Elle en prendrait un autre, dit-il. Ma femme est une pute. Toute sa vie elle a été une pute. » L'avocat sortit de l'étui posé sur le bureau une cigarette qu'il alluma. « Enfin, bon, ça suffit avec ces conneries. » Il souffla un nuage de fumée en direction du plafond. « Maintenant, revenons à la maison. J'ai réfléchi. Si je vous donnais un moyen de l'avoir pour rien ?

– On n'a rien pour rien », dit Willard.

L'avocat eut un léger sourire. « Il y a du vrai dans ce que vous dites, je dois le reconnaître. Mais cependant, ça vous intéresserait ? » Il posa son verre sur le bureau.

« Je ne comprends pas très bien où vous voulez en venir.

– Pour tout dire, moi non plus, dit Dunlap. Mais si vous m'appeliez la semaine prochaine, on pourrait peut-être en discuter. D'ici là, j'aurai réfléchi à la question. »

Willard se leva et vida son verre. « Ça dépend. Je dois voir comment évolue la santé de ma femme. »

Dunlap montra l'argent que Willard avait posé sur le bureau. « Reprenez ça, dit-il. Vous pourriez bien en avoir besoin.

– Non, dit Willard. C'est à vous. Mais je veux toujours un reçu. »

Ils continuèrent à prier et à répandre du sang sur le tronc, et à suspendre des animaux victimes de la route, tordus, écrasés. Pendant tout ce temps, Willard repensait à la conversation qu'il avait eue avec son gros con de propriétaire. Il avait retourné l'affaire cent fois dans sa tête, avait imaginé que Dunlap voulait sans doute qu'il tue l'homme noir, ou la femme, ou peut-être les deux. Il ne pouvait rien imaginer d'autre qui pût valoir le transfert de la maison et du terrain. Mais il ne pouvait pas non plus s'empêcher de se demander pourquoi Dunlap le pensait capable de faire une chose pareille. La seule réponse à laquelle Willard arrivait était que l'avocat le jugeait stupide, le prenait pour un imbécile. Avant que les cadavres soient froids, il s'arrangerait pour que son locataire ait le cul bien au chaud en prison. Pendant un bref instant, après avoir parlé à Dunlap, il avait pensé qu'il y avait peut-être une chance de réaliser le rêve de Charlotte. Mais ils ne posséderaient jamais la maison. Maintenant, il s'en rendait compte.

Un jour de la mi-août, Charlotte sembla aller mieux et, même, elle mangea un bol de soupe Campbell à la tomate et parvint à la garder. Ce soir-là, elle voulut s'asseoir sur la véranda. C'était la première fois depuis des semaines qu'elle respirait de l'air frais. Willard prit un bain, tailla sa barbe et se peigna pendant qu'Arvin faisait du pop-corn sur le fourneau. Une petite brise soufflait de l'ouest et rafraîchissait un peu l'atmosphère. Ils burent du 7-Up bien frais et regardèrent les étoiles traverser lentement le ciel. Arvin était assis sur le sol près du rocking-chair. « L'été a été difficile, hein, Arvin ? » dit Charlotte en passant sa main squelettique dans ses cheveux noirs. C'était un garçon si doux, si gentil. Elle espérait que, lorsqu'elle ne serait plus là, Willard s'en rendrait compte. C'était une chose dont ils devaient parler, se rappela-t-elle. Les médicaments étaient si mauvais pour sa mémoire.

« Mais maintenant tu vas mieux », dit Arvin. Il se fourra une autre poignée de pop-corn dans la bouche. Ça faisait des semaines qu'il n'avait pas pris un repas chaud.

« Oui, je me sens plutôt bien, ça change », dit-elle en lui souriant.

Vers minuit, elle finit par s'endormir dans le rocking-chair, et Willard la porta au lit. Au milieu de la nuit, elle se réveilla, très agitée. Le cancer dévorait encore une partie de son corps. Il resta assis à côté d'elle jusqu'au matin, les ongles de Charlotte, à chaque vague de douleur, s'enfonçant de plus en plus profond dans la chair de sa main. C'était la pire crise qu'elle ait eue jusque-là. « Ne t'inquiète pas, ne cessait-il de lui répéter. Bientôt, tout ira mieux. »

Le lendemain matin, pendant des heures, il roula sur les petites routes, explorant les fossés à la recherche de nouveaux sacrifices, mais il revint les mains vides. Dans l'après-midi, il alla au parc à bestiaux et acheta à contre-cœur un nouvel agneau. Mais même lui devait reconnaître que ça ne semblait pas marcher. En sortant de la ville, déjà d'humeur morose, il passa devant le bureau de Dunlap. Il pensait encore à ce fils de pute quand soudain il fit faire demi-tour au pick-up et s'arrêta le long de la bordure de Western Avenue. Des voitures passaient en klaxonnant, mais il ne les entendait pas. Il y avait encore une chose qu'il n'avait pas essayée. Il n'arrivait pas à croire qu'il n'y ait pas pensé plus tôt.

« Je pensais que je ne vous reverrais pas, dit Dunlap.

– J'ai été occupé, répondit Willard. Écoutez, si vous voulez toujours discuter, on peut se retrouver à votre bureau à dix heures, ce soir. » Il se trouvait dans la cabine téléphonique du Dusty's Bar, sur Water Street, à quelques pâtés de maisons du bureau de l'avocat. Selon la pendule murale, il était presque cinq heures. Il avait dit à Arvin de rester dans la chambre de la malade, qu'il risquait de rentrer tard. Il lui avait confectionné une paillasse au pied du lit.

« Dix heures ? dit l'avocat.

– Je ne peux pas être là plus tôt, dit Willard. C'est vous qui voyez.

– O.K., dit l'avocat. On se voit à dix heures. »

Willard acheta une pinte de whisky au barman, et passa les deux heures suivantes à rouler dans le coin en écoutant la radio. Il passa devant le Wooden Spoon au moment de la fermeture, vit une adolescente maigre sortir avec le vieux cuisinier aux jambes arquées, celui-là même qui travaillait au grill quand Charlotte y était serveuse. Il n'était sans doute pas plus capable qu'alors de préparer un pain de viande correct, pensa Willard. Il s'arrêta et fit le plein d'essence, puis se rendit au Tecumseh Lounge, à l'autre bout de la ville. Assis au bar, il but deux bières et regarda un type portant d'épaisses lunettes et un casque jaune crasseux faire quatre parties de billard à la suite. Quand il retrouva le parking gravillonné, le soleil commençait à se coucher derrière la cheminée de la papeterie.

À neuf heures et demie, il était assis dans son pick-up sur Second Street, à un pâté de maisons du bureau de l'avocat. Quelques minutes plus tard, il vit Dunlap se garer devant le vieux bâtiment de briques et y pénétrer. Willard fit le tour par la ruelle, recula contre le bâtiment. Il respira plusieurs fois à fond avant de sortir de son véhicule. Il tendit la main derrière le siège, en sortit un marteau dont il enfonça le manche dans son pantalon avant de tirer sa chemise par-dessus. Il jeta un coup d'œil des deux côtés de la ruelle, puis s'approcha de la porte de derrière et frappa. Au bout d'une minute environ, l'avocat ouvrit la porte. Il portait une chemise bleue fripée et un pantalon gris ample maintenu par des bretelles rouges. « C'est futé, d'arriver par la ruelle », dit Dunlap. Il tenait à la main un verre de whisky, et ses yeux injectés de sang indiquaient qu'il en avait déjà bu quelques-uns. En se retournant en direction de son bureau, il tituba légèrement et lâcha un pet. « Désolé », dit-il, juste avant que Willard ne le frappe à la tempe avec son marteau, emplissant la pièce d'un craquement répugnant. Dunlap tomba en avant sans émettre un son, renversant une bibliothèque. Le verre qu'il tenait vola en éclats sur le sol. Willard se pencha sur le corps et le frappa à nouveau. Quand il fut certain que l'homme était mort, il s'appuya contre le mur et tendit l'oreille un moment. Quelques véhicules passèrent dans la rue, devant, puis plus rien.

Willard enfila une paire de gants de chantier qu'il avait dans sa poche arrière et tira vers la porte le lourd cadavre. Il redressa la bibliothèque, ramassa le verre brisé et essuya le whisky répandu avec la veste sport jetée sur le dossier du fauteuil de l'avocat. Il fouilla les poches de Dunlap, trouva un trousseau de clefs, et deux cents dollars dans son portefeuille. Il mit l'argent dans un tiroir du bureau et fourra les clefs dans sa salopette.

Il ouvrit la porte du bureau, fit un pas dans la réception exiguë et vérifia que la porte d'entrée était bien fermée. Il alla aux toilettes, fit couler de l'eau sur la veste de Dunlap et retourna essuyer le sang sur le sol. Bizarrement, il n'y en avait pas tant que ça. Après avoir jeté la veste sur le dessus du corps, il s'assit au bureau. Il regarda autour de lui, à la recherche de quelque chose qui aurait pu le dénoncer, mais il ne vit rien. Il but une gorgée de la bouteille de scotch sur le bureau, puis la referma et la mit dans un autre tiroir. Sur le bureau se trouvait un cadre doré, avec la photo d'un adolescent rondouillard, le portrait craché de Dunlap, une raquette de tennis à la main. La photo de la femme avait disparu.

Willard éteignit les lumières, avança dans la ruelle et posa la veste et le marteau sur le siège avant du pick-up. Puis il abaissa le hayon, mit le contact, et recula jusqu'à la porte ouverte. Il ne lui fallut qu'une minute pour tirer l'avocat sur le plateau et pour le recouvrir d'une bâche, dont il lesta les coins avec des parpaings. Il embraya, avança un peu, puis sortit et referma la porte du bureau. Sur la Route 50, il passa devant la voiture de patrouille du shérif garée sur le parking vide du magasin de Slate Mills. Il regarda dans le rétroviseur et retint sa respiration jusqu'à ce que l'enseigne lumineuse de la station Texaco eut disparu. À Schott's Bridge, il s'arrêta et jeta le marteau dans les eaux de Paint Creek. À trois heures du matin, il avait terminé.

Le lendemain, quand Willard et Arvin arrivèrent au tronc à prières, du sang frais dégouttait toujours de ses flancs dans la terre nauséabonde. « Ce n'était pas là hier, dit Arvin.

— Hier soir, j'ai écrasé une marmotte, dit Willard. Je l'ai ramassée et je l'ai saignée quand je suis rentré.

— Mince, elle devait être énorme »

Willard se mit à genoux avec un large sourire. « Ouais, elle était grosse. C'était une sacrée marmotte. »

7

Malgré le sacrifice de l'avocat, les os de Charlotte commencèrent à se briser quelques semaines plus tard, de petites explosions écœurantes qui la faisaient hurler et lui déchiraient les bras. Chaque fois que Willard essayait de la déplacer, elle s'évanouissait de douleur. Une escarre suppurante apparut dans son dos, et s'étendit jusqu'à atteindre la taille d'une assiette. Sa chambre avait une odeur aussi rance et fétide que le tronc à prières. Il n'avait pas plu depuis un mois, et la chaleur se maintenait. Willard acheta d'autres agneaux au parc à bestiaux, et versa des seaux de sang autour du tronc jusqu'à ce que cette pâtée boueuse leur monte par-dessus les chaussures. Un matin, pendant qu'il était absent, un bâtard boiteux et affamé, couvert d'une douce fourrure blanche, s'aventura timidement sur le porche, la queue entre les jambes. Arvin lui donna quelques rogatons sortis du réfrigérateur et, au retour de son père, il l'avait déjà baptisé Jack. Sans un mot, Willard entra dans la maison et en ressortit avec son fusil. Il écarta Arvin du chien, puis l'abattit d'une balle entre les deux yeux pendant que le gamin le suppliait de ne pas faire ça. Il le tira dans les bois, et le cloua à l'une des croix. Après ça, Arvin cessa de lui parler. Il écoutait les gémissements de sa mère pendant que Willard errait dans le coin, en quête de nouvelles victimes pour ses sacrifices. Bientôt l'école allait reprendre et, de tout l'été, Arvin n'était pas descendu une seule fois de la colline. Il s'aperçut qu'il souhaitait que sa mère meure.

Quelques nuits plus tard, Willard se précipita dans la chambre d'Arvin et le secoua pour le réveiller. « Va tout de suite au tronc », dit-il. Le garçon s'assit, regardant autour de lui d'un air confus. Le couloir était allumé. Dans la chambre, de l'autre côté, il entendait sa mère suffoquer et siffler pour trouver de l'air. Willard le secoua à nouveau. « N'arrête pas de prier jusqu'à ce que je vienne te chercher. Il faut qu'Il t'entende, tu comprends ce que je te dis ? » Arvin enfila ses vêtements à la hâte et se précipita à travers le champ. Il pensait qu'il avait souhaité sa mort, à sa propre mère. Il courut encore plus vite.

À trois heures du matin, il avait la voix rauque et la gorge en feu. À un moment donné, son père arriva et lui versa un seau d'eau sur la tête, le suppliant de continuer à prier. Mais Arvin avait beau hurler pour implorer la pitié du Seigneur, il ne sentait rien. Rien ne venait. Certains des habitants de Knockemstiff fermèrent leurs fenêtres, malgré la chaleur. D'autres gardèrent la lumière allumée toute la nuit, et offrirent leurs propres prières. Agnes, la sœur de Snook Haskins, resta assise dans son fauteuil à écouter cette voix pitoyable et à penser aux maris fantômes qu'elle avait enterrés dans sa tête. Arvin leva les yeux sur le chien mort, son regard vide fixant les bois sombres, son ventre gonflé, prêt à éclater. « Tu m'entends, Jack ? » dit-il.

Juste avant l'aube, Willard recouvrit sa femme d'un drap blanc propre et traversa le champ, engourdi par la perte et le désespoir. Il se glissa silencieusement derrière Arvin, écouta une minute ou deux les prières du garçon, maintenant à peine plus qu'un murmure étouffé. Il baissa les yeux, réalisant avec écœurement qu'il tenait son canif ouvert à la main. Il secoua la tête et l'écarta. « Viens, Arvin, dit-il, et pour la première fois depuis des semaines il s'adressait à son fils d'une voix douce. C'est fini. Ta maman est partie. »

Charlotte fut enterrée deux jours plus tard dans le petit cimetière de Bourneville. Sur le chemin du retour des funérailles, Willard dit : « J'ai pensé qu'on pourrait faire un petit voyage. Descendre voir ta grand-mère à Coal Creek. Peut-être y rester un moment. Tu ferais connaissance avec Oncle Earskell. La fille qui vit avec eux doit être juste un peu plus jeune que toi. Ça te plaira, là-bas. » Arvin ne dit rien. Il n'avait toujours pas pardonné à son père pour le chien, et il était certain qu'il ne pardonnerait jamais pour sa mère. Pendant tout ce temps, Willard lui avait promis que s'ils priaient avec assez de conviction, elle guérirait. Quand ils arrivèrent à la maison, ils trouvèrent sur le porche, près de la porte, une tarte aux myrtilles enveloppée dans un journal. Willard alla traîner dans le champ derrière la maison. Arvin entra, ôta ses beaux habits, et s'allongea sur le lit.

Quand il se réveilla, au bout de plusieurs heures, Willard n'était pas encore rentré, ce qui convenait parfaitement au garçon. Arvin mangea la moitié de la tarte et mit le reste dans la glacière. Il sortit sur la véranda, s'assit sur le rocking-chair de sa mère et regarda le soleil de fin d'après-midi s'enfoncer derrière la rangée d'arbres à feuilles persistantes, à l'ouest de la maison. Il pensa à la première nuit de sa mère sous terre. Comme il devait faire sombre. Il avait entendu un vieil homme debout à l'écart sous un arbre, appuyé sur une pelle, dire à Willard que la mort était soit un long voyage, soit un long sommeil. Son père avait froncé les sourcils et s'était éloigné, mais Arvin pensait que le vieil homme avait sans doute raison. Pour le bien de sa mère, il espérait que c'était un peu des deux à la fois. Il n'y avait qu'une poignée de gens aux funérailles : une femme avec qui sa mère travaillait au Wooden Spoon, et quelques vieilles dames d'une église de Knockemstiff. Elle était censée avoir une sœur quelque part dans l'Ouest, mais Willard ne savait comment la contacter. C'était la première fois qu'Arvin assistait à des funérailles, mais il avait l'impression que celles-là n'avaient pas été formidables.

Tandis que l'obscurité s'étendait sur le jardin en friche, Arvin se leva, fit le tour de la maison, et appela plusieurs fois son père. Il attendit quelques minutes et pensa retourner se coucher. Pourtant, il rentra dans la maison et prit la lampe torche dans le tiroir de la cuisine. Après avoir regardé dans la grange, il prit le chemin du tronc à prières. Ni lui ni son père n'y avaient été depuis trois jours que sa mère était morte. Maintenant, la nuit tombait rapidement. Dans les champs, des chauve-souris descendaient en piqué sur des insectes ; un rossignol le regarda depuis son nid sous une charmille de chèvrefeuille. Il hésita, puis pénétra dans les bois et suivit le chemin. S'arrêtant au bord de la clairière, il promena sa torche autour de lui. Il aperçut Willard à genoux devant le tronc ; l'odeur de putréfaction le suffoqua, et il crut qu'il allait vomir. Il sentait la tarte remonter à ses lèvres. « Plus jamais je ne ferai ça », dit-il à son père à voix haute. Il savait que ça allait faire des histoires, mais il s'en fichait. « Plus jamais je ne prierai. »

Il attendit une réponse quelques instants, puis dit : « Tu m'entends ? » Il fit un pas vers le tronc, dirigea la lueur de la torche sur la forme agenouillée. Puis il toucha les épaules de son père et le canif tomba sur le sol. La tête de Willard bascula sur un côté, révélant la plaie sanglante qui, d'une oreille à l'autre, lui barrait la gorge. Du sang coulait le long du tronc et tombait goutte à goutte sur son pantalon de costume. Une légère brise soufflait sur la colline et rafraîchissait la sueur sur la nuque d'Arvin. Des branches craquèrent au-dessus de lui. Une touffe de fourrure blanche flottait dans l'air. Certains des os attachés par des clous et du fil de fer s'entrechoquaient doucement, produisant une musique triste, creuse.

À travers les arbres, Arvin apercevait quelques lumières briller à Knockemstiff. Il entendit claquer une portière de voiture quelque part dans le val, puis un fer à cheval cogner contre un piquet de métal ; il attendit un autre choc, mais rien ne vint. On aurait dit que mille ans avaient passé depuis le matin où les deux chasseurs, en ce même endroit, les avaient surpris, Willard et lui. Il se sentait honteux, coupable de ne pas pleurer, mais il ne lui restait plus de larmes. La longue agonie de sa mère l'avait laissé à sec. Ne sachant quoi faire d'autre, il contourna le corps de son père et dirigea la torche devant lui. Il commença à s'avancer à travers bois.

8

Ce soir-là, à huit heures exactement, Hank Bell installa dans la devanture du magasin de Maude la pancarte indiquant que c'était fermé et éteignit la lumière. Il alla derrière le comptoir et sortit un pack de six bières du bas de la glacière à viande, puis sortit par la porte du fond. Il avait un petit transistor dans la poche de sa chemise. Il s'assit sur une chaise de jardin, ouvrit une bière et alluma une cigarette. Ça faisait maintenant quatre ans qu'il vivait dans une caravane derrière le bâtiment en béton. Plongeant la main dans sa poche, il alluma la radio juste à l'instant où le reporter annonçait que les Reds étaient dominés de trois points dans la sixième manche. Ils jouaient sur la côte Ouest. Hank estima que là-bas, il devait être cinq heures. C'est marrant, la façon dont ça fonctionne, le temps, pensa-t-il.

Il regarda le petit catalpa qu'il avait planté la première année où il avait travaillé au magasin. Depuis, il avait poussé de près d'un mètre cinquante. C'était un surgeon qu'il avait pris à l'arbre qui poussait dans le jardin de la maison où sa mère et lui habitaient avant qu'elle ne meure et que la banque ne saisisse la maison. Il ne savait pas trop pourquoi il l'avait planté. Encore deux ans au maximum, et il avait prévu de quitter Knockemstiff. Il racontait ça à tous les clients qui voulaient bien l'écouter. Chaque semaine, il mettait de côté une petite partie des trente dollars que Maude lui versait. Parfois il pensait qu'il partirait vers le nord, et d'autres fois il décidait que le sud lui conviendrait mieux. Mais il avait tout le temps de décider où aller. Il était encore jeune.

Il observa une brume argentée haute de quelques pieds monter lentement de Black Run Creek, et recouvrir le champ plat et rocailleux, derrière le magasin, qui faisait partie de la pâture de Clarence Myers. C'était son moment préféré de la journée, juste quand le soleil venait de se coucher, et juste avant la disparition des longues ombres. À chaque fois qu'une voiture passait, il entendait des garçons hurler et pousser des cris de joie sur le pont de béton devant le magasin. Quelques-uns traînaient là presque tous les soirs, quelque temps qu'il fît. Ils étaient pauvres comme Job, tous. Tout ce qu'ils demandaient à la vie, c'était une voiture qui roule, et un cul bien chaud. Il pensa que, d'un côté, ça devait être bien, de passer toute sa vie sans plus d'attentes que ça. Il lui arrivait parfois de regretter d'être aussi ambitieux.

Les prières au sommet de la colline avaient fini par cesser, trois nuits plus tôt. Hank essayait de ne pas penser à la pauvre femme en train de mourir là-haut, enfermée dans cette chambre, selon ce qu'on racontait, pendant que son mari et son fils devenaient à moitié fous. Bon Dieu, il y avait des moments où ils avaient bien failli rendre dingue tout le vallon, la façon dont ils s'y mettaient tous les matins et tous les soirs, pendant des heures. De ce qu'il en avait entendu, on aurait dit qu'ils pratiquaient une espèce de vaudou plutôt qu'un culte chrétien. Il y a quelques semaines, deux des fils Lynch étaient tombés sur des animaux morts suspendus dans les arbres ; puis l'un de leurs chiens avait disparu. Seigneur, le monde se mettait à devenir un endroit terrible. Pas plus tard qu'hier, il avait lu dans le journal que la femme d'Henry Dunlap et son amant noir avaient été arrêtés, soupçonnés de l'avoir tué. La justice n'avait pas encore retrouvé le corps mais, pour Hank, le fait qu'elle couche avec un nègre n'était pas loin d'être une preuve de leur culpabilité. Tout le monde connaissait l'avocat ; il possédait des terres à travers tout Ross County, et s'arrêtait de temps en temps au magasin pour renifler à la recherche de whisky de contrebande, afin d'impressionner ses gros bonnets de copains. D'après ce que Hank avait vu de cet homme, il méritait sans doute d'être assassiné, mais pourquoi la femme ne s'était-elle pas contentée de divorcer et de déménager à White Heaven avec les colorés ? Les gens ne se servaient plus de leur cervelle. Cela dit, s'il était au courant pour son amant, c'était un prodige que l'avocat ne l'ait pas faite assassiner la première. Personne ne lui en aurait voulu pour ça. Mais maintenant il était mort, et c'était sans doute mieux pour lui. Ça devait être un sacré truc à supporter, que tout le monde sache que votre femme courait avec un homme noir.

Ce fut au tour des Reds de frapper, et Hank se mit à penser à Cincinnati. Un jour, bientôt, il allait descendre au River City, et assister à deux matchs l'un après l'autre. Il projetait de louer un bon siège, de boire de la bière, de se bourrer de hot-dogs. Il avait entendu dire que les Francfort avaient meilleur goût dans un stade, et il voulait le vérifier par lui-même. Cincinnati n'était qu'à environ cent cinquante kilomètres, de l'autre côté des Mitchell Flats, tout droit par la 50, mais il n'y était jamais allé ; de tous ses vingt-deux ans, il n'avait jamais été plus loin à l'ouest que Hillsboro. Hank avait le sentiment que sa vie commencerait vraiment quand il aurait effectué ce voyage ; il n'en avait pas encore imaginé tous les détails, mais il voulait aussi s'offrir une pute après le match, une jolie fille qui serait gentille avec lui. Il lui paierait un supplément pour le déshabiller, lui retirer son pantalon et ses chaussures. Pour l'occasion, il achèterait une chemise neuve et s'arrêterait à Bainbridge pour s'offrir une coupe de cheveux correcte. Il lui retirerait ses vêtements lentement, prendrait son temps avec le moindre petit bouton, ou quoi que ce soit qui retienne les vêtements des putes. Il lui verserait un peu de whisky sur les nichons et les lécherait, comme il avait entendu le raconter certains hommes quand ils entraient dans le magasin après avoir passé un moment au Bull Pen. Quand il finirait par pénétrer en elle, elle lui dirait d'y aller mollo, qu'elle n'avait pas l'habitude de coucher avec un homme de sa dimension. Elle n'aurait rien à voir avec cette grande gueule de Mildred McDonald, la seule femme avec laquelle il eût couché jusque-là.

« Une petite explosion, et puis plus rien, juste de la fumée », avait raconté Mildred à tous ceux qui se trouvaient au Bull Pen. Ça faisait plus de trois ans, et on le chambrait encore pour ça. Quand il en aurait terminé avec elle, la pute de Cincinnati insisterait pour qu'il garde son argent, lui demanderait son numéro de téléphone, le supplierait même, peut-être, de l'emmener avec lui. Il imaginait qu'à son retour il serait différent, comme Slim Gleason quand il était revenu de Corée. Avant de quitter Knockemstiff pour de bon, Hank pensait qu'il pourrait même s'arrêter au Bull Pen et offrir une bière d'adieu aux gars, juste pour leur montrer qu'il ne leur en voulait pas de leurs plaisanteries. D'une certaine façon, Mildred lui avait rendu service : depuis qu'il avait cessé d'aller là-bas, il avait beaucoup économisé.

Il écoutait distraitement le match en pensant à la façon dégueulasse dont Mildred l'avait traité quand il remarqua que quelqu'un muni d'une lampe torche traversait la pâture de Clarence. Il vit la petite silhouette se pencher et se glisser à travers les barbelés, et se diriger vers lui. Maintenant, il faisait presque nuit, mais quand le personnage se rapprocha, Hank se rendit compte qu'il s'agissait du fils Russell. Il n'avait jamais vu le garçon descendre seul de la colline, il avait entendu dire que son père le lui interdisait, mais ils avaient enterré sa mère l'après-midi même, et ça avait peut-être changé les choses, adouci un peu le cœur du père Russell. Le garçon portait une chemise blanche et une salopette neuve. « Hé là », dit Hank quand Arvin s'approcha. Le visage du gamin était émacié, pâle, couvert de sueur. Il n'avait pas l'air bien, pas bien du tout. On aurait dit qu'il avait du sang, ou on ne savait quoi, étalé sur le visage et les habits.

Arvin s'arrêta à quelques pas du jeune homme et éteignit sa torche. « Le magasin est fermé, dit Hank, mais si tu as besoin de quelque chose, je peux le rouvrir.

– Comment est-ce qu'on fait pour trouver la police ?

– Eh bien, soit on fait des bêtises, soit on leur téléphone, je suppose.

— Vous pouvez les appeler pour moi ? Je ne me suis jamais servi d'un téléphone. »

Hank mit la main dans sa poche et coupa la radio. De toute façon, les Reds prenaient une dérouillée. « Qu'est-ce que tu veux au shérif, fiston ?

— Il est mort, dit le garçon.

— Qui est mort ?

— Mon papa.

— Tu veux dire ta maman, c'est bien ça ? »

Le garçon parut un instant dérouté, puis il secoua la tête. « Non, ma maman est morte depuis trois jours. Je parle de mon papa. »

Hank se leva et prit dans son pantalon la clef de la porte arrière du magasin. Il se demanda si le garçon n'était pas devenu fou de chagrin. Hank se rappelait la sale période qu'il avait traversée quand sa mère était morte. C'était une chose dont on ne se remettait jamais vraiment, il le savait. Encore maintenant, il pensait à elle chaque jour. « Entrons dans le magasin. Tu as l'air d'avoir soif.

— J'ai pas d'argent, dit Arvin.

— C'est bon. Tu peux avoir une ardoise. »

Ils entrèrent et Hank fit glisser le couvercle métallique de la glacière à sodas. « Qu'est-ce qui te ferait plaisir ? »

Le garçon haussa les épaules.

« Voilà une *root beer*[1], dit Hank. C'est ce que je buvais autrefois. » Il tendit au garçon la bouteille de soda et gratta sa barbe d'un jour. « Tu t'appelles Arvin, c'est bien ça ?

---

1. Boisson gazeuse à base d'extraits végétaux.

– Oui monsieur », dit le garçon. Il posa sa lampe torche sur le comptoir et prit une longue gorgée, puis une autre.

« Alors qu'est-ce qui te fait dire qu'il y a quelque chose qui ne va pas avec ton père ?

– Son cou, dit Arvin. Il se l'est coupé.

– Ce n'est pas du sang que tu as sur toi, non ? »

Arvin baissa les yeux sur sa chemise et ses mains. « Non. C'est de la tarte.

– Où est ton papa ?

– Un peu plus loin que la maison, dit le garçon. Dans les bois. »

Hank prit l'annuaire sous le comptoir. « Maintenant écoute, dit-il. Ça ne me dérange pas d'appeler la police à ta place, mais ne te fiche pas de moi, d'accord ? Ils n'aiment pas qu'on les mène en bateau. » Quelques jours plus tôt, Marlene Williams l'avait fait appeler pour signaler un nouveau voyeur. C'était la cinquième fois en deux mois. Le répartiteur lui avait raccroché au nez.

« Pourquoi je ferais ça ?

– Non, dit Hank. Je suppose que tu ferais pas ça. »

Après avoir appelé, Arvin et lui ressortirent par-derrière et Hank prit ses bières. Ils firent le tour et s'assirent sur le banc devant le magasin. Un nuage de papillons de nuit voletaient autour de la lampe de sécurité au-dessus des pompes à essence. Hank pensa à la façon dont le père du garçon avait tabassé Lucas Hayburn, l'année passée. Non pas qu'il ne l'ait sans doute mérité, mais, depuis, Lucas n'était plus le même. Pas plus tard qu'hier, il avait passé la matinée assis sur ce banc, plié en deux, avec un filet de bave suspendu à la bouche. Hank ouvrit une autre bière et alluma une cigarette. Il hésita une seconde, puis tendit son paquet au garçon.

Arvin secoua la tête et prit une autre gorgée de soda. « Ils jettent pas de fers à cheval, ce soir », dit-il au bout de quelques minutes.

Hank regarda le vallon, vit les lumières du Bull Pen allumées. Quatre ou cinq voitures étaient garées dans la cour. « Ils doivent faire une pause », dit-il en s'adossant au mur du magasin et en étendant les jambes. Mildred et lui avaient été à la porcherie de Platter's Pasture. Elle disait qu'elle aimait la riche odeur du lisier, qu'elle aimait imaginer des choses un peu différentes de la plupart des filles.

« Qu'est-ce que tu aimes imaginer ? » lui avait demandé Hank, la voix un peu inquiète. Depuis des années, il entendait des jeunes gens et des hommes faits parler de baiser, mais pas une fois un seul d'entre eux n'avait parlé de lisier.

« Ce qui se passe dans ma tête te regarde pas », lui dit-elle. Elle avait le menton effilé comme une hachette, les yeux comme des billes d'un gris terne. Tout ce qu'elle avait pour elle, c'était la chose qu'elle avait entre les jambes, dont certains disaient que ça leur rappelait une tortue qui mord.

« O.K., dit Hank.

– Voyons un peu comment t'es monté », dit Mildred en descendant sa fermeture éclair avant de le tirer à elle dans la paille sale.

Après sa misérable performance, elle l'écarta brutalement et déclara : « Seigneur Jésus, j'aurais aussi bien pu jouer toute seule.

– Je suis désolé, dit-il. C'est que tu m'as épuisé. Je serai mieux la prochaine fois.

– Ah ! Je doute beaucoup qu'il y ait une prochaine fois, ducon.

– Eh bien, tu ne veux pas au moins que je te ramène chez toi ? » lui proposa-t-il alors qu'elle s'éloignait. Il était près de minuit. Si elle rentrait à pied, la petite cabane où elle vivait avec ses parents, à Nigpen, était à deux heures de là.

« Non, je vais traîner un peu dans le coin, dit-elle. Peut-être que je tomberai sur quelqu'un de valable. »

Hank jeta sa cigarette sur le gravillon et but une nouvelle gorgée de bière. Il lui plaisait de se dire que, pour finir, tout s'était terminé pour le mieux. Même s'il n'était pas quelqu'un de malveillant, loin de là, il devait bien admettre qu'il trouvait une certaine satisfaction dans le fait de savoir que Mildred était maintenant maquée avec un gros garçon, Jimmy Jack, qui conduisait une vieille Harley et gardait Mildred cloîtrée à l'arrière de sa maison, dans un cabanon en contreplaqué, quand il ne vendait pas son cul derrière l'un des bars de la ville. On racontait que, pour cinquante cents, elle faisait tout ce qu'on lui demandait. Hank l'avait vue à Meade lors du dernier 4 Juillet, debout à la porte du Dusty's Bar, avec un œil au beurre noir, tenant le casque de cuir du biker. Les meilleures années de la vie de Mildred étaient maintenant derrière elle, alors que les siennes s'apprêtaient juste à commencer. La femme qu'il allait lever à Cincinnati serait cent fois mieux que n'importe quelle vieille Mildred McDonald. Un ou deux ans après être parti d'ici, il serait sans doute incapable de se rappeler son nom. Il se passa la main sur le visage et leva les yeux. Il s'aperçut que le petit Russell l'observait. « Merde, je parlais tout seul ? demanda-t-il.

– Pas vraiment, dit Arvin.

– Difficile de dire quand l'adjoint du shérif va arriver. Ils n'aiment pas trop venir par ici.

– C'est qui, Mildred ? » demanda Arvin.

9

Le tour de garde de Lee Bodecker était sur le point de se terminer quand l'appel radio arriva. Encore vingt minutes, et, après avoir pris au passage sa petite amie, il aurait suivi Bridge Street en direction du Johnny's Drive-in. Il était mort de faim. Chaque soir, après son service, Florence et lui se rendaient soit au Johnny's, soit au White Cow, soit au Sugar Shack. Il aimait passer la journée sans manger, puis engloutir des cheeseburgers, des frites et des milk-shakes, et terminer avec quelques bières glacées le long de River Road, adossé à son siège pendant que Florence le branlait dans son gobelet de Pepsi vide. Elle avait la poigne d'une laitière amish. Tout l'été avait consisté en une succession de nuits quasiment parfaites. Elle réservait le grand jeu pour le voyage de noces, ce qui convenait parfaitement à Bodecker. À vingt et un ans, ça ne faisait que six mois qu'il avait terminé son service militaire, et il n'était pas pressé de se trouver coincé par une famille. Il n'était shérif adjoint que depuis quatre mois, mais il avait déjà vu bien des avantages à être représentant de la loi dans un endroit comme Ross County, Ohio. Si on faisait attention et qu'on ne chopait pas la grosse tête, comme son patron, il y avait de l'argent à se faire. Ces temps-ci, trois ou quatre fois par semaine, et souvent sans raison particulière, on voyait la gueule ronde et stupide du shérif Hen Matthews photographiée en première page de la *Meade Gazette*. Les citoyens commençaient à en plaisanter. Bodecker préparait déjà sa stratégie de campagne. Tout ce qu'il avait à faire, c'était balancer quelques saloperies sur Matthews avant la prochaine élection, et quand ils finiraient par convoler en justes noces, il pourrait emménager avec Florence dans une de ces nouvelles maisons qu'on construisait sur Brewer Heights. Il avait entendu dire que la moindre d'entre elles possédait deux salles de bains.

Il fit faire demi-tour à la voiture de patrouille dans Paint Street, près de la fabrique de papier, et prit Huntington Pike en direction de Knockemstiff. À cinq kilomètres de la ville, il passa devant la petite maison de Brownsville où il habitait avec sa mère et sa sœur. Il y avait de la lumière dans le salon. Il secoua la tête et prit une cigarette dans la poche de sa chemise. Pour l'instant, c'est lui qui payait la plupart des factures, mais quand il était rentré du service, il leur avait clairement fait comprendre qu'elles ne pourraient compter sur lui beaucoup plus longtemps. Son père les avait quittés des années auparavant ; il s'était rendu à l'usine de chaussures, un matin, et n'était jamais revenu. Récemment, ils avaient entendu dire qu'il vivait à Kansas City, où il travaillait dans une salle de billard, ce qui paraissait logique si jamais on avait connu Johnny Bodecker. Les seules fois où cet homme souriait, c'était quand il cassait un paquet de boules, ou qu'il menait à une table. Cette nouvelle avait été pour son fils une grosse déception. Rien n'aurait pu rendre Bodecker plus heureux que d'apprendre que cet enculé gagnait encore sa vie quelque part à coudre des semelles à des mocassins dans un miteux bâtiment de brique rouge bordé de hautes vitres sales. À l'occasion, quand il roulait dans sa voiture de patrouille et que tout était calme, Bodecker imaginait son père revenant faire un petit tour à Meade. Dans son imagination, il suivait le vieil homme dans la campagne, loin de tout témoin, et l'arrêtait pour une accusation bidon. Puis il le tabassait à coups de matraque, ou avec la crosse de son revolver, avant de le conduire sur Schott's Bridge et de le pousser par-dessus la rambarde. Ça se passait toujours après de fortes pluies ; Paint Creek était grosse, l'eau coulait rapide et profonde, vers l'est, jusqu'à la Scioto River. Parfois il le laissait se noyer, d'autres fois il lui permettait de nager jusqu'à la rive boueuse. C'était une façon agréable de passer le temps.

Il tira une bouffée de sa cigarette tandis que ses pensées passaient de son père à sa sœur, Sandy. Elle venait juste d'avoir seize ans, mais Bodecker lui avait déjà trouvé un boulot de serveuse, le soir, au Wooden Spoon. Il avait arrêté, quelques semaines auparavant, le propriétaire du *diner* pour conduite en état d'ivresse. C'était la troisième fois de l'année que ça lui arrivait, à cet homme, et une chose menant à une autre, avant d'avoir eu le temps de s'en apercevoir, Bodecker était plus riche de cent dollars, et Sandy avait du boulot. Elle était aussi timide et angoissée en public qu'un opossum à la lumière du jour, elle avait toujours été comme ça, et Bodecker ne doutait pas que, pendant les quinze premiers jours, apprendre à s'occuper des clients avait été pour elle une torture, mais la veille le propriétaire lui avait dit que maintenant elle paraissait arriver à s'en sortir. Les soirs où il n'avait pas pu passer la chercher au travail, le cuisinier, un homme trapu aux yeux bleus endormis qui aimait dessiner sur sa toque de chef des reproductions cochonnes de personnages de bandes dessinées, l'avait ramenée à la maison, ce qui l'inquiétait un peu, surtout parce que Sandy avait tendance à suivre tous ceux qui le lui demandaient. Bodecker ne l'avait jamais entendue élever la voix, et pour ça, comme pour beaucoup d'autres choses, il en voulait à son père. Mais cependant, se disait-il, il était temps qu'elle commence à apprendre à se débrouiller toute seule. Elle ne pouvait pas passer sa vie à se planquer dans sa chambre et à rêver éveillée. Et plus tôt elle commencerait à rapporter un peu d'argent, plus tôt il pourrait partir. Quelques jours auparavant, il avait été jusqu'à suggérer à sa mère qu'elle laisse Sandy quitter le lycée et travailler à plein temps, mais la vieille dame ne voulait pas entendre parler de ça. « Pourquoi pas ? avait-il demandé. De toute façon, une fois que quelqu'un se sera rendu compte à quel point elle est facile, elle se fera mettre en cloque, alors quelle importance qu'elle connaisse ou non l'algèbre ? » Elle ne lui avait pas donné de raison, mais maintenant qu'il avait semé le doute il savait qu'il lui suffisait d'attendre un jour ou deux avant de remettre ça sur le tapis. Ça pouvait prendre un moment, mais Lee Bodecker obtenait toujours ce qu'il voulait.

Il tourna à droite dans Black Run Road et roula jusqu'à l'épicerie de Maude. L'employé était assis sur le banc, devant la boutique, en train de boire une bière tout en parlant à un jeune garçon. Bodecker sortit de son véhicule sa lampe torche à la main. Hank était un connard désabusé, mais l'adjoint du shérif estimait qu'ils devaient pourtant avoir à peu près le même âge. Il y a des gens qui naissent juste pour être enterrés ; sa mère était comme ça, et il avait toujours pensé que c'est pour ça que son vieux s'était tiré, même si lui-même ne valait pas grand-chose. « Et bien, que se passe-t-il, cette fois-ci ? demanda Bodecker. J'espère que ce n'est pas encore un de ces voyeurs pour qui vous n'arrêtez pas d'appeler. »

L'employé se pencha et cracha sur le sol. « J'aimerais mieux ça, dit-il. Mais non, c'est à propos du père de ce garçon. »

Bodecker dirigea sa lampe sur le garçon maigre aux cheveux noirs. « Eh bien, que se passe-t-il, fiston ?

– Il est mort, dit Arvin en levant une main pour protéger son visage de l'éclat de la lampe.

– Et ils viennent juste d'enterrer sa pauvre maman, aujourd'hui, ajouta Hank. C'est vraiment une catastrophe.

– Alors ton papa est mort, c'est ça ?

– Oui monsieur.

– C'est du sang que tu as sur le visage ?

– Non. Quelqu'un nous a déposé une tarte.

– C'est pas une plaisanterie, hein ? Tu sais que si c'est le cas, je te mets en prison ?

– Pourquoi vous pensez que je mens ? » dit Arvin.

Bodecker regarda Hank, qui haussa les épaules, renversa sa bière et la vida. « Ils habitent au sommet de Baum Hill, dit-il. Arvin pourra vous montrer. » Puis il se leva, rota, et s'apprêta à faire le tour du magasin.

« J'aurai peut-être quelques questions à vous poser tout à l'heure, cria Bodecker.

– C'est vraiment une catastrophe, ça, je peux vous le dire. »

Bodecker installa Arvin sur le siège avant et prit le chemin de Baum Hill. Arrivé au sommet, il s'engagea sur un étroit chemin de terre bordé d'arbres que le garçon lui indiqua. Il avançait au ralenti. « Je n'avais jamais pris ce chemin », dit l'adjoint. Il se pencha et ouvrit silencieusement son holster.

« Ça fait un moment que personne de nouveau n'est passé par ici », dit Arvin. Quand, par la fenêtre latérale, il plongea son regard dans les bois sombres, il s'aperçut qu'il avait laissé sa lampe au magasin. Il espéra que le vendeur ne la vendrait pas avant son retour. Il jeta un coup d'œil au tableau de bord vivement éclairé. « Vous allez mettre la sirène ?

– Inutile de faire peur à quelqu'un.

– Il n'y a plus personne à qui faire peur, dit Arvin.

– Alors c'est ici que tu habites ? » demanda Bodecker quand ils s'arrêtèrent devant la petite maison carrée. Il n'y avait pas de lumière, aucun signe de vie, en dehors d'un rocking-chair sur la véranda. Dans le jardin, l'herbe était haute d'au moins trente centimètres. Sur la gauche se trouvait une vieille grange. Bodecker se gara derrière un pick-up rouillé. Juste les détritus habituels des péquenauds, pensa-t-il. Difficile de dire dans quel merdier il allait se fourrer. Son estomac vide gargouilla comme une chaise percée.

Arvin sortit sans répondre et resta debout devant la voiture de patrouille, attendant le policier. « Par ici », dit-il. Il fit demi-tour et commença à contourner la maison.

« C'est loin ? demanda Bodecker.

– Pas très loin. Peut-être dix minutes. »

Bodecker alluma sa torche et suivit le garçon le long d'un champ qui avait trop poussé. Ils pénétrèrent dans les bois et suivirent sur plusieurs centaines de mètres un sentier battu. Soudain le garçon s'arrêta et désigna un point dans l'obscurité. « Il est juste là », dit Arvin.

L'adjoint du shérif dirigea sa torche sur un homme en chemise blanche et pantalon de costume, effondré sur un tronc. Il se rapprocha de quelques pas, distingua une entaille dans le cou de l'homme. Le devant de sa chemise était couvert de sang. Il renifla, et suffoqua. « Mon Dieu, ça fait combien de temps qu'il est comme ça ? »

Arvin haussa les épaules. « Pas longtemps. Je me suis endormi un petit moment, et je l'ai trouvé là. »

Bodecker se pinça les narines, essaya de respirer par la bouche. « Alors d'où vient cette puanteur ?

– C'est eux, là-haut », dit Arvin en montrant les arbres.

Bodecker leva sa torche. Des animaux à divers stades de décomposition étaient suspendus autour d'eux, certains dans les branches, d'autres sur de grandes croix de bois. Un chien mort au collier en cuir était cloué très haut sur l'une des croix, comme une hideuse image christique. La tête d'un cerf était posée aux pieds d'une autre. « Nom de Dieu, mon garçon », dit-il en retournant la torche sur Arvin à l'instant où un asticot blanc en train de se tortiller tombait sur une épaule du garçon. Il le balaya comme si de rien n'était, comme on aurait balayé une mauvaise herbe. Bodecker, en commençant à reculer, fit un grand geste de son revolver.

« C'est un tronc à prières », dit Arvin. Sa voix maintenant n'était plus qu'un murmure.

« Quoi ? Un tronc à prières ? »

Arvin acquiesça, fixant le cadavre de son père. « Mais il ne marche pas », dit-il.

DEUXIÈME PARTIE

EN CHASSE

10

Au cours de l'été 1965, le couple avait sillonné le Midwest pendant plusieurs semaines, toujours en chasse, deux riens du tout dans un break Ford noir acheté cent dollars chez Frère Whitey, qui tenait un parking de voitures d'occasion à Meade, Ohio. C'était le troisième véhicule qu'ils achetaient au prédicateur en autant d'années. L'homme sur le siège passager devenait gras, croyait aux présages et avait l'habitude de curer ses dents gâtées avec un couteau de poche Buck. C'est toujours la femme qui conduisait ; elle portait des shorts moulants et des corsages légers qui révélaient son corps pâle, ivoirin, d'une façon que tous deux jugeaient excitante. Elle fumait du matin au soir n'importe quelle marque de cigarettes mentholées lui tombant sous la main, tandis que lui mâchonnait des cigares noirs bon marché qu'il appelait des bites de chien. La Ford consommait beaucoup d'huile, perdait du liquide de freins, et menaçait de répandre sur la route ses entrailles de métal à chaque fois qu'ils la poussaient à plus de soixante-quinze à l'heure. L'homme aimait à penser qu'elle ressemblait à un corbillard, alors que la femme préférait la comparer à une limousine. Ils s'appelaient Carl et Sandy Henderson, mais il leur arrivait aussi d'avoir d'autres noms.

Au cours des quatre dernières années, Carl en était arrivé à penser que le mieux, c'était les auto-stoppeurs, et à cette époque ils étaient nombreux sur les routes. Il appelait Sandy l'*appât*, et elle l'appelait le *shooteur*, et tous deux appelaient les auto-stoppeurs les *modèles*. Ce soir-là, juste au nord d'Hannibal, Missouri, ils avaient piégé, torturé et tué un jeune engagé sur une aire boisée épaisse d'humidité et de moustiques. Dès qu'ils l'avaient pris, le garçon leur avait gentiment offert des tablettes de Juicy Fruit, et proposé de conduire un moment si la dame avait besoin d'une pause. « Il ferait beau voir ça », dit Carl. Et Sandy avait roulé les yeux au ton narquois que son mari prenait parfois, comme s'il se pensait une ordure de meilleure qualité que les saloperies qu'ils trouvaient sur la route. Quand il devenait comme ça, elle n'avait qu'une envie : arrêter la voiture et dire au pauvre idiot sur le siège arrière de sortir de là tant qu'il en avait encore la possibilité. Un de ces jours, elle se promettait bien de faire exactement ça, appuyer sur le frein et faire descendre Monsieur le Caïd d'un cran ou deux.

Mais pas ce soir. Le garçon sur le siège arrière avait un visage lisse comme du beurre, avec de minuscules taches de rousseur brunes et des cheveux blond vénitien, et Sandy n'avait jamais pu résister à ceux qui ressemblent à des anges. « Comment tu t'appelles, mon cœur ? » lui demanda-t-elle quand ils eurent fait trois ou quatre kilomètres. Elle prit une voix agréable et douce, et quand le garçon leva les yeux et que leurs regards se croisèrent dans le rétroviseur, elle lui fit un clin d'œil et lui adressa le sou-

rire que Carl lui avait enseigné, celui auquel il l'avait faite
s'entraîner, soir après soir, à la table de la cuisine, jusqu'à
ce que son visage soit prêt à se décrocher et à coller au
sol comme une croûte de tarte, un sourire qui suggérait
tous les sous-entendus cochons qu'un jeune homme puisse
imaginer.

« Soldat Gary Matthew Bryson », dit le garçon. Il parut
étrange à Sandy qu'il énonçât la totalité de son nom de
cette façon, comme s'il subissait une inspection, ou Dieu
sait quelle connerie, mais elle fit comme si de rien n'était
et se mit aussitôt à parler. Elle espérait qu'il ne serait pas
du genre sérieux. Les types sérieux rendaient toujours sa
partie du boulot plus compliquée.

« Quel joli nom », dit Sandy. Dans le rétroviseur, elle
vit un sourire timide s'étendre sur son visage et le regarda
glisser dans sa bouche une nouvelle plaquette de chewing-
gum. « Et quel est votre prénom usuel ? demanda-t-elle.

– Gary, dit-il, jetant par la fenêtre l'emballage argenté
du chewing-gum. C'était le nom de mon papa.

– Cet autre prénom, Matthew, il vient de la Bible, n'est-
ce pas, Carl ? dit Sandy.

– Tu sais, tout vient toujours de la Bible, dit son mari
en regardant à travers le pare-brise. Ce vieux Mat, c'était
l'un des apôtres.

– Carl enseignait le catéchisme. Pas vrai, chéri ? »

Avec un soupir, Carl tourna son gros corps sur le siège,
plus pour jeter un nouveau coup d'œil au garçon que pour
toute autre raison. « C'est exact, dit-il avec un sourire
pincé. J'enseignais le catéchisme. » Sandy lui tapota le
genou, et il se retourna sans un mot et sortit une carte de
la boîte à gants.

« Vous le saviez sans doute déjà, n'est-ce pas, Gary ? dit Sandy. Que votre deuxième prénom sortait du Livre Saint ? »

Le garçon cessa un instant de mâcher son chewing-gum. « Quand j'étais gamin, on n'allait pas beaucoup à l'église », dit-il.

Une expression soucieuse traversa le visage de Sandy, et elle prit ses cigarettes sur le tableau de bord. « Mais vous avez bien été baptisé, non ? demanda-t-elle.

– Oui, bien sûr, on n'est pas des païens complets, dit le garçon. C'est juste que je connais pas très bien la Bible, c'est tout.

– C'est bien, dit Sandy avec dans la voix une touche de soulagement. Inutile de prendre des risques, pas avec une chose pareille. Seigneur, qui sait où on pourrait finir si on n'était pas sauvé ? »

Le militaire retournait chez lui voir sa mère avant que l'armée ne l'envoie en Allemagne, ou dans ce nouvel endroit, le Vietnam, Carl maintenant ne se souvenait plus. Il se fichait de savoir s'il tenait son prénom de je ne sais quel fils de pute dingo du Nouveau Testament, et que sa petite amie lui avait fait promettre de porter sa chevalière de lycée autour du cou jusqu'à ce qu'il revienne d'au-delà des mers. Savoir des trucs comme ça ne faisait que rendre les choses plus compliquées ensuite, et Carl trouvait donc plus facile de se dispenser de faire la conversation, laissant Sandy poser toutes les questions idiotes, le pia-pia, les conneries comme ça. Elle était bonne pour ça, flirter et bavasser. Ils avaient fait du chemin, tous les deux, depuis leur rencontre, quand elle était une fille efflanquée et solitaire, serveuse au Wooden Spoon de Meade, âgée de dix-huit ans et se laissant enquiquiner par les clients dans l'espoir d'un petit pourboire. Et lui ? Pas beaucoup mieux, un petit garçon à sa maman au visage mou, qui venait de perdre sa mère, sans avenir ni amis, sauf ce que pouvait apporter un appareil-photo. Quand il pénétra dans le Wooden Spoon, ce premier soir où il était loin de chez lui, il n'avait aucune idée de ce que ça signifiait, ni de ce qu'il ferait ensuite. La seule chose dont il était certain, tandis qu'il s'asseyait dans le box et regardait la serveuse maigrichonne finir d'essuyer les tables avant d'éteindre les lumières, c'était qu'il avait, plus que tout, besoin de la prendre en photo. Depuis, ils ne s'étaient plus quittés.

Évidemment, Carl lui aussi devait dire certaines choses aux auto-stoppeurs, mais en général ça pouvait attendre qu'ils aient garé la voiture. « Regardez ça, commençait-il quand il sortait de la boîte à gants l'appareil, un Leica M3 35 mm, et le tendait à l'homme pour qu'il le voie bien. Neuf, ça coûte quatre cents dollars, mais je l'ai eu pour presque rien. » Et si le sourire sexy ne quittait jamais les lèvres de Sandy, elle ne pouvait pourtant s'empêcher de se sentir un peu amère à chaque fois qu'il se vantait de ça. Elle ne savait pas pour quelle raison elle avait suivi Carl dans cette existence, elle n'aurait même pas essayé de mettre ça en mots, mais elle savait que ce satané appareil n'avait jamais été une bonne occasion, qu'il allait finir par leur coûter très cher. Puis elle l'entendait demander au prochain modèle, presque sur le ton de la plaisanterie, « Alors, ça vous dirait d'être pris en photo en compagnie d'une jolie femme ? » Même après tout ce temps, ça l'étonnait toujours que des jeunes gens puissent se faire piéger aussi facilement.

Quand ils eurent porté et tiré le corps nu du militaire sur quelques mètres à l'intérieur des bois, et l'eurent fait rouler sous un buisson lourd de baies couleur pourpre, ils fouillèrent ses vêtements et son sac marin et trouvèrent près de trois cents dollars cachés dans une paire de chaussettes propres. C'était plus d'argent que Sandy n'en gagnait en un mois. « Ce sale petit menteur, dit Carl. Tu te rappelles quand je lui ai demandé de l'argent pour l'essence ? » Il écarta une nuée d'insectes de son visage rougi par l'effort et fourra la liasse de billets dans la poche de son pantalon. Un pistolet au long canon piqué de rouille était posé à côté de lui sur le sol à côté de l'appareil. « On ne peut jamais leur faire confiance, comme disait ma vieille mère, continua-t-il.

– À qui ? demanda Sandy.

– À ces satanés rouquins. Mince, ils vous crachent un mensonge même quand la vérité leur conviendrait mieux. Ils ne peuvent pas s'en empêcher. C'est gravé dans leurs gênes. »

Sur la route une voiture passa lentement, avec un silencieux défectueux. Carl pencha la tête et tendit l'oreille jusqu'à ce que le *pop-pop* s'éteigne. Puis il regarda Sandy à genoux à côté de lui, observa un moment son visage dans le crépuscule gris. « Tiens, essuie-toi », dit-il en lui tendant le T-shirt du garçon, encore humide de sa sueur. Il lui montra son menton. « Là, tu as des éclaboussures. Ce petit salopiot maigrichon était plein comme une tique. »

Après s'être passé le T-shirt sur le visage, Sandy le jeta sur le sac marin kaki et se releva. De ses mains tremblantes, elle reboutonna son corsage, épousseta de ses jambes la terre et les débris de feuilles mortes. Elle s'approcha de la voiture, se pencha et se regarda dans le rétroviseur latéral, puis passa la main par la fenêtre et prit ses cigarettes sur le tableau de bord. Elle s'appuya contre le pare-chocs avant, et alluma une clope, retirant d'un ongle rose un minuscule fragment de gravier incrusté dans son genou écorché. « Seigneur, je déteste quand ils pleurent comme ça, dit-elle. C'est le pire. »

Carl secoua la tête tout en explorant encore une fois le portefeuille du garçon. « Tu dois surmonter ces conneries, ma fille, dit-il. Ces larmes qu'il a versées, c'est le genre de truc qui fait une bonne photo. Ces deux dernières minutes, c'est le seul moment de toute sa misérable vie où il ne faisait pas semblant. »

Sandy le regarda fourrer à nouveau dans le sac toutes les possessions du garçon. Elle était tentée de lui demander si elle pouvait garder la chevalière de la petite amie, mais décida que ça ne valait pas la peine de risquer une dispute. Carl avait tout prévu, et il pouvait tomber dans un état de rage maniaque si elle essayait d'enfreindre la moindre petite règle. On devait se débarrasser soigneusement des objets personnels. C'était la Règle numéro 4. Ou peut-être la 5. Même s'il avait souvent essayé de les lui enfoncer dans le crâne, Sandy n'arrivait jamais à se souvenir de l'ordre des règles, mais elle se rappellerait toujours que Gary Matthew Bryson aimait Hank Williams et détestait les œufs en poudre de l'armée. Puis son estomac gargouilla et, pendant une seconde, elle se demanda si ces baies au-dessus de sa tête, dans les bois, étaient bonnes à manger ou pas.

Une heure plus tard, ils s'arrêtèrent dans une carrière abandonnée devant laquelle ils étaient passés un peu plus tôt, quand Sandy et le soldat Bryson échangeaient encore des plaisanteries et se faisaient les yeux doux. Elle se gara derrière un petit appentis bricolé à partir de morceaux de bois et de plaques de tôle rouillée, et coupa le moteur. Carl sortit de la voiture avec le sac et un bidon d'essence qu'ils avaient toujours avec eux. À quelques mètres du cabanon, il posa le sac et l'arrosa d'essence. Quand le feu eut pris, il retourna à la voiture et explora le siège arrière avec une lampe torche. Il trouva une boulette de chewing-gum collée sous l'un des accoudoirs. « Pire que certains gosses, dit-il. On pourrait penser que l'armée les éduque mieux que ça. Avec des soldats comme ça, si ces Russes décidaient de nous envahir, on se ferait avoir. » De l'ongle du pouce, il décolla soigneusement le chewing-gum, puis retourna vers le feu.

Sandy resta assise dans la voiture et le regarda tisonner les flammes avec un bâton. Des étincelles oranges et bleues jaillissaient, flottaient dans l'air, disparaissaient dans l'obscurité. Elle gratta des morsures de puces autour de ses chevilles, et s'inquiéta de la sensation de brûlure entre ses jambes. Elle n'en avait pas encore parlé à Carl, mais elle était presque certaine que c'était un autre garçon, celui qu'ils avaient pris dans l'Iowa quelques jours plus tôt, qui lui avait transmis cette infection. Le docteur l'avait déjà avertie qu'une ou deux doses supplémentaires anéantiraient ses chances de jamais avoir un bébé, mais Carl n'aimait pas voir de capotes sur ses photos.

Quand le feu mourut, Carl, du pied, écarta les cendres dans le gravier, puis prit dans sa poche arrière un bandana sale et ramassa la boucle de ceinture brûlante et les restes fumants des brodequins militaires. Il les jeta dans le puits de la carrière et entendit un léger *plouf*. Debout sur le bord de la profonde cavité, Carl pensa à la façon dont Sandy avait entouré le militaire de ses bras quand elle l'avait vu poser l'appareil et sortir le pistolet, comme si ça avait pu le sauver. Elle faisait toujours le même cinéma avec ceux qui étaient mignons, et même s'il ne pouvait lui en vouloir de souhaiter faire durer les choses un peu plus longtemps, ce n'était pas une partouze, quand même. Pour lui, c'était la seule vraie religion, ce dont il avait été en quête sa vie durant. Il n'y avait qu'en présence de la mort qu'il pouvait sentir la présence d'une chose comme Dieu. Il leva les yeux, vit des nuages sombres commencer à se rassembler dans le ciel. Il essuya la sueur qui lui coulait dans les yeux et commença à reprendre le chemin de la voiture. Avec de la chance, peut-être que ce soir il pleuvrait, ce qui purifierait un peu l'air, rafraîchirait l'atmosphère.

« Qu'est-ce que tu fous ? » demanda Sandy.

Carl sortit un nouveau cigare de sa poche de chemise et commença à en retirer la cellophane. « Quand on se précipite, c'est là qu'on commet une erreur. »

Elle tendit la main. « Donne-moi cette putain de torche.

– Qu'est-ce que tu veux en faire ?

– Il faut que j'aille pisser, Carl, dit-elle. Seigneur Jésus, je suis prête à exploser, et toi tu restes là à rêvasser. »

Carl mâchonna le cigare et la regarda contourner la cabane. Quelques semaines sur la route, et elle était de nouveau réduite à rien, ses jambes comme des foutus cure-dents, son cul plat comme une planche à laver. Il faudrait trois ou quatre mois pour remettre un peu de chair sur ces os. Glissant la bobine qu'il avait prise d'elle et du soldat dans un petit cylindre de métal, il la fourra dans la boîte à gants avec les autres. Quand Sandy revint, il avait chargé une nouvelle pellicule dans l'appareil. « On peut se trouver un motel, ce soir ? » demanda-t-elle d'une voix lasse en démarrant la voiture.

Carl retira le cigare de sa bouche et gratta une miette de tabac coincée entre ses dents. « Il faut d'abord qu'on roule un peu », dit-il.

Prenant la 79 en direction du sud, ils traversèrent le Mississippi et entrèrent dans l'Illinois par la 50, une route qui leur était devenue familière au cours des dernières années. Sandy n'arrêtait pas de vouloir rouler plus vite, et plusieurs fois il dut lui dire de ralentir. Avoir un accident et se trouver coincé à l'intérieur de la voiture, ou assommé, était l'une de ses plus grandes terreurs. Parfois il en faisait des cauchemars, se voyait allongé, menotté à un lit d'hôpital, essayant d'expliquer le contenu de ses pellicules à la justice. Le simple fait de penser à ça commença à gâcher le pied qu'il avait pris avec le militaire, et il tendit la main et tourna le bouton de la radio jusqu'à ce qu'il tombe sur une station country, qui émettait depuis Covington. Aucun des deux ne parlait, mais de temps en temps Sandy fredonnait pour accompagner un morceau plus lent. Puis elle bâillait et allumait une cigarette. Carl comptait les insectes qui explosaient contre le pare-brise, se tenant prêt à s'emparer du volant au cas où elle se mettrait à somnoler.

Après avoir roulé à travers cent cinquante kilomètres de petites villes silencieuses et de vastes et sombres champs de blé, ils arrivèrent à un motel délabré, le Sundowner, construit en blocs de ciment rose. Il était près d'une heure du matin. Il y avait trois voitures sur le parking troué de nids de poule. Carl actionna plusieurs fois la sonnette avant qu'une lumière ne finisse par apparaître dans le bureau, et une vieille dame avec des bigoudis métalliques dans les cheveux entrouvrit la porte et jeta un coup d'œil à l'extérieur. « C'est votre femme, dans la voiture ? » demanda-t-elle avec un regard en direction du break. Il regarda derrière lui, distinguant à peine la lueur de la cigarette de Sandy au milieu de l'ombre.

« Vous avez de bons yeux, dit-il avec un bref sourire. Ouais, c'est elle.

– Vous venez d'où ? » demanda la femme.

Carl s'apprêtait à dire qu'ils venaient du Maryland, un des rares États où il n'avait encore jamais mis les pieds, puis se rappela la plaque d'immatriculation de la voiture. Il imagina que la vieille fouine l'avait déjà repérée. « Des environs de Cleveland », dit-il.

La femme secoua la tête, serra sa robe de chambre contre elle. « On me paierait cher pour vivre dans un endroit pareil, avec tous ces cambriolages et tous ces meurtres, dit-elle.

Vous avez bien raison. Je passe mon temps à m'inquiéter. Pour commencer, il y a trop de nègres. Mince, ma femme ne quitte presque plus la maison. » Puis il sortit de sa poche l'argent du militaire. « Alors c'est combien, pour une chambre ? demanda-t-il.

– Six dollars », dit la femme. Il humecta son pouce et compta quelques billets qu'il lui tendit. Elle disparut un instant, et revint avec une clef sur un morceau de carton froissé et déchiré. « Numéro sept, dit-elle. Tout au bout. »

La chambre était chaude et sentait le renfermé, avec une forte odeur d'insecticide. Sandy se précipita directement vers la salle de bains et Carl alluma la télé portative, mais à cette heure de la nuit il n'y avait que de la neige et des parasites, surtout ici, dans un trou pareil. Enlevant ses chaussures d'un coup de pied, il commença à tirer le mince dessus-de-lit en tissu écossais. Six mouches mortes était éparpillées sur les oreillers. Il les contempla une minute, puis s'assit au bord du lit et plongea la main dans le sac de Sandy pour lui prendre une cigarette. Il compta à nouveau les mouches, mais leur nombre ne changea pas.

Parcourant la chambre des yeux, il remarqua une gravure bon marché suspendue au mur, dans un cadre : une merde représentant des fleurs et des fruits, et dont personne ne se souviendrait, pas un seul de ceux qui aient jamais dormi dans cette chambre puante. Il ne voyait pas quelle utilité elle pouvait avoir, sinon rappeler aux gens que le monde est un bien triste lieu. Il se pencha en avant, se mit les coudes sur les genoux, essaya d'imaginer à sa place l'une de ses photos. Peut-être le beatnik du Wisconsin avec le petit joint enrobé de cellophane, ou ce grand salopard blond de l'année d'avant, celui qui avait tellement résisté. Évidemment, certaines étaient meilleures que d'autres, même Carl devait bien le reconnaître. Mais il était certain d'une chose : quiconque regarderait l'une de ses photos, même celles, ratées, d'il y a deux ou trois ans, ne l'oublierait jamais. Il aurait parié là-dessus la liasse de billets verts du militaire.

Il écrasa sa cigarette dans le cendrier et baissa les yeux sur l'oreiller. Six, c'était le nombre des modèles avec lesquels ils avaient travaillé pendant ce voyage ; six, c'était le prix que la vieille salope lui avait demandé pour la chambre, et voilà qu'il y avait six mouches empoisonnées

sur son lit. La puanteur persistante de l'insecticide commençait à lui brûler les yeux, et il se les tapota avec le
coin du dessus de lit. « Et que signifient tous ces six,
Carl ? » se demanda-t-il à voix haute. Sortant son couteau,
il joua avec un trou dans l'une de ses molaires tout en
cherchant mentalement une réponse valable, une réponse
qui évitait la signification la plus évidente de ces trois
chiffres, le signe biblique que sa vieille folle de mère lui
aurait joyeusement fait remarquer si elle avait été encore
en vie. « Ça signifie, Carl, dit-il enfin, en refermant son
canif d'un coup sec, qu'il est temps de rentrer à la maison. » Il balaya de la main les minuscules cadavres ailés
sur la descente de lit crasseuse, et retourna l'oreiller.

11

Plus tôt ce même jour, à Meade, Ohio, le shérif Lee Bodecker était assis à son bureau sur un fauteuil de chêne pivotant, en train de manger une barre chocolatée tout en feuilletant de la paperasse. Ça faisait deux mois qu'il n'avait pas pris un verre d'alcool, même pas une simple bière, et le médecin de sa femme lui avait dit que les sucreries lui en ôteraient l'envie. Florence en avait mis partout dans la maison, elle avait même glissé des biscuits de marin sous son oreiller. Parfois, la nuit, il se réveillait dans un craquement, la gorge aussi collante qu'un papier tue-mouche. Sans les comprimés de somnifères rouges, jamais il ne se serait endormi. La voix préoccupée de Florence, la façon dont, maintenant, elle le maternait, ça le rendait malade de voir jusqu'à quel point il avait pu se laisser aller. Les élections du comté étaient dans plus d'un an, mais Hen Matthews se montrait mauvais perdant. Son ancien patron lui faisait déjà des crasses, racontant des saloperies à propos d'hommes de loi aussi incapables d'arrêter des truands que de tenir l'alcool. Mais chaque barre chocolatée que mangeait Bodecker lui donnait envie d'en manger dix autres, et son ventre commençait à pendre par-dessus sa ceinture comme un gros sac de grenouilles mortes. À ce train-là, le temps qu'il recommence à faire campagne, il serait devenu un mollasson aussi gras que son beau-frère Carl, avec son visage de cochon.

Le téléphone sonna, et avant qu'il ait eu le temps de dire *allô*, la voix flûtée d'une vieille femme, à l'autre bout du fil, demanda : « Vous êtes le shérif ?

– Oui, c'est moi, dit Bodecker.

– Vous avez une sœur qui travaille au Tecumseh ?

– Peut-être, dit Bodecker. Je ne lui ai pas parlé depuis longtemps. » Au ton de la femme, il comprenait qu'il ne s'agissait pas d'un appel amical. Il posa ce qui restait de sa barre chocolatée sur la pile de paperasses. Ces temps-ci, parler de sa sœur rendait Lee nerveux. En 1958, quand il était rentré chez lui après l'armée, il aurait explosé de rire si quelqu'un lui avait dit que la maigre et timide Sandy allait se déchaîner, mais c'était avant sa rencontre avec Carl. Maintenant, il la reconnaissait à peine. Il y avait quelques années de ça, Carl l'avait convaincue de quitter son travail au Wooden Spoon et de s'installer en Californie. Ils ne restèrent absents que quelques semaines mais, à leur retour, il y avait en elle quelque chose de différent. Elle avait pris un boulot de serveuse au Tecumseh, le rade le plus mal famé de la ville. Maintenant elle se baladait en jupes courtes qui lui couvraient à peine le cul, le visage peint comme celui des putes qu'il avait virées de Water Street quand il avait été élu pour la première fois. « J'ai été trop occupé à poursuivre les mauvais garçons », plaisanta-t-il pour essayer d'apaiser un peu l'humeur de son interlocutrice. Il baissa les yeux, et remarqua une éraflure

119

sur l'une de ses bottes marron toutes neuves. Il cracha sur son pouce, se pencha, et essaya de l'effacer.

« Oh, je veux bien le croire, dit la femme.

– Vous avez un problème ? dit Bodecker.

– Pour sûr que j'en ai un, dit méchamment la femme. Votre sœur, ça fait plus d'un an qu'elle vend son cul juste à la porte de derrière de cet endroit dégueulasse, mais pour autant que je sache, shérif, vous avez jamais levé le petit doigt pour arrêter ça. Difficile de dire combien de bons mariages elle a brisés. Comme je le disais à Mr Matthews, pas plus tard que ce matin, on se demande comment vous avez pu être élu, avec une famille pareille.

– Merde, qui est au bout du fil ? dit Bodecker, se penchant en avant sur son fauteuil.

– Ah ! dit la femme. Je tombe pas dans ce piège. Je sais comment la loi fonctionne, dans Ross County.

– Elle fonctionne parfaitement.

– C'est pas ce que dit Mr Matthews. » Et sur ces mots elle raccrocha.

Reposant violemment le récepteur, Bodecker repoussa sa chaise et se leva. Il jeta un coup d'œil sur sa montre et pris ses clefs sur le dessus du classeur. Quand il arriva à la porte, il s'arrêta et revint à son bureau. Il fourragea dans le tiroir du haut, trouva une boîte de caramels ouverte. Il en fourra une poignée dans sa poche.

Quand Bodecker, en sortant, passa devant la réception, le répartiteur, un jeune homme aux yeux verts exorbités et aux cheveux en brosse, leva les yeux de la revue cochonne qu'il était en train de lire. « Tout va bien, Lee ? » demanda-t-il.

Son gros visage rouge d'exaspération, le shérif continua son chemin sans un mot, puis s'arrêta à la porte et regarda derrière lui. Maintenant, le répartiteur tendait le magazine en direction du plafonnier, étudiant une forme féminine nue solidement attachée par des courroies de cuir et du fil de nylon, une petite culotte roulée en boule enfoncée dans la bouche. « Je ne veux pas que quelqu'un entre et te trouve plongé dans ce foutu bouquin de cul, Willis, dit Bodecker. Tu m'entends ? J'ai assez d'emmerdes comme ça.

– Pas de problème, Lee. Je ferai attention. » Il commença à tourner une autre page.

« Nom de Dieu, mec, t'es vraiment pas capable de comprendre ? hurla Bodecker. Pose ce fichu bouquin. »

Tout en roulant vers le Tecumseh, il suça un de ses caramels et pensa à ce que la femme, au téléphone, lui avait dit à propos de Sandy qui se prostituait. Même s'il soupçonnait Matthews d'avoir provoqué cet appel juste pour l'enquiquiner, il devait bien admettre qu'il n'aurait pas été à ce point surpris de découvrir que c'était vrai. Un couple de traîne-savates camés était assis sur le parking, à côté d'une motocyclette incrustée de boue séchée. Il retira son chapeau et son insigne, et les enferma dans la voiture. La dernière fois qu'il était venu là, au début de l'été, il avait vomi son Jack Daniel's sur la table de billard. Sandy avait chassé tout le monde plus tôt que prévu et fermé la gargote. Il était allongé sur le sol collant, au milieu des mégots, des mollards et de la bière renversée, pendant qu'elle épongeait avec des serviettes les dégâts qu'il avait faits sur le tapis vert. Puis elle installa un petit ventilateur sur l'extrémité sèche de la table, et le mit en marche. « Quand il

121

verra ça, Leroy va en faire une attaque, dit-elle, les mains sur ses hanches maigres.

– S'fairfout' c'tenculé, marmonna Bodecker.

– Ouais, pour toi, c'est facile de dire ça, dit Sandy en l'aidant à se relever et à s'asseoir sur une chaise. Tu travailles pas pour ce connard.

– Je ferai fermer ce trou, dit Bodecker en agitant furieusement les bras. Je jure que je le ferai.

– Calme-toi, grand frère. » Elle lui essuya le visage avec un torchon humide et lui prépara une tasse de café instantané. Quand il essaya d'en avaler une gorgée, Bodecker laissa tomber la tasse. Elle explosa sur le sol. « Seigneur, j'aurais dû m'en douter, dit Sandy. Allons, viens, je ferais mieux de te ramener chez toi.

– Avec quel tacot tu roules, en ce moment ? bredouilla-t-il tandis qu'elle l'aidait à monter sur le siège avant.

– C'est pas un tacot, mon cœur. »

Il regarda l'intérieur du break, essaya de ne plus voir trouble. « Alors c'est quoi, putain ? dit-il.

– C'est une limousine », dit Sandy.

12

Dans la salle de bains du motel, Sandy remplit la baignoire et ôta l'emballage d'une des barres chocolatées qu'elle gardait dans sa trousse à maquillage pour les jours où Carl refusait de s'arrêter pour manger. Quand ils voyageaient, il pouvait passer des journées sans nourriture, ne pensant à rien d'autre qu'à trouver le prochain modèle. Il pouvait bien tant qu'il voulait sucer ces satanés cigares et passer son couteau crasseux dans ses chicots, mais elle n'avait pas l'intention de se coucher le ventre creux.

L'eau chaude soulagea la démangeaison entre ses jambes, elle s'allongea et ferma les yeux en grignotant son Milky Way. Le jour où ils étaient tombés sur le garçon de l'Iowa, elle avait quitté la route dans l'intention de trouver un endroit pour s'arrêter et faire une sieste, quand il avait surgi d'un champ de soja. On aurait dit un épouvantail. Dès que le garçon leva le pouce, Carl claqua dans ses mains et dit « On y va. » L'auto-stoppeur était couvert de boue, de merde, de brins de paille, comme s'il avait dormi dans une cour de ferme ; même toutes vitres ouvertes, sa puanteur emplissait la voiture. Sandy savait qu'il était difficile de rester propre sur la route, mais l'épouvantail était le pire qu'ils aient jamais ramassé. Posant la barre au chocolat sur le bord de la baignoire, elle respira à fond et plongea la tête sous l'eau, écouta le bruit assourdi des battements de son cœur, essaya de l'imaginer s'arrêtant pour toujours.

Ils n'avaient pas roulé beaucoup quand le garçon avait commencé à psalmodier d'une voix haut perchée : « Californie, j'arrive, Californie, j'arrive », et aussitôt elle sut que Carl allait être particulièrement méchant avec celui-là, parce qu'ils voulaient juste tout oublier à propos de cette foutue région. À une station-service en dehors d'Ames, elle avait fait le plein et acheté deux bouteilles de vodka orange, pensant que ça pourrait peut-être calmer un peu le garçon, mais quand il eut pris quelques gorgées, il se mit à chanter pour accompagner la radio, et la situation empira. Quand l'épouvantail se fut péniblement braillé un chemin à travers cinq ou six chansons, Carl se pencha vers elle et dit : « Sacré nom de Dieu, ce saligaud nous paiera ça.

– Si tu veux mon avis, il est peut être attardé mental, ou un truc comme ça », dit-elle à voix basse, espérant que Carl, par superstition, le laisserait filer.

Carl jeta un coup d'œil sur le garçon à l'arrière, puis se retourna et secoua la tête. « Il est juste idiot, c'est tout. Ou complètement dingo. Ça fait une différence, tu sais.

– Alors, au moins, éteins la radio, suggéra-t-elle. Inutile de l'exciter.

– Laissons-le s'amuser, merde. Je lui couperai le sifflet directement. »

Elle laissa tomber sur le sol l'emballage du Milky Way, et fit couler un peu plus d'eau chaude. Sur le coup, elle n'avait pas discuté, mais maintenant, qu'est-ce qu'elle regrettait d'avoir touché ce garçon. Elle savonna le gant de toilette et en fit pénétrer l'extrémité en elle, en serrant les jambes. Dans l'autre pièce, Carl parlait tout seul, mais en général ça ne signifiait rien de particulier, surtout juste après qu'ils en avaient terminé avec un nouveau modèle. Puis il se mit à parler un peu plus fort, et elle se souleva pour vérifier que la porte était bien fermée à clef, juste au cas où.

Avec le garçon de l'Iowa, ils s'étaient garés sur le bord d'une décharge, et Carl avait sorti l'appareil et commencé son baratin pendant que le garçon et lui finissaient la deuxième bouteille de vodka. « Ma femme adore s'amuser, mais maintenant je suis trop vieux pour ces petits jeux, dit-il au garçon ce jour-là. Vous voyez ce que je veux dire ? »

Sandy avait tiré une bouffée de sa cigarette et regardé l'épouvantail dans le rétroviseur. Il se balançait d'avant en arrière, avec un large sourire, agitant la tête à tout ce que disait Carl, les yeux aussi morts que des cailloux. Pendant un moment, elle crut qu'elle allait vomir. C'était surtout nerveux, et sa nausée passa rapidement, comme toujours. Puis Carl suggéra qu'ils sortent de la voiture et, tandis qu'il étalait une couverture sur le sol, elle commença à contrecœur à retirer ses vêtements. Le garçon reprit sa satanée chanson, mais elle mit un doigt sur ses lèvres, et lui dit de se taire un petit moment. « Maintenant, on va s'amuser un peu », dit-elle avec un sourire forcé en tapotant sur la couverture à côté d'elle.

Il fallut au garçon de l'Iowa plus longtemps qu'à la plupart pour comprendre ce qui se passait, mais même à partir de ce moment-là il ne se débattit pas trop. Carl prit son temps et réussit à prendre au moins vingt photos de détritus qui dépassaient du sol en divers endroits : des ampoules, des cintres, des boîtes de soupe. Le temps qu'il pose son appareil et en termine, la lumière commençait à baisser. Il essuya ses mains et son couteau sur la chemise du garçon, puis fit un petit tour jusqu'au moment où il découvrit un frigidaire hors d'usage à moitié enfoui dans la décharge. Avec la pelle qu'il sortit de la voiture, il en dégagea le dessus et entrouvrit la porte pendant que Sandy fouillait le pantalon du garçon. « C'est tout ? dit Carl quand elle lui tendit un sifflet en plastique et une pièce d'un cent avec une tête d'Indien.

– À quoi tu t'attendais ? dit-elle. Il n'a même pas de portefeuille. » Elle jeta un coup d'œil dans le réfrigérateur. Les parois étaient recouvertes d'une mince couche de moisissure verte, et un bocal de confiture grise et gluante était écrasé dans un coin. « Seigneur, tu vas le mettre là-dedans ?

– À mon avis, il a dormi dans des endroits pires que ça. »

Ils plièrent le garçon en deux et le tassèrent dans le réfrigérateur, puis Carl insista pour prendre une dernière photo, Sandy en culotte et soutien-gorge rouges s'apprêtant à fermer la porte. Il s'accroupit et régla l'appareil. « Elle est bonne, celle-là, dit-il après avoir déclenché l'obturateur. Très tendre. » Puis il se leva et se glissa entre les lèvres le sifflet du garçon. « Vas-y, referme ce truc. Maintenant il peut rêver autant qu'il veut à la Californie. » Avec la pelle, il commença à répandre des ordures sur le dessus du tombeau de métal.

L'eau devenait froide, et elle sortit de la baignoire. Elle se brossa les dents, étala de la crème sur son visage et passa un peigne dans ses cheveux mouillés. Le militaire avait été le meilleur qu'elle ait eu depuis longtemps, et elle avait prévu, ce soir, de s'endormir en pensant à lui. Tout pour chasser de sa tête ce fichu épouvantail. Quand elle émergea de la salle de bains dans sa chemise de nuit jaune, Carl était étendu sur le lit, les yeux fixés au plafond. Ça faisait une semaine qu'il ne s'était pas baigné, pensa-t-elle. Elle alluma une cigarette et lui dit qu'il ne dormirait pas avec elle s'il ne se débarrassait pas de l'odeur de ces garçons.

« Ils s'appellent des modèles, pas des garçons », déclarat-il. Il se leva et balança hors du lit ses lourdes jambes. « Combien de fois devrai-je te le répéter ?

– Je me fiche de savoir comment ils s'appellent. Ce lit est un lit propre. »

Carl jeta un coup d'œil aux mouches sur la carpette. « Ouais, c'est ce que tu crois », dit-il en se dirigeant vers la salle de bains. Il quitta ses vêtements crasseux et se renifla. Il se trouvait qu'il aimait sa propre odeur, mais il devait peut-être se montrer plus attentif. Récemment, il commençait à craindre de se transformer en une espèce de tapette, et il soupçonnait Sandy de penser la même chose. Il testa de la main l'eau de la douche, puis entra dans la baignoire. Il frotta avec du savon son corps velu et bouffi. Se branler en regardant les photos n'était pas bon signe, il le savait, mais parfois il ne pouvait s'en empêcher. Pour lui, quand ils étaient rentrés chez eux, c'était dur de rester assis seul dans l'appartement minable, soir après soir, pendant que Sandy servait des verres au bar.

Tout en se séchant, il essaya de se rappeler la dernière fois qu'ils avaient fait l'amour. Au printemps dernier, peut-être, mais il n'en était pas sûr. Il essaya d'imaginer Sandy redevenue jeune et fraîche, avant le début de toute cette merde. Évidemment, il avait rapidement été au courant du cuisinier qui lui avait pris sa virginité et des aventures sans lendemain avec des voyous boutonneux, mais pourtant, à cette époque, il y avait en elle un air d'innocence. Peut-être, se disait-il parfois, était-ce parce que lui-même, quand il l'avait rencontrée, n'avait pas tellement d'expérience. Bien sûr, il avait couché avec quelques putes – le quartier en était rempli – mais il n'avait qu'une vingtaine d'années quand sa mère avait fait l'attaque qui l'avait laissée paralysée et à peu près incapable d'articuler un mot. À cette époque, ça faisait plusieurs années qu'il n'y avait plus de petits amis frappant à sa porte, et Carl s'était donc retrouvé coincé à veiller sur elle. Pendant les premiers mois, il avait envisagé d'appuyer un oreiller sur son visage tordu et de les libérer ainsi tous les deux, mais après tout, c'était sa mère. À la place, il commença à se mettre à enregistrer sur pellicule sa longue dégringolade, une nouvelle photo de son corps flétri deux fois par semaine pendant les treize années suivantes. Elle finit par s'y habituer. Et puis un matin il la trouva morte. Il s'assit au bord du lit et essaya de manger l'œuf qu'il avait écrasé pour son petit-déjeuner, mais il ne parvint pas à le faire descendre. Trois jours plus tard, il jetait sur son cercueil la première pelletée de terre.

Après avoir payé les funérailles, il lui restait, en plus de son appareil, 217 dollars et une Ford brinquebalante qui ne roulait que par temps sec. La probabilité que la voiture réussisse à traverser les États-Unis était proche de zéro, mais, depuis sa naissance, ou presque, il rêvait d'une vie nouvelle, et maintenant sa meilleure et ultime excuse reposait enfin en paix au cimetière St. Margaret. Et ainsi, le jour précédant son départ, il mit les piles de photos aux bords recourbés dans des cartons qu'il posa sur le trottoir pour les éboueurs. Puis il roula vers l'ouest de Parson's Avenue jusqu'à High Street, et quitta Columbus. Sa destination était Hollywood, mais à cette époque il n'avait aucun sens de l'orientation et, sans savoir comment, ce soir-là, il termina à Meade, Ohio, et au Wooden Spoon. Quand il repensait à ça, Carl était convaincu que c'est le destin qui l'avait conduit là. Mais parfois, lorsqu'il se rappelait la douce et tendre Sandy d'il y a cinq ans, il regrettait presque de s'être arrêté.

Il se secoua pour sortir de sa rêverie, pressa d'une main du dentifrice dans sa bouche tout en se caressant de l'autre. Il lui fallut quelques minutes, mais il fut enfin prêt. Il sortit de la salle de bains nu et un peu inquiet, la pointe pourpre de son érection se pressant contre son ventre tombant et marqué de vergetures.

Mais Sandy était déjà endormie, et quand il tendit la main et lui toucha l'épaule, elle ouvrit les yeux et grogna. « Je me sens pas bien », dit-elle, se retournant et se lovant de l'autre côté du lit. Carl resta debout quelques minutes, respirant par la bouche, sentant son sang le quitter. Puis il éteignit la lumière et retourna dans la salle de bains. Merde, elle se fichait bien que, ce soir, ç'ait été sacrément important pour lui. Il s'assit sur le siège, et ses mains tombèrent entre ses jambes. Il revit le corps blanc et doux du militaire, et il prit sur le sol le gant de toilette mouillé, qu'il mordit. À l'origine, l'extrémité pointue de la branche couverte de feuilles était trop grande pour le trou fait par la balle, mais Carl l'avait faite coulisser jusqu'à ce qu'elle reste dressée, comme un jeune arbre surgissant de la poitrine musclée du soldat Bryson. Quand il eut fini, il se leva et cracha le gant dans le lavabo. En contemplant dans le miroir son reflet haletant, Carl réalisa qu'il y avait un gros risque que Sandy et lui ne fassent plus jamais l'amour, qu'ils étaient dans une situation pire qu'il ne l'avait imaginé.

Plus tard cette nuit-là, il se réveilla paniqué, son cœur trop gras palpitant dans sa cage thoracique comme un animal prisonnier et terrorisé. Selon le réveil sur la table de nuit, il avait dormi moins d'une heure. Il commença à rouler sur lui-même, puis fit une embardée hors du lit et tituba jusqu'à la fenêtre, dont il ouvrit le rideau d'un coup sec. Dieu merci, le break était toujours sur le parking. « Espèce de con », se dit-il. Il enfila son pantalon, traversa le gravillon pieds nus jusqu'à la voiture et déverrouilla la portière. Une masse d'épais nuages flottait au-dessus de lui. Il prit sur le tableau de bord les six pellicules et les rapporta dans la chambre, avant de les entasser dans ses chaussures. Il les avait complètement oubliées, une violation patente de la Règle # 7. Sandy marmonna dans son sommeil quelque chose à propos d'un épouvantail, ou une connerie de ce genre. Retournant à la porte ouverte, Carl alluma une autre de ses cigarettes et resta là à regarder la nuit. Tandis qu'il se maudissait d'être aussi imprudent, les nuages se déplacèrent, révélant une petite étendue d'étoiles, à l'est. Il plissa les yeux à travers la fumée de cigarette et entreprit de les compter, puis s'arrêta et referma la porte. Un nombre de plus, un signe de plus, cette nuit, ça ne changerait rien.

13

Quand Bodecker entra dans le Tecumseh Lounge, trois hommes étaient assis à une table, à boire de la bière. Un bref instant le soleil éclaira la salle sombre, projetant sur le sol la longue ombre du shérif. Puis la porte se referma derrière lui et tout retomba dans la pénombre. Sur le juke-box, une chanson de Patsy Cline se terminait dans un tremblement triste. Quand le shérif passa près d'eux, se dirigeant vers le bar, aucun des hommes ne dit un mot. L'un d'eux était un voleur de voitures, et un autre tabassait les femmes. Ils avaient tous deux passé du temps en prison, avaient plusieurs fois cogné sur sa voiture de patrouille. Il ne connaissait pas le troisième homme, mais il imagina que ce n'était qu'une question de temps.

Bodecker s'assit sur un tabouret et attendit que Juanita ait fini de faire frire un hamburger sur la grille graisseuse. Il se rappela qu'il n'y avait pas tant d'années qu'elle lui avait servi son premier whisky dans ce bar. Pendant les sept ans qui avaient suivi, il avait recherché la sensation qu'il avait ressentie ce soir-là, sans jamais la retrouver. Il mit la main dans sa poche pour prendre une sucrerie, puis décida d'attendre un peu. Elle posa le sandwich sur une assiette en carton, accompagné de quelques chips qu'elle prit dans un seau à saindoux métallique, et d'un long cornichon pâle qu'elle piqua dans un bocal de verre sale. Elle porta l'assiette à la table et la posa devant le voleur de voitures. Bodecker entendit l'un des hommes dire quelque chose à propos de recouvrir la table de billard avant que quelqu'un ne vomisse. Un autre rit, et il sentit que le feu lui montait au visage. « Arrête avec ça », dit Juanita à voix basse.

Ella alla à la caisse, et prépara la monnaie qu'elle rapporta au voleur de voitures. « Ces pommes chips sont rassises, lui dit-il.

– Alors les mange pas.

– Allons, chérie, dit le cogneur de femmes, on répond pas comme ça. »

Juanita, ignorant ce qu'il venait de dire, alluma une cigarette et s'approcha de l'extrémité du bar, où Bodecker était assis. « Hé, bel étranger, dit-elle. Que puis-je...

– Mon Dieu, si elle s'ouvre pas comme une moule », dit à cet instant l'un des hommes d'une voix forte. Toute la tablée explosa de rire.

Juanita secoua la tête. « Je peux vous emprunter votre arme ? demanda-t-elle à Bodecker. Ces connards sont là depuis l'ouverture, ce matin. »

Il les regarda dans le long miroir derrière le bar. Le voleur de voitures gloussait comme une lycéenne tandis que le tabasseur de femmes écrasait du poing les chips sur la table. Le troisième homme était appuyé à son dossier avec une expression d'ennui, se curant les ongles avec une allumette. « Si vous voulez, je peux les virer, dit Bodecker.

– Nan, c'est bon. Le seul résultat, c'est qu'ils reviendraient plus tard et m'enquiquineraient encore plus. » Elle souffla de la fumée du coin de sa bouche, et eut un demi-sourire. Elle espérait que son garçon n'avait pas encore des ennuis. La dernière fois, elle avait dû emprunter deux semaines de salaire pour le sortir de prison, tout ça pour cinq albums qu'il avait glissés dans son pantalon, chez Woolworth. Merle Haggard ou Porter Wagoner, déjà, ça aurait été assez grave, mais Gerry and the Pacemakers ? Herman's Hermits ? The Zombies ? Son père était mort, Dieu merci, voilà tout ce qu'elle pouvait dire. « Alors qu'est-ce que je peux pour vous ? »

Bodecker regarda un moment les bouteilles alignées derrière le bar. « Vous avez du café ?

– Uniquement de l'instantané. Il y a pas beaucoup de buveurs de café, par ici. »

Il fit la grimace. « Ça me fait mal à l'estomac. Et un Seven Up ? »

Quand Juanita eut posé une bouteille devant lui, Bodecker alluma une cigarette et dit : « Alors, Sandy n'est pas encore arrivée ?

– Non. Pourtant, j'aimerais bien. Ça fait maintenant plus de deux semaines qu'elle est partie.

– Quoi ? Elle a démissionné ?

– Non, ça n'a rien à voir. Elle est en vacances.

– Encore ?

– Je ne sais pas comment ils font, dit Juanita, l'air soulagé que la visite du shérif n'ait rien à voir avec son fils. Je ne pense pas que chez eux ce soit particulièrement joli, mais ici je gagne à peine de quoi payer le loyer de la vieille caravane dans laquelle j'habite. Et vous savez aussi bien que moi que Carl ne paye rien. »

Bodecker prit une gorgée de soda, et repensa au coup

de téléphone. Ainsi, c'était vrai, sans doute, mais si Sandy faisait le tapin depuis plus d'un an, comme l'affirmait cette vieille garce, pourquoi n'en avait-il pas entendu parler jusque-là ? Peut-être que c'était une bonne chose qu'il ait fait cette promesse. Le whisky, c'était évident, lui avait mis la tête en bouillie. Puis il jeta un coup d'œil à la table de billard et réfléchit à d'autres choses qu'il avait pu ignorer au cours des derniers mois. Un frisson glacé le parcourut soudain. Il dut déglutir plusieurs fois pour empêcher le 7-Up de remonter. « Quand est-ce qu'elle revient ? demanda-t-il.

– Elle a dit à Leroy qu'elle serait revenue à la fin de la semaine. Ce radin ne veut pas engager d'autre aide.

– Vous n'avez aucune idée de l'endroit où ils sont allés ?

– Avec cette fille, c'est difficile de savoir, dit Juanita en haussant les épaules. Elle parlait de Virginia Beach, mais j'imagine mal Carl se bronzant au soleil pendant deux semaines au bord de l'océan. Et vous ? »

Bodecker secoua la tête. « Pour tout vous dire, j'imagine mal ce fils de pute faire quoi que ce soit. » Puis il se leva et posa un dollar sur le bar. « Écoutez, quand elle rentrera, dites-lui que je veux lui parler, d'accord ?

– D'accord, Lee, je le ferai », dit la barmaid.

Quand il fut sorti, l'un des hommes cria : « Hey, Juanita, t'as entendu ce que Hen Matthews raconte sur ce connard qui a la tête qui enfle ? »

14

Une portière de voiture claqua sur le parking. Carl ouvrit les yeux, regarda la nature morte sur le mur de l'autre côté de la chambre. Le réveil disait qu'il était encore tôt, mais il était déjà couvert de sueur. Il sortit du lit et alla à la salle de bains se vider la vessie. Il ne se peigna pas, ne se brossa pas les dents, ne se lava pas le visage. Il enfila les habits qu'il avait portés toute la semaine, sa chemise violette et un pantalon gris ample et luisant. Il fourra les pellicules dans ses poches, s'assit au bord d'une chaise et mit ses chaussures. Il pensa réveiller Sandy, pour qu'ils puissent partir, mais décida de la laisser dormir. Ils avaient passé les trois dernières nuits en voiture. Il se dit qu'il lui devait bien ça et en plus, de toute façon, ils rentraient chez eux. Aucune raison de se précipiter.

Tout en attendant qu'elle se réveille, Carl mâchonna un cigare et sortit de sa poche la liasse du militaire. Tout en la comptant encore une fois, il se rappela le jour où, l'année d'avant, ils traversaient le sud du Minnesota. Ils s'accrochaient à leurs trois derniers dollars quand le radiateur du coupé Chevy '49 dans lequel ils roulaient cet été-là perça. Il réussit à boucher provisoirement la fuite avec une boîte de poivre gris qu'il portait en cas d'urgence de ce type, un truc qu'il avait appris autrefois dans un garage. Avant que la fuite ne recommence, ils trouvèrent une station-service dans un bled à l'écart de la route, et ils finirent par passer la plus grande partie de la journée à attendre tandis qu'un mécano avec un paquet de Red Man dépassant de sa poche arrière n'arrêtait pas de promettre de la réparer dès qu'il aurait terminé un réglage que son patron voulait d'urgence. « J'en ai plus pour longtemps, m'sieur », disait-il à Carl tous les putains de quart d'heure. Sandy n'arrangeait pas les choses. Elle avait posé son cul sur un banc juste devant le garage. Elle se limait les ongles et allumait ce pauvre con en lui laissant apercevoir sa lingerie rose jusqu'au moment où elle l'avait tellement perturbé qu'il était complètement paumé.

Carl finit par baisser les bras, écœuré, sortit ses pellicules de la boîte à gants, et s'enferma dans les toilettes derrière le garage. Il resta assis plusieurs heures dans cette étuve puante, à feuilleter un des magazines de détective en lambeaux entassés sur le sol humide à côté du siège sale, incrusté de crasse. De temps en temps, il entendait sonner la clochette de devant, annonçant un autre client pour l'essence. Un cafard marron rampait paresseusement sur le mur. Il alluma une de ses bites de chien, pensant que ça l'aiderait à se libérer les boyaux, mais son intestin était comme du ciment. Dans le meilleur des cas, il arrivait à faire de temps en temps quelques gouttes de sang. Ses grosses cuisses commençaient à s'engourdir. À un moment donné, quelqu'un frappa à la porte, mais il n'était pas prêt à renoncer à son siège pour qu'un quelconque fils de pute puisse laver ses mains délicates.

Il s'apprêtait à essuyer son cul sanguinolent quand il tomba sur un article dans un numéro détrempé de *True Crime*. Il se rassit sur le siège, fit tomber la cendre de son cigare. Le policier interviewé dans l'article disait que deux corps d'hommes avaient été découverts, l'un fourré dans un conduit près de Red Cloud, Nebraska, l'autre cloué au sol d'une cabane sur une ferme abandonnée près de Seneca, Kansas. « Ils ont été découverts à cent cinquante kilomètres l'un de l'autre », faisait remarquer le policier. Carl regarda la date sur la couverture du magazine. Novembre 1964. Bon dieu, cet article était déjà vieux de neuf mois. Il relut les trois pages cinq fois. Tout en refusant de donner des détails, le policier suggérait qu'il existait une forte probabilité que, en raison de la *nature* des crimes, les deux meurtres soient liés. « Ainsi, à en juger d'après l'état de conservation des restes, nous orientons nos recherches sur l'été 1963, aux environs de cette époque, en tout cas. » « Et bien, au moins, tu te trompes pas sur l'année », marmonna Carl. C'était au cours de leur troisième sortie qu'ils avaient eu ces deux-là. L'un était un mari en fuite espérant se faire une nouvelle vie en Alaska, l'autre un vagabond qu'ils avaient vu chercher quelque chose à manger dans une poubelle derrière un cabinet vétérinaire. Ces clous avaient donné une sacrément bonne photo. Il y en avait une pleine boîte juste derrière la porte de la cabane, comme si le Diable les avait mis là en sachant que Carl allait apparaître un jour.

Il se torcha et essuya ses mains moites sur son pantalon. Il déchira l'article du magazine, le plia et le fourra dans son portefeuille. En sifflotant, il humecta son peigne au robinet du lavabo et coiffa en arrière ses fins cheveux grisonnants, écrasa quelques boutons sur son visage. Dans le garage, il trouva le mécano qui parlait à Sandy à voix basse. Il serrait une jambe maigre contre celles de la jeune femme. « Seigneur, il était temps », dit-elle quand elle leva les yeux et le vit.

Sans prendre la peine de lui répondre, Carl demanda au mécano : « Alors, le radiateur est réparé ? »

L'homme fit un pas pour s'écarter de Sandy, mit nerveusement ses mains graisseuses dans les poches de sa salopette. « Je crois, dit-il. Je l'ai rempli d'eau, et je crois que ça ne fuit plus.

– Qu'est-ce que vous avez rempli d'autre ? dit Carl avec un regard soupçonneux.

– Rien, rien du tout, m'sieur.

– Vous l'avez laissée tourner un moment ?

– On l'a laissée tourner dix minutes, dit Sandy. Pendant que tu étais aux chiottes à faire je ne sais quoi.

– Très bien, dit Carl. Combien on vous doit ? »

Le mécanicien se gratta la tête, sortit son paquet de chewing-gum.

« Oh, je sais pas. Cinq dollars, ça vous irait ?

– Cinq dollars ? Hé, mec, après ce que vous avez fait avec ma nana ? Elle va avoir mal pendant une semaine. J'aurai de la chance si vous ne l'avez pas mise K.O.

– Quatre ? proposa le mécanicien.

– Écoutez-moi cette petite merde, dit Carl. Vous aimez en profiter, hein ? » Il jeta un regard sur Sandy, qui lui fit un clin d'œil. « Vous ajoutez deux bouteilles de soda bien frais, et je vous donne deux dollars, mais c'est ma dernière offre. Ma femme n'est pas une pute à deux balles. »

Ce soir-là, quand ils partirent de là, il était tard et ils

dormirent dans la voiture au bord d'une calme route de campagne. Ils partagèrent une boîte de terrine en se servant du couteau de Carl comme d'une cuiller. Puis Sandy s'installa sur le siège arrière, et lui dit bonsoir. Peu après, alors qu'il commençait à somnoler à l'avant, Carl sentit un spasme lui parcourir l'intestin, et il tâtonna à la recherche de la poignée de la portière. Il jaillit de la voiture, escalada un fossé d'écoulement qui courait le long de la route. Il baissa précipitamment culotte, juste à temps, vida une semaine de glaires sanguinolentes dans les herbes tout en se retenant au tronc d'un papayer. Après s'être nettoyé avec une poignée de feuilles sèches, il resta debout au clair de lune à côté de la voiture, et relut encore une fois l'article du magazine. Puis il sortit son briquet et mit le feu à la page. Il décida de ne pas en parler à Sandy. Il lui arrivait d'avoir une grande gueule, et il n'aimait pas l'idée de s'inquiéter de ce qu'il risquait de devoir faire pour régler ce problème, plus loin sur la route.

15

Le lendemain du jour où il avait parlé avec la barmaid du Tecumseh, Bodecker se rendit à l'appartement où sa sœur et son mari vivaient, dans l'est de la ville. En général, il se fichait complètement de savoir comment Sandy menait sa triste vie, mais il n'était pas question qu'elle vende son cul dans Ross County, pas tant qu'il était shérif. Cocufier Carl était une chose – certes, il ne pouvait pas lui en vouloir pour ça – mais le faire pour de l'argent en était une autre, entièrement différente. Hen Matthews essaierait de le salir avec des saloperies comme ça au moment des élections, mais c'est pour d'autres raisons que Bodecker s'en inquiétait. Les gens sont comme les chiens : une fois qu'ils ont commencé à creuser, ils n'ont aucune envie de s'arrêter. Pour commencer, on dirait juste que la sœur du shérif était une pute, mais quelqu'un finirait par découvrir ses accords avec Tater Brown, et ensuite tous les pots-de-vin et autres merdouilles qui s'étaient accumulés depuis qu'il portait un insigne. En y repensant, il se disait qu'il aurait dû coincer ce salopard, ce voleur, ce maquereau, quand il en avait l'occasion. Une grosse arrestation comme ça aurait quasiment effacé son ardoise. Mais il avait laissé sa cupidité prendre le dessus, et maintenant il était coincé avec ça pour un moment.

Garé devant la maison miteuse convertie en appartements, il regarda un semi-remorque surchargé pénétrer dans le parc à bestiaux de l'autre côté de la rue. Une forte odeur de fumier était suspendue dans l'air chaud du mois d'août. Il ne voyait nulle part le vieux tacot dans lequel Sandy l'avait ramené chez lui, la veille du jour où il avait fait sa promesse, mais il sortit quand même de sa voiture de patrouille. Il était à peu près certain qu'il s'agissait d'un break. Il fit le tour de la maison et monta l'escalier branlant qui menait à leur porte, au premier étage. En haut des marches, il y avait un petit palier que Sandy appelait le patio. Un sac d'ordures renversé était posé dans un coin, des mouches vertes rampant sur des coquilles d'œufs, du marc de café et des emballages de hamburger roulés en boule. À côté de la rambarde en bois se trouvait une chaise de cuisine capitonnée et, en dessous, une boîte en fer blanc à moitié pleine de mégots de cigares. Vu la façon dont ils vivaient, pensa-t-il, Carl et Sandy étaient pires que les « colorés » de White Heaven et que les péquenauds de Knockemstiff. Mon Dieu, comme il détestait les ploucs. Chaque matin, à tour de rôle, les détenus de la prison du comté lavaient son véhicule ; les plis de son pantalon kaki étaient aussi tranchants que des lames. D'un coup de pied, il dégagea de son chemin une boîte de conserve vide et frappa à la porte, mais personne ne répondit.

Alors qu'il s'apprêtait à partir, il entendit un filet de musique qui venait de quelque part tout près. Regardant par-dessus la rambarde, il vit une femme potelée en maillot de bains à fleurs allongée sur une couverture jaune dans le jardin d'à côté. Des cadres rouillés et des pièces de vieilles motos étaient éparpillés autour d'elle dans l'herbe haute. Ses cheveux bruns étaient épinglés sur le dessus de sa tête, et elle tenait à la main un transistor miniature. Elle était couverte d'huile pour bébé, aussi luisante dans le grand soleil qu'une pièce de monnaie flambant neuve. Il la regarda tourner la molette à la recherche d'une autre station, entendit le léger nasillement d'un péquenaud qui chantait une chanson d'amour. Puis elle posa la radio sur le bord de la couverture et ferma les yeux ; son ventre lisse montait et descendait. Elle se retourna, puis leva la tête et regarda autour d'elle. Ayant constaté que personne ne la regardait, elle retira le haut de son maillot de bain. Après un instant d'hésitation, elle remonta la partie inférieure de façon à dégager une dizaine de centimètres de ses fesses blanches.

Bodecker alluma une cigarette et commença à descendre les marches. Il imagina son beau-frère assis là, au soleil, en nage et essayant de s'en mettre plein les mirettes. C'était facile, étant donné la façon dont la femme s'étalait au regard de tout le monde. Prendre des photos, apparemment, c'était la seule chose à laquelle pensait Carl, et Bodecker se demanda s'il en avait jamais prises de sa voisine sans qu'elle le sache. Il n'en était pas certain, mais il pensa qu'il existait une loi interdisant des choses pareilles. Et s'il n'en existait pas, c'est sûr qu'il devrait y en avoir une.

16

Quand ils quittèrent le Sundowner, il était midi. Sandy s'était réveillée à onze heures, puis avait passé une heure à se préparer dans la salle de bains. Elle n'avait que vingt-cinq ans, mais ses cheveux bruns commençaient déjà à avoir des mèches grises. Carl s'inquiétait pour ses dents, qui avaient toujours été ce qu'elle avait eu de mieux. Elles étaient tachées d'un jaune sale à cause des cigarettes. Il avait aussi remarqué que, maintenant, elle avait toujours mauvaise haleine, quel que soit le nombre de pastilles de menthe qu'elle puisse sucer. Quelque chose commençait à pourrir dans sa bouche, il en était certain. Quand ils seraient rentrés chez eux, il la conduirait chez un dentiste. Il n'aimait pas penser à ce que ça coûterait, mais un beau sourire était un atout important sur les photos ; il fournissait un plaisant contraste avec toute la douleur et la souffrance. Il avait eu beau essayer encore et encore, Carl n'avait pu obtenir d'un des modèles qu'il mimât un petit sourire quand il saisissait son arme et commençait à les travailler. « Je sais que parfois c'est dur, ma fille, mais pour qu'elles soient réussies, j'ai besoin que tu aies l'air heureuse, disait-il à Sandy à chaque fois qu'il faisait à l'un des hommes une chose qui la contrariait. Pense juste à ce portrait de Mona Lisa. Fais comme si tu étais suspendue au mur de ce musée. »

Ils n'avaient fait que quelques kilomètres quand Sandy freina brutalement et entra sur le parking d'un petit *diner* appelé le Tiptop. Il avait à peu près la forme d'un wigwam, et était peint de différentes nuances de rouge et de vert. Le parking était presque plein. « Qu'est-ce que tu fous ? » dit Carl.

Elle coupa le moteur, sortit de la voiture, fit le tour jusqu'à la portière passager. « Je ne fais pas un kilomètre de plus avant d'avoir pris un vrai repas. Ça fait trois jours que je ne mange que des sucreries. Merde, mes dents commencent à branler.

– Seigneur Jésus, on vient juste de se mettre en route, dit Carl tandis qu'elle se dirigeait vers la porte du *diner*. Attends, cria-t-il. J'arrive. »

Après avoir verrouillé la voiture, il la suivit à l'intérieur. Ils trouvèrent un box près de la fenêtre. La serveuse leur apporta deux tasses de café et un menu en lambeaux éclaboussé de ketchup. Sandy commanda du pain perdu et Carl du bacon. Elle mit ses lunettes de soleil, regarda un homme au tablier taché essayer d'installer un nouveau rouleau de papier dans la caisse enregistreuse. Cet endroit lui rappelait le Wooden Spoon. Carl regarda autour de lui la salle bondée, principalement des fermiers et des vieux, deux représentants de commerce aux traits tirés étudiant une liste de clients. Puis il remarqua un jeune homme, sans doute une petite vingtaine d'années, assis au comptoir en train de manger un morceau de tarte au citron meringuée. Robuste, avec d'épais cheveux ondulés. Un sac à dos sur lequel on avait cousu un petit drapeau américain était appuyé contre le tabouret à côté de lui.

« Alors ? dit Carl quand la serveuse eut apporté les assiettes. Tu te sens mieux, aujourd'hui ? » Tout en parlant, il gardait un œil sur l'homme au comptoir, et l'autre sur leur voiture.

Sandy déglutit et secoua la tête. Elle versa un peu de sirop d'érable sur son pain perdu. « Il y a une chose dont il faut qu'on parle, dit-elle.

– De quoi s'agit-il ? » demanda-t-il, en arrachant la partie grillée d'une tranche de bacon et en se la fourrant dans la bouche. Puis il prit une cigarette dans le paquet de Sandy et la roula entre ses doigts. Il poussa vers elle ce qui restait dans son assiette.

Elle prit une gorgée de café, jeta un coup d'œil sur les occupants de la table à côté de la leur. « Ça peut attendre », dit-elle.

Le jeune homme au comptoir se leva et tendit de l'argent à la serveuse. Puis, avec un grognement las, il glissa le sac à dos sur ses épaules et se dirigea vers la porte, un cure-dent dans la bouche. Carl le regarda aller se mettre au bord de la route et essayer de se faire prendre en stop par une voiture qui passait. La voiture continua sans s'arrêter, et l'homme, sans se presser, commença à marcher vers l'ouest. Carl se tourna vers Sandy et fit un signe de tête en direction de la fenêtre. « Ouais, je l'ai vu, dit Sandy. Tu parles. Il y en a partout. Ils sont comme des cafards. »

Pendant que Sandy finissait de manger, Carl surveillait la circulation sur la route. Il réfléchit à sa décision de rentrer à la maison aujourd'hui. Hier soir, les signes lui paraissaient évidents, mais aujourd'hui, il n'en était plus certain.

Un modèle de plus gâcherait les trois six, mais ils pouvaient rouler une semaine sans en trouver un autre qui fût aussi beau que ce garçon. Il savait qu'il ne fallait pas jouer avec les signes, puis il se rappela que *sept* était le numéro de leur chambre de motel. Et pas une seule voiture n'était passée depuis le départ du garçon. Maintenant, il était près d'ici, sous le soleil brûlant, attendant de se faire prendre.

« D'accord, dit Sandy en s'essuyant la bouche avec une serviette en papier. Maintenant, je peux conduire. » Elle se leva et prit son sac à main. « Mieux vaut ne pas faire attendre ce connard. »

TROISIÈME PARTIE

ORPHELINS ET FANTÔMES

17

Arvin fut envoyé vivre avec sa grand-mère juste après le suicide de son père, et si Emma s'assurait qu'il les accompagne bien à l'église, Lenora et elle, chaque dimanche, elle ne lui demanda jamais de prier, ni de chanter, ni de s'agenouiller devant l'autel. Les services sociaux de l'Ohio avaient raconté à la vieille femme le terrible été que le garçon avait subi pendant l'agonie de sa mère, et elle avait décidé de ne pas le forcer à autre chose qu'à assister régulièrement aux offices. Sachant que le révérend Sykes, quand il s'agissait d'accueillir de nouveaux arrivants dans le sein de l'Église, était parfois porté à des excès de zèle, Emma avait été le voir quelques jours après l'arrivée d'Arvin et lui avait expliqué que son petit-fils parviendrait à la foi à sa façon à lui, quand il serait prêt. Le fait d'accrocher à des croix des animaux tués sur la route et de verser du sang sur des troncs avait secrètement impressionné le vieux prédicateur – après tout, tous les chrétiens fameux n'étaient-ils pas des fanatiques ? – mais il était passé làdessus et avait accordé à Emma qu'il ne s'agissait peutêtre pas de la meilleure façon d'introduire un jeune garçon auprès du Seigneur. « Je vois ce que vous voulez dire, déclara Sykes. Inutile de le rendre semblable à un de ces cinglés de Topperville. » Il était assis sur les marches de l'église, en train d'éplucher une pomme jaune talée à l'aide d'un couteau de poche. C'était un matin ensoleillé de septembre. Il portait sa bonne veste de costume sur une salopette délavée, avec une chemise blanche dont le col commençait à s'effilocher. Ces temps-ci, il avait des douleurs de poitrine, et Clifford Odell devait le conduire chez un nouveau docteur, à Lewisburg, mais celui-ci n'était pas encore arrivé. Sykes avait entendu quelqu'un dire que le chirurgien avait fait six ans d'études, et il lui tardait de le voir. Il imaginait qu'un homme avec une éducation pareille était capable de guérir n'importe quoi.

« Qu'est-ce que ça veut dire, Albert ? » demanda Emma.

Sykes leva les yeux de sa pomme et vit le sale œil que lui lançait la femme. Il lui fallut un moment pour se rendre compte de ce qu'il avait dit, et son visage ridé devint rouge d'embarras. « Je suis désolé, Emma, bredouilla-t-il, je ne parlais pas de Willard, évidemment. C'était un homme bon. Un des meilleurs. Mince, je me souviens encore du jour où il a été sauvé.

– C'est bon, dit-elle. Inutile d'encenser les morts, Albert. Je sais comment était mon fils. Mais n'allez pas harceler son fils, c'est tout ce que je demande. »

Lenora, à l'inverse, ne pratiquait jamais assez ; où qu'elle aille, même aux toilettes, elle portait toujours une bible avec elle, comme Helen autrefois ; et chaque matin elle se levait avant tout le monde et priait pendant une heure à genoux sur le plancher fendu à côté du lit qu'elle partageait avec Emma. Même si elle ne se rappelait aucun de ses deux parents, la petite fille consacrait la plus grande partie des prières qu'Emma pouvait entendre à l'âme de sa mère assassinée, et dans la plupart de ses suppliques silencieuses elle demandait à recevoir des nouvelles fraîches de son père disparu. La vieille femme lui avait répété maintes et maintes fois que mieux vaudrait oublier Roy Laferty, mais Lenora ne pouvait s'empêcher de se poser des questions sur lui. Presque chaque soir, en s'endormant, elle l'imaginait apparaître sur la véranda vêtu d'un beau costume noir, venu pour tout arranger. Ça lui apportait un peu de réconfort, et elle se permettait d'espérer que, avec l'aide du Seigneur, son père, s'il était encore vivant, reviendrait un jour pour de bon. Plusieurs fois par semaine, quel que soit le temps, elle se rendait au cimetière et, assise par terre à côté de la tombe de sa mère, elle lisait la Bible à voix haute, en particulier les Psaumes. Emma lui avait dit un jour qu'il s'agissait de la partie des Écritures qu'Helen préférait, et, quand elle termina l'école primaire, Lenora les connaissait tous par cœur.

Le shérif avait depuis longtemps renoncé à retrouver Roy et Theodore. On aurait dit qu'ils avaient été transformés en fantômes. Personne ne pouvait trouver la moindre photographie, la moindre trace, de l'un ou l'autre. « Seigneur, même les attardés de Hungry Holler ont des certificats de naissance », disait-il comme excuse chaque fois que l'un de ses administrés remettait la disparition des deux hommes sur le tapis. Il ne parla pas à Emma de la rumeur qu'il avait entendue juste après qu'ils se furent volatilisés, selon laquelle l'invalide était amoureux de Roy, qu'il se passait entre eux, avant que le prédicateur n'épouse Helen, des trucs bizarres. Au début de l'enquête, plusieurs personnes témoignèrent que Theodore s'était plaint amèrement de ce que la femme avait émoussé le message spirituel de Roy. « Ça a perdu plus d'un brave homme, cette sale touffe, avait-on entendu l'invalide dire après quelques verres. Prédicateur, mon cul, poursuivait-il. Maintenant, il pense plus qu'à se tremper la queue. » Ça agaçait au plus haut point le shérif que ces deux idiots sodomites aient pu commettre un meurtre dans son comté, et s'en tirer comme ça. Il n'arrêtait donc pas de répéter la même vieille antienne : selon toute probabilité c'était le même fou qui avait massacré la famille de Millersburg qui avait aussi assassiné Helen et mis en pièces Roy et Theodore, ou jeté leurs cadavres dans la Greenbrier River. Il avait raconté ça si souvent qu'il lui arrivait parfois d'y croire lui-même à moitié.

Même si Arvin ne lui posa jamais de réel problème, Emma retrouvait facilement Willard en lui, surtout quand il s'agissait de se bagarrer. À quatorze ans, il avait été exclu plusieurs fois de l'école pour s'être servi de ses poings. Il entendait encore son père lui dire : « Choisis le bon moment », et il avait bien appris la leçon, surprenant son ennemi du moment quand il était seul et ne s'y attendait pas, aux toilettes, ou dans l'escalier, ou sous les gradins du gymnase. Mais cependant, de façon générale, il était connu dans Coal Creek pour être un garçon facile et, à sa décharge, il faut dire que la plupart des bagarres dans lesquelles il se trouvait pris avaient lieu à cause de Lenora, afin de la défendre contre des brutes qui se moquaient de sa piété, de ses traits tirés, et de ce satané bonnet qu'elle insistait pour porter. Même si elle n'avait que quelques mois de moins qu'Arvin, elle semblait déjà desséchée, une pâle patate d'hiver abandonnée trop longtemps dans son sillon. Certes il l'aimait comme sa propre sœur, mais ça pouvait devenir gênant d'arriver en classe le matin avec elle qui le suivait docilement. « Elle ne conduira jamais les majorettes, ça, c'est sûr », disait Oncle Earskell. Il aurait bien aimé que sa grand-mère n'ait jamais donné à la fillette la photo en noir et blanc d'Helen debout sous le pommier derrière l'église vêtue d'un longue robe informe, la tête couverte d'un bonnet ruché. À son avis, Lenora n'avait pas besoin d'idées nouvelles pour se rendre encore plus semblable à l'ombre de sa pitoyable mère.

Chaque fois qu'Emma lui parlait de bagarres, Arvin pensait à son père, et à cet humide jour d'automne, il y avait bien longtemps, où il avait défendu l'honneur de Charlotte sur le parking du Bull Pen. Même si c'était la meilleure journée qu'il se rappelait avoir passée avec Willard, il n'en parlait jamais à personne, pas plus qu'il ne parlait des mauvais jours qui, bientôt, avaient suivi. Il se contentait de répondre, avec dans la tête un faible écho de la voix de son père, « Il y a un tas de putains de bons à rien, dans le coin, grand-mère. »

« Seigneur, Arvin, pourquoi tu n'arrêtes pas de répéter ça ?

– Parce que c'est la vérité.

– Eh bien alors, tu devrais peut-être prier pour eux, suggérait-elle. Ça ne peut pas faire de mal, n'est-ce pas ? » C'était dans des moments comme ça qu'elle regrettait d'avoir dit au révérend Sykes de laisser le garçon trouver le chemin de Dieu à sa façon. Pour elle, Arvin semblait toujours sur le point de partir en direction inverse.

Il faisait les yeux ronds : pour elle, c'était la solution à tout. « Peut-être que ça ne peut pas faire de mal, disait-il. Mais Lenora prie déjà assez pour nous deux, et je ne vois pas que ça lui fasse grand bien. »

18

Ils partageaient une tente au bout de l'allée centrale avec Lady Flamant Rose, une femme mince comme un fil avec le nez le plus long que Roy ait jamais vu à une créature humaine. « C'est pas vraiment un oiseau, hein ? » lui demanda Theodore après qu'ils l'eurent vue pour la première fois, sa voix ordinairement criarde devenue timide et tremblante. L'apparence étrange de la femme l'avait effrayé. Ils avaient déjà travaillé avec des monstres, mais rien qui approchât de celui-là.

« Non, le rassura Roy. Elle est juste en train de monter un numéro.

– C'est bien ce que je pensais », dit l'invalide, soulagé de découvrir qu'elle n'était pas réelle. Il regarda Roy, et remarqua qu'il suivait des yeux le cul de la femme tandis qu'elle se dirigeait vers sa roulotte. « Difficile de dire quel genre de maladie ça peut trimballer, une chose pareille, ajouta-t-il, retrouvant rapidement son insolence une fois qu'il fut certain qu'elle était hors de portée de voix. Des femmes comme ça, pour un dollar ou deux, ça baiserait avec un chien, ou avec un âne, ou avec n'importe quoi. »

Les cheveux dépeignés, broussailleux, de Lady Flamant Rose étaient teints en rose, et elle portait un bikini en toile couleur chair sur lequel étaient collées des plumes de pigeon défraîchies. Son spectacle consistait essentiellement à se tenir debout sur une jambe dans une petite piscine de plastique remplie d'eau sale, tout en se lissant les plumes de son bec pointu. Un électrophone posé sur une table derrière elle jouait des morceaux de violon, lents et tristes, qui parfois la faisaient pleurer si elle avait, par accident, pris ce jour-là trop de comprimés pour les nerfs. Theodore, comme il l'avait craint, s'aperçut, au bout de quelques mois, que Roy se la tapait, même si, malgré tous ses efforts, il ne les surprit jamais au cours de cet acte répugnant. « Un de ces jours, cette pute monstrueuse va pondre un œuf, ironisait-il, et je parie un dollar contre un beignet que ce satané mioche te ressemblera. » Parfois ça l'ennuyait, parfois non. Tout dépendait de la façon dont lui et Flapjack[1] le clown s'entendaient à ce moment-là. Flapjack était venu voir Theodore pour qu'il lui enseigne quelques accords de guitare, mais à la place il avait appris à l'invalide comment jouer de la bite. Roy commit un jour l'erreur de faire remarquer à son cousin que ce qu'ils faisaient, le clown et lui, était une abomination au regard de Dieu. Theodore avait posé la guitare sur le sol en terre battue et craché une espèce de jus brun dans un gobelet de carton. Récemment, il s'était mis à mâcher du tabac. Ça lui faisait un peu mal au ventre, mais Flapjack aimait l'odeur que ça donnait à son

---

1. Petite crêpe épaisse.

haleine. « Merde, Roy, t'es vraiment bien placé pour parler, espèce de cinglé.

– Qu'est-ce que ça veut dire ? Je suis pas un suceur de bite.

– Peut-être pas, mais je sais dur comme fer que t'as tué ta femme avec ce tournevis, non ? T'as pas oublié ça, non ?

– J'ai pas oublié.

– Alors, tu crois que le Seigneur pense plus de mal de moi que de toi ? »

Roy hésita quelques instants avant de répondre. D'après ce qu'il avait lu un jour dans une brochure découverte sous un oreiller dans un refuge de l'Armée du Salut, le fait qu'un homme couche avec un autre homme était sans doute équivalent au fait de tuer sa femme, mais Roy ne savait pas si c'était pire ou non. Il était parfois troublé par la façon dont était calculé le poids de certains péchés. « Non, je ne pense pas, dit-il enfin.

– Alors je te suggère de t'en tenir à ton corbeau aux cheveux roses, ou à ton pélican, ou à quoi que ce soit qu'elle puisse être, et de nous foutre la paix, à Flapjack et à moi », dit Theodore en allant puiser au fond de sa bouche la chique humide qu'il balança en direction de la piscine de Lady Flamant Rose. Tous deux entendirent un petit *plouf*. « On fait de mal à personne. »

La bannière à l'extérieur de la tente indiquait LE PRO-PHÈTE ET LE GUITARISTE. Roy exécutait sa version macabre de la Fin du Monde tandis que Theodore fournissait la musique de fond. Pour entrer dans la tente, il en coûtait un *quarter*, et il était difficile de convaincre le public que la religion pouvait être divertissante quand, à quelques mètres de là, se déroulaient un certain nombre de distractions plus excitantes et moins sérieuses. Roy eut l'idée de manger des insectes pendant son sermon, une légère variante de son vieux numéro avec les araignées. Toutes les deux minutes, il interrompait son prêche et sortait d'un vieux seau à appâts un ver en train de se tortiller, ou un cafard croustillant, ou une limace gluante, et les mâchait comme un bonbon. Après ça, les affaires reprirent. En fonction du public, ils donnaient chaque soir quatre ou cinq représentations, alternant toutes les quarante-cinq minutes avec Lady Flamant Rose. À la fin de chaque représentation, Roy se précipitait derrière la tente pour recracher les insectes, et Theodore le suivait dans son fauteuil roulant. Tout en attendant de recommencer, ils fumaient et buvaient à la bouteille, écoutant d'une oreille les ivrognes à l'intérieur brailler et huer pour tenter de convaincre le faux oiseau de se dépouiller de ses plumes.

En 1963, ça faisait près de quatre ans qu'ils étaient avec cette fête foraine, le Billy Bradford Family Amusements, parcourant d'un bout à l'autre le Sud chaud et humide du début du printemps à la fin de l'automne, à bord d'un bus scolaire au rebut bourré de toiles peintes moisissantes, de chaises pliantes et de tiges métalliques, s'installant toujours dans des villes poussiéreuses, crasseuses, où les autochtones trouvaient que deux manèges grinçants, quelques fauves édentés et dévorés de puces et un spectacle de monstres en guenilles constituait une distraction de première qualité. Un bon soir, Roy et Theodore pouvaient se faire vingt ou trente dollars. Lady Flamant Rose et Flapjack le clown recevaient la plus grande partie de ce qu'ils ne dépensaient pas en bibine, ou en insectes, ou au stand de hot-dogs. La Virginie-Occidentale semblait à des milliers de kilomètres, et les deux fugitifs ne pouvaient imaginer que le bras de la loi de Coal Creek puisse s'étendre aussi loin. Ça faisait près de quatorze ans qu'ils avaient enterré Helen et s'étaient enfuis vers le sud. Ils ne prenaient même plus la peine de dissimuler leur véritable identité.

19

Pour les quinze ans d'Arvin, Oncle Earskell lui tendit un pistolet emballé dans un morceau de tissu et une boîte de cartouches pleine de poussière. « C'était à ton papa, dit le vieil homme. C'est un Luger. Il l'avait acheté en rentrant de la guerre. Je suppose qu'il voudrait que tu l'aies. » Earskell n'avait jamais eu l'usage d'un pistolet, et il avait caché l'arme sous une planche du fumoir dès que Willard était parti pour l'Ohio. Depuis, les rares fois où il l'avait touchée, c'était pour la nettoyer de temps en temps. Quand il vit le regard ravi du garçon, il fut content d'avoir tenu bon et de ne pas avoir vendu le Luger. Ils venaient de finir de souper et il restait sur le plat, au milieu de la table, un morceau de lapin grillé. Earskell se demandait s'il allait garder ou pas la cuisse pour son petit-déjeuner, puis il la prit et commença à mastiquer.

Arvin déballa soigneusement le Luger. La seule arme à feu que son père avait à la maison était un fusil, un .22, et Willard ne lui permettait jamais d'y toucher, et encore moins de s'en servir. Earskell, de son côté, trois ou quatre semaines à peine après qu'Arvin fut venu vivre chez eux, avait tendu au garçon un Remington calibre 16 et l'avait conduit dans les bois. « Dans cette maison, à moins que tu ne veuilles mourir de faim, tu ferais mieux de savoir te servir d'un fusil, lui avait dit le vieil homme.

– Mais je ne veux pas tirer sur les animaux, avait répondu le garçon ce jour-là, quand Earskell s'arrêta et lui montra deux écureuils gris qui sautaient dans les hautes branches d'un noyer blanc.

– Je t'ai bien vu manger une côtelette, ce matin ?

– Ouais. »

Le vieil homme haussa les épaules. « Quelqu'un a bien dû tuer ce cochon et le découper, non ?

– Je suppose que oui. »

Alors Earskell leva son propre fusil et fit feu. Un des écureuils tomba sur le sol, et le vieil homme se dirigea vers lui. « Essaie juste de pas trop les amocher, dit-il dans son dos. Il faut qu'il reste quelque chose à mettre dans la casserole. »

À la lueur oscillante des lampes à kérosène qui pendaient aux deux extrémités de la pièce, la couche d'huile faisait briller le Luger, comme s'il était neuf. « Je l'ai jamais entendu parler de ça, dit Arvin en soulevant le pistolet par la crosse et en le pointant vers la fenêtre. D'avoir été dans l'armée, je veux dire. » Il y avait un certain nombre de choses dont sa mère l'avait averti à propos de son père, et le fait de poser des questions sur ce qu'il avait vu pendant la guerre était très haut sur la liste.

« Oui, je sais, dit Earskell. Je me souviens que quand il est rentré, je voulais qu'il me parle des Japs, mais à chaque fois que je mettais ça sur le tapis, il recommençait à parler de ta mère. » Il finit sa cuisse de lapin et posa l'os sur son assiette. « Mince, je pense qu'à ce moment-là il savait même pas comment elle s'appelait. Il l'avait juste vue servir à table dans une gargote pendant son voyage de retour.

– Le Wooden Spoon, dit Arvin. Quand elle a été malade, il m'y a emmené, une fois.

– Je crois qu'il a vu pas mal de choses dures pendant la guerre », dit le vieil homme. Il chercha des yeux un torchon, puis s'essuya les mains sur le devant de sa salopette. « J'ai jamais su s'ils les mangeaient morts ou vivants. »

Arvin se mordit la lèvre et déglutit. « C'est le plus beau cadeau que j'aie jamais eu. »

À cet instant, Emma entra dans la cuisine, portant un simple gâteau jaune sur une petite poêle. Une unique bougie était plantée au milieu. Lenora la suivait, vêtue de la longue robe bleue et du bonnet qu'en général elle ne portait qu'à l'église. Elle tenait une boîte d'allumettes dans une main, et dans l'autre sa bible au cuir craquelé. « Qu'est-ce que c'est que ça ? dit Emma quand elle vit le Luger entre les mains d'Arvin.

– C'est le pistolet que Willard m'a donné, dit Earskell. J'ai pensé que c'était le moment de le transmettre au petit.

– Oh », dit Emma. Elle posa le gâteau sur la table et saisit l'ourlet de son tablier à carreaux, pour essuyer une larme. Le fait de voir le pistolet lui rappelait son fils, une fois de plus, et la promesse qu'elle n'avait pu tenir, il y avait tant d'années. Parfois elle ne pouvait s'empêcher de se demander s'ils auraient tous été encore en vie aujourd'hui si seulement elle était parvenue à convaincre Willard de rester là et d'épouser Helen.

Ils restèrent silencieux un moment ; on aurait dit qu'ils savaient à quoi pensait la vieille femme. Puis Lenora frotta une allumette et dit d'une voix chantante : « Bon anniversaire, Arvin. » Elle alluma la bougie, la même dont ils s'étaient servis pour fêter son quatorzième anniversaire, quelques mois plus tôt.

« Il peut pas servir à grand-chose, continua Earskell, montrant le pistolet sans faire attention au gâteau. Pour toucher quelque chose avec ça, il faut être juste à côté.

– Vas-y, Arvin, dit Lenora.

– Autant jeter une pierre, plaisanta le vieillard.

– Arvin ?

– Le fusil te sera plus utile.

– Fais un vœu avant que la bougie soit finie, dit Emma.

– Ces cartouches de neuf millimètres, dit Earskell en les montrant, Banner en vend pas au magasin, mais il peut en commander spécialement.

– Dépêche-toi, cria Lenora.

– O.K., O.K. », dit le garçon en posant le pistolet sur le tissu. Il se pencha et souffla sur la mince flamme.

« Alors c'était quoi, ton vœu ? » demanda Lenora. Elle espérait qu'il avait un rapport avec le Seigneur, mais tel qu'elle connaissait Arvin, elle n'allait pas retenir son souffle. Chaque soir, elle espérait qu'il se réveillerait avec l'amour de Jésus-Christ dans le cœur. Elle n'aimait pas imaginer qu'il allait finir en enfer comme cet Elvis Presley et tous ces autres pécheurs qu'il écoutait à la radio.

« Tu sais bien qu'on ne demande pas ça, dit Emma.

– C'est bon, grand-mère, dit Arvin. J'ai fait le vœu de pouvoir tous vous amener en Ohio, et vous montrer où on vivait. C'était joli, là-haut, sur la colline. Enfin, c'était joli avant que maman tombe malade.

– Je t'ai déjà dit que j'ai habité à Cincinnati ? » demanda Earskell.

Arvin fit un clin d'œil aux deux femmes. « Non, dit-il. Je me souviens pas.

– Pitié, Seigneur, pas encore une fois », marmonna Emma tandis que Lenora, souriant pour elle-même, ôtait du gâteau le moignon de la bougie et le mettait dans la boîte d'allumettes.

« Ouais, j'ai suivi une fille là-haut, dit le vieillard. Elle était de Fox Knob, elle avait été élevée à côté de chez Riley. Sa maison est plus là. Voulait faire une école de secrétariat. J'étais pas plus vieux que tu l'es maintenant.

– Qui voulait faire une école de secrétariat ? demanda Arvin. Toi ou la fille ?

– Ah ! Elle, bien sûr », dit Earskell. Il inspira longuement, puis expira lentement. « Elle s'appelait Alice Louise Berry. Tu te souviens d'elle, hein, Emma ?

– Oui, je me souviens d'elle, Earskell.

– Alors pourquoi t'es pas resté là-bas ? » demanda Arvin sans réfléchir. Il avait entendu cent fois des fragments de cette histoire, mais il n'avait encore jamais demandé au vieil homme pourquoi il avait fini par revenir à Coal Creek. En vivant avec son père, Arvin avait appris qu'il ne faut pas trop fouiller dans les affaires des autres. Chacun, lui compris, a des choses dont il n'aime pas parler. Depuis cinq ans que ses parents étaient morts, pas une seule fois il n'avait évoqué le fait qu'il en voulait à Willard de l'avoir abandonné. Et maintenant il se trouvait tout bête d'avoir ouvert la bouche et mis le vieil homme mal à l'aise. Il commença à remballer son pistolet dans son tissu.

Earskell parcourut la pièce d'un regard trouble, voilé, comme s'il cherchait une réponse dans le papier peint à fleurs, alors qu'il connaissait bien la raison de son retour.

Alice Louise Berry était morte au cours de l'épidémie de grippe espagnole de 1918, en même temps qu'à peu près trois millions d'autres malheureux, quelques semaines après le début de ses cours à la Gilmore Sanderson Secretarial School. Si seulement ils étaient restés dans les montagnes, pensait Earskell, elle serait peut-être encore en vie. Mais Alice avait toujours été ambitieuse, c'était une des choses qu'il aimait en elle, et il était content de ne pas avoir tenté de la convaincre de rester. Il était persuadé que ces journées qu'ils avaient passées à Cincinnati au milieu des hauts buildings et des rues grouillantes avant qu'elle n'attrape la fièvre avaient été les plus heureuses de la vie d'Alice. Et de la sienne aussi, d'ailleurs. Au bout d'une petite minute, il cligna des yeux pour chasser ces souvenirs, et dit : « Ce gâteau m'a l'air vraiment très bon. »

Emma prit son couteau et le coupa en quatre parts, une pour chacun.

20

Un jour, Arvin alla chercher Lenora à la sortie du lycée et la trouva acculée à l'incinérateur d'ordures à côté du garage des bus, cernée par trois garçons. Tandis qu'il arrivait derrière eux, il entendit Gene Dinwoodie lui dire : « Merde, t'es tellement moche qu'il faudrait que je me mette un sac sur la tête pour pouvoir bander. » Les deux autres, Orville Buckman et Tommy Matson, éclatèrent de rire et se rapprochèrent d'elle. C'étaient des élèves de terminale qui avaient une ou deux années de retard, et tous étaient plus grands qu'Arvin. Au lycée, ils passaient la plus grande partie de leur temps assis dans l'atelier, à échanger des blagues cochonnes avec le bon à rien de professeur de travaux manuels, et à fumer des Bugler. Lenora avait fermé les yeux, très fort, et commencé à prier. Des larmes roulaient le long de son visage. Arvin n'eut que le temps de délivrer quelques coups à Dinwoodie avant que les autres ne le plaquent au sol, et ne le frappent tour à tour. Allongé sur le gravillon, il pensait, comme ça lui arrivait souvent au milieu d'une bagarre, au chasseur que son père avait tabassé si violemment, ce jour-là, dans la boue des toilettes extérieures. Mais à la différence de cet homme,

Arvin ne renonçait jamais. Si le concierge n'était pas arrivé avec un chariot de cartons à brûler, ils auraient pu le tuer. Sa tête lui fit mal pendant une semaine, et pendant plusieurs semaines encore il eut du mal à lire au tableau.

Ça lui prit presque deux mois, mais Arvin parvint à les avoir un par un. Un soir, juste avant la nuit, il suivit Orville Buckman au magasin de Banner. Il resta caché derrière un arbre à trois cents mètres de là et regarda le garçon sortir en sifflant un soda et en mangeant sa dernière Little Debbie[1]. À l'instant où Orville passait près de lui, sa bouteille renversée pour avaler une nouvelle gorgée, Arvin avança sur la route. De la paume de la main, il frappa le fond de la bouteille de Pepsi, enfonçant la moitié du goulot de verre dans la gorge du garçon, cassant deux de ses dents de devant. Le temps qu'Orville comprenne ce qui lui arrivait, la bagarre était pratiquement terminée. Ne restait que le coup qui le mit KO. Une heure plus tard, il se réveilla allongé dans la boue au bord de la route, s'étranglant dans son propre sang, un sac en papier sur la tête.

Quelques semaines plus tard, Arvin prit la vieille Ford d'Earskell pour aller assister au match de basket du lycée de Coal Creek. Ils jouaient contre l'équipe de Millersburg, ce qui attirait toujours beaucoup de monde. Il attendit dans la voiture, fumant des Camel et guettant l'apparition de Tommy Matson à la porte d'entrée. C'était un vendredi soir sombre, froid et brumeux, de début novembre. Matson aimait se voir comme l'étalon du lycée. Il se vantait toujours des chattes qu'il soulevait pendant les matchs, tan-

----

1. Marque de sucrerie industrielle.

167

dis que leurs idiots de petits copains se bousculaient sur le plancher du gymnase à la poursuite d'un ballon en caoutchouc. Juste avant la mi-temps, à l'instant où Arvin jetait un nouveau mégot par la fenêtre, il vit sa prochaine cible sortir, le bras autour de la taille de Susie Cox, une étudiante de première année, et se diriger vers la file de bus scolaires garés au fond du parking. Arvin sortit de la Ford, un démonte-pneu à la main, et les suivit. Il regarda Matson ouvrir la portière arrière de l'un des bus jaunes et aider Susie à y monter. Après avoir attendu quelques minutes, Arvin tourna la poignée de la porte qu'il laissa s'ouvrir toute grande dans un grincement. Il entendit la fille demander « Qu'est-ce que c'était ?

– Rien, lui répondit Matson. J'ai dû mal la fermer. Allons, chérie, quitte-moi un peu cette culotte.

– Pas avant que tu n'aies refermé cette porte.

– Merde, marmonna Matson en se soulevant. J'espère que t'en vaux la peine. » Il suivit l'étroit couloir en retenant son pantalon d'une main.

Quand il se pencha pour saisir le loquet et tirer la portière à lui, Arvin balança le démonte-pneu et toucha Matson en travers des rotules, le faisant basculer hors du bus. « Seigneur Jésus ! » hurla-t-il en heurtant le gravier, atterrissant violemment sur son épaule droite. Arvin balança une nouvelle fois le démonte-pneu et lui cassa deux côtes, puis lui donna des coups de pied jusqu'à ce qu'il cesse d'essayer de se relever. Il sortit un sac en papier de son blouson et s'agenouilla à côté du garçon gémissant. Empoignant les cheveux frisés de Matson, il lui souleva la tête. La fille à l'intérieur du bus ne jeta même pas un coup d'œil.

Au lycée, le lundi suivant, Gene Dinwoodie s'approcha d'Arvin, à la cafétéria, et lui dit : « J'aimerais bien te voir essayer de me mettre un sac sur la tête, espèce de fils de pute. »

Arvin était assis à une table en compagnie de Mary Jane Turner, qui était nouvelle au lycée. Son père avait grandi à Coal Creek, puis avait passé quinze ans dans la marine marchande avant de revenir au pays pour réclamer son héritage, une ferme délabrée sur le flanc de la colline, que son grand-père lui avait léguée. Quand elle en avait l'occasion, cette fille rousse pouvait elle-même jurer comme un marin, et Arvin, sans vraiment savoir pourquoi, aimait beaucoup ça, en particulier quand ils se pelotaient. « Fiche-nous la paix, espèce de gros con », dit-elle en regardant méchamment Gene Dinwoodie debout au dessus d'eux. Arvin sourit.

Ignorant Mary Jane, Gene dit : « Quand j'en aurai fini avec toi, Russell, j'emmènerai ta petite amie faire une longue balade. C'est pas une reine de beauté, mais je dois dire qu'elle est loin d'être aussi moche que ta sœur à face de rat. » Il dominait la table, les poings serrés, attendant qu'Arvin bondisse et commence à frapper, puis regarda, interloqué, le garçon fermer les yeux et réunir ses mains. « Tu te fous de moi ? » Gene parcourut des yeux la cafétéria bondée. Le professeur de gymnastique, un homme frisé à la barbe rousse qui, pour se faire de l'argent de poche, pratiquait la lutte le week-end à Huntington et à Charleston, lui faisait les gros yeux. Selon une rumeur qui circulait dans le lycée, il ne s'était jamais fait battre, et s'il remportait tous ses matchs, c'est parce qu'il détestait tout le monde en Virginie-Occidentale. Même Gene avait peur de lui. Se penchant, il dit à Arvin à voix basse : « Ne crois pas que tu vas t'en tirer par la prière, espèce d'enculé de ta mère. »

Après le départ de Gene, Arvin ouvrit les yeux et prit une gorgée d'une brique de lait chocolaté. « Ça va ? demanda Mary.

– Bien sûr. Pourquoi tu me demandes ça ?

– Tu priais vraiment ?

– Oui, acquiesça-t-il. Je priais pour trouver le bon moment. »

Il finit par avoir Dinwoodie une semaine plus tard, alors que celui-ci était en train de changer une bougie de sa Chevy '56 dans le garage de son vieux. À ce moment-là, Arvin avait récolté une dizaine de sacs en papier. Quand son petit frère le trouva, plusieurs heures plus tard, la tête de Gene était enveloppée dans les sacs. Le docteur dit qu'il avait eu de la chance de ne pas mourir étouffé. « Arvin Russell », dit Gene au shérif quand il fut revenu à lui. À l'hôpital, il avait passé les douze dernières heures à s'imaginer finir bon dernier à une course d'Indy 500. Ça avait été la nuit la plus longue de sa vie. Chaque fois qu'il appuyait sur l'accélérateur, la voiture ralentissait presque jusqu'à s'arrêter. Le grondement des moteurs qui le doublaient lui sifflait encore aux oreilles.

« Arvin Russell ? dit le shérif, avec une nuance d'incrédulité dans la voix. Je sais que ce garçon aime la bagarre, mais bon Dieu, fiston, t'es deux fois plus grand que lui.

– Il m'a eu par surprise.

– Alors tu l'as vu avant qu'il t'entortille la tête comme ça ? demanda le shérif.

– Non. Mais je sais que c'est lui.

– Et comment tu le sais ? »

Le père de Gene était appuyé contre le mur, regardant son fils de ses yeux gonflés injectés de sang. Depuis l'autre bout de la chambre, le garçon pouvait sentir l'odeur de Wild Irish Rose émanant de son vieux. Carl Dinwoodie, s'il tenait plutôt bien la bière, pouvait devenir carrément dangereux s'il passait au vin. Si je fais pas gaffe, ça pourrait bien me revenir dans le cul, pensa Gene. Sa mère fréquentait la même église que la tribu Russell. Si on entendait dire qu'il avait harcelé cette petite salope de Lenora, son père lui botterait sérieusement le cul. « Je peux me tromper, dit Gene.

– Alors pourquoi tu as dit que c'était le petit Russell ? demanda le shérif.

– Je sais pas. J'ai peut-être rêvé. »

Dans son coin, le père de Gene émit le bruit d'un chien qui a un haut-le-cœur, puis dit : « Dix-neuf ans et encore au lycée. Qu'est-ce que vous pensez de ça, shérif ? Aussi utile que des nibards à un sanglier, non ?

– De qui vous parlez ? demanda le shérif interloqué.

– De ce bon à rien allongé sur ce lit, voilà de qui », dit Carl. Puis il se retourna et tituba vers la porte.

Le regard du shérif revint au garçon. « Alors, tu as une idée de la raison pour laquelle quelqu'un t'a mis des sacs comme ça sur la tête ?

– Non, dit Gene. Pas la moindre. »

21

« Qu'est-ce que t'as là ? demanda Earskell quand Arvin monta sur la véranda. Je t'ai entendu tirer avec ce pistolet à bouchon. » Sa cataracte empirait de semaine en semaine, comme des rideaux sales lentement descendus dans une chambre déjà sombre. Encore quelques mois, et il craignait de ne plus pouvoir conduire. Devenir vieux n'était pas loin d'être la pire chose qui lui soit jamais arrivé. Récemment, il pensait de plus en plus à Alice Louise Berry. Ils avaient tous les deux beaucoup perdu à ce qu'elle soit morte si jeune.

Arvin brandit trois écureuils roux. Le pistolet de son père était glissé dans la ceinture de son pantalon. « Ce soir, on va bien manger », dit-il. Ça faisait maintenant quatre jours qu'Emma n'avait servi que des haricots et des pommes de terre sautées. Quand approchait la fin du mois, avant l'arrivée de son chèque de pension, ils se serraient toujours la ceinture. Arvin et le vieil homme avaient tous les deux besoin d'un peu de viande.

Earskell se pencha sur son fauteuil. « Tu les as quand même pas eus avec cette merde allemande, si ? » Il était secrètement fier de la façon dont le garçon manipulait le

Luger, mais encore maintenant il ne pensait pas grand bien des pistolets. Il leur préférerait toujours une pétoire ou un fusil.

« C'est pas une mauvaise arme, dit Arvin. Il faut juste apprendre à s'en servir. » C'était la première fois depuis un bon moment que le vieil homme se moquait de son pistolet.

Earskell posa le catalogue de matériel agricole qu'il avait passé la matinée à feuilleter, et sortit son canif de sa poche. « Allez, va chercher quelque chose pour les mettre, et je t'aiderai à les nettoyer. »

Arvin arracha la peau des écureuils tandis que le vieil homme les tenait par les pattes de devant. Ils les vidèrent sur une feuille de papier journal, coupèrent têtes et pattes et les mirent à cuire dans une casserole d'eau salée. Quand ils eurent terminé, Arvin replia la feuille de journal et porta le tout à la lisière du jardin. Earskell attendit qu'il soit revenu sur la véranda, puis sortit une pinte de sa poche et en but une gorgée. Emma lui avait demandé de discuter avec le garçon. Après avoir entendu parler du dernier incident, elle ne savait plus quoi faire. Il s'essuya la bouche, et dit : « Hier soir, j'ai joué aux cartes dans le garage d'Elder Stubb.

– Alors, t'as gagné ?

– Non, pas vraiment », dit Earskell. Il étendit les jambes, regarda ses chaussures usées. Il allait devoir les réparer une nouvelle fois. « Là-bas, j'ai vu Carl Dinwoodie.

– Ah ouais ?

– Il était pas trop heureux. »

Arvin s'assit à côté de son grand-oncle, sur une chaise de cuisine boiteuse et mise au rebus qui tenait à l'aide de ficelle à faire les bottes de foin. Il regarda les bois gris de l'autre côté de la route, et se mordilla l'intérieur des joues pendant quelques instants. « Il est furax pour Gene ? » demanda-t-il. Ça faisait plus d'une semaine qu'il avait empaqueté ce fils de pute.

« Un peu. Mais je crois qu'il est surtout embêté par le montant de la note qu'il va devoir payer à l'hôpital. » Earskell baissa les yeux sur les écureuils qui flottaient dans la casserole. « Alors, qu'est-ce qui s'est passé ? »

Arvin n'avait jamais vu l'intérêt d'expliquer en détail à sa grand-mère pourquoi il avait tabassé quelqu'un, surtout pour ne pas l'inquiéter, mais il savait que le vieil homme ne se contenterait pas d'à peu près. « Il embêtait Lenora, lui et deux de ses minets de copains, dit-il. Ils l'insultaient, des conneries comme ça. Alors je lui ai remis les pendules à l'heure. »

– Et les autres ?

– Aux autres aussi. »

Earskell poussa un long soupir, se gratta la barbe. « Tu crois pas que t'aurais dû y aller un peu moins fort ? Je comprends ce que tu me dis, mon garçon, mais quand même, on peut pas envoyer les gens à l'hôpital pour quelques insultes. Lui emballer la tête, c'est une chose, mais d'après ce que j'ai entendu, tu lui as fait sacrément mal.

– J'aime pas les grosses brutes.

– Seigneur, Arvin, il t'arrivera de rencontrer un tas de gens que t'aimeras pas trop.

– Peut-être, mais je parie qu'il embêtera plus Lenora.

– Écoute, tu veux bien me rendre un service ?

– Lequel ?

– Mets ce Luger dans un tiroir, et oublie-le un moment.

– Pourquoi ?

– Les pistolets, c'est pas fait pour la chasse. C'est fait pour tuer les gens.

– Mais j'ai pas tiré sur ce salopard, dit Arvin. Je l'ai cogné.

– Ouais, je sais. Cette fois-ci, en tout cas.

– Et ces écureuils ? Je les ai tous eu en pleine tête. On peut pas faire ça avec un fusil.

– Mets-le de côté un moment, d'accord ? Si tu veux du gibier, prends ton fusil. »

Le garçon étudia un moment le plancher de la véranda, puis leva sur le vieil homme des yeux étroits, soupçonneux.

« Il a poussé une gueulante ?

– Tu parles de Carl ? demanda Earskell. Non, il me connaît. » Il ne voyait pas l'utilité de dire à Arvin qu'il avait tiré un flush royal dans le dernier jeu de la soirée, le plus gros jeu, ni qu'il s'était couché pour que Carl puisse empocher le fric avec deux malheureuses paires. Il savait que c'était la bonne chose à faire, mais ça le rendait malade d'y penser. Il devait y avoir deux cents dollars dans cette cagnotte. Tout ce qu'il espérait, c'est que le docteur qui avait soigné ce garçon en avait vu la couleur.

22

Par une claire soirée de mars, Arvin était appuyé à la rambarde rugueuse de la véranda, regardant les étoiles suspendues au-dessus des collines, dans leur mystère lointain, leur éclat solennel. Avec Hobart Finley et Daryl Kuhn, ses deux meilleurs amis, ils avaient, un peu plus tôt dans la soirée, acheté une bonbonne au Slot Machine, un bootlegger manchot qui opérait à Hungry Holler, et il sirotait ce qu'il en restait. Le vent était mordant, mais le whisky lui tenait assez chaud. À l'intérieur de la maison, il entendait Earskell gémir et marmonner quelque chose dans son sommeil. Par beau temps, le vieil homme dormait dans un appentis ouvert à tous les vents qu'il avait fabriqué à l'arrière de la maison de sa sœur lorsqu'il s'y était installé, quelques années auparavant, mais quand il se mettait à faire froid, il s'allongeait sur le sol, à côté du poêle à bois, sur un grabat fait de couvertures maison, des couvertures rêches qui sentaient le kérosène et l'antimites. En bas de la montagne, garé sur le petit parking derrière la Ford d'Earskell, se trouvait le bien le plus cher d'Arvin, une Chevy Bel Air 1954 à la transmission molle. Il lui avait fallu quatre ans à faire tous les petits boulots qu'il pouvait trouver – couper du bois, réparer des enclos, ramasser des pommes, nettoyer des porcheries – avant d'économiser assez d'argent pour l'acheter.

Un peu plus tôt ce jour-là, Arvin avait conduit Lenora au cimetière sur la tombe de sa mère. Il ne voulait pas l'admettre, mais la seule raison pour laquelle il l'accompagnait là-bas, c'était qu'il espérait qu'elle se rappelle un souvenir enfoui de son père ou de l'invalide avec lequel il s'était enfui. Il était fasciné par l'énigme de leur disparition. Même si Emma et bien d'autres à Greenbrier County semblaient convaincus qu'ils étaient tous deux en vie, Arvin trouvait difficile à croire que deux salopards aussi dingues que Roy et Theodore étaient réputés l'être aient pu se volatiliser sans qu'on n'entende plus jamais parler d'eux. Si c'était aussi facile, il imaginait que beaucoup plus de gens feraient la même chose. Bien des fois il lui était arrivé de souhaiter que son père ait pris le même chemin.

« Tu ne trouves pas ça drôle, la façon dont tous les deux on s'est retrouvés orphelins, et qu'on vive dans la même maison ? » lui avait dit Lenora en entrant dans le cimetière. Elle posa sa bible sur une tombe voisine, desserra un peu son bonnet et le tira en arrière. « C'est presque comme si tout s'était passé de façon qu'on puisse se rencontrer. » Elle était debout à côté de la tombe de sa mère, les yeux baissés sur la plaque carrée posée sur le sol : HELEN HATTON LAFERTY 1926-1948. Un petit ange muni d'ailes mais dépourvu de visage était gravé dans chaque angle supérieur. Arvin avait fait une moue embarrassée et jeté un coup d'œil autour de lui, sur les restes fanés des fleurs de l'an passé ornant les autres tombes, sur les mottes d'herbe et la clôture métallique rouillée qui entourait le cimetière.

Quand Lenora disait des choses pareilles, ça le mettait mal à l'aise, et elle le faisait beaucoup plus souvent depuis qu'elle avait eu seize ans. Ils n'étaient pas du même sang, mais il ne supportait pas de penser à elle autrement qu'à sa sœur. Bien qu'il se rende compte que les chances étaient infimes, il espérait bien qu'elle trouverait un petit ami avant de lui dire une chose vraiment stupide.

Quand il alla s'asseoir dans le rocking-chair d'Earskell, il tanguait un peu. Il commença à penser à ses parents, et soudain il eut la gorge serrée, sèche. Il adorait le whisky, mais parfois ça suscitait en lui une profonde tristesse que seul le sommeil effacerait. Il avait envie de pleurer, mais il souleva la cruche et prit une autre gorgée. Un chien aboya quelque part derrière la butte, et ses pensées vagabondes l'amenèrent à Jack, le pauvre bâtard inoffensif que son père avait tué juste pour avoir un peu plus de cette saloperie de sang. Dans son souvenir, ça avait été l'une des pires journées de cet été-là, presque aussi mauvaise que le jour où sa mère était morte. Bientôt, se promit Arvin, il retournerait au tronc à prières pour voir si les ossements du chien étaient toujours là. Il voulait les ensevelir correctement, faire son possible pour réparer un peu de ce qu'avait fait son cinglé de père. Même s'il vivait cent ans, jura-t-il, jamais il n'oublierait Jack.

Il se demandait parfois s'il n'enviait pas simplement Lenora dont le père était encore vivant, alors que le sien était mort. Il avait lu tous les vieux articles de journaux, il avait même passé au peigne fin le bois où l'on avait retrouvé le cadavre d'Helen, dans l'espoir de découvrir une preuve quelconque que tout le monde avait tort : une fosse peu profonde avec deux squelettes s'élevant lentement côte

à côte à travers la terre, ou un fauteuil roulant rouillé marqué de traces de balles caché tout au fond d'un ravin
négligé. Mais la seule chose sur laquelle il était jamais
tombé, c'était deux cartouches de fusil usagées et un
emballage de chewing-gum Spearmint. Comme, ce matin-
là, Lenora ignorait ses questions à propos de son père et
continuait à blablater sur le Destin, les amants maudits et
toutes ces conneries romantiques qu'elle lisait dans des
bouquins empruntés à la bibliothèque du lycée, il se dit
qu'il aurait mieux fait de rester à la maison et de travailler
sur sa Bel Air. Depuis qu'il l'avait achetée, elle n'avait
jamais marché correctement.

« Merde, Lenora, arrête un peu ces conneries, lui avait
dit Arvin. En plus, peut-être que t'es même pas orpheline.
Pour tous les gens du coin, ton papa est encore vivant, et
en pleine forme. Mince, il pourrait apparaître n'importe
quand et danser une gigue sur la colline.

– Je l'espère. Je prie tous les jours pour ça.

– Même si ça veut dire qu'il a tué ta mère ?

– Je m'en fiche. Je lui ai déjà pardonné. On pourrait tout
recommencer.

– C'est dingue.

– Non, c'est pas dingue. Et ton père ?

– Quoi, mon père ?

– Eh bien, s'il pouvait revenir…

– La ferme, fillette. » Arvin commença à se diriger vers
le portail du cimetière. « Tu sais aussi bien que moi que
ça n'arrivera jamais.

– Je suis désolée », dit-elle, sa voix finissant dans un
sanglot.

Arvin respira à fond, s'arrêta et se retourna. Parfois, on

avait l'impression qu'elle passait la moitié de sa vie à pleurer. Il tenait dans sa main les clefs de sa voiture. « Écoute, si tu veux que je te dépose, amène-toi. »

À son retour à la maison, il nettoya le carburateur de la Bel Air à l'aide d'une brosse métallique trempée dans de l'essence, puis ressortit juste après dîner pour prendre Hobart et Daryl. Il s'était senti abattu toute la semaine, pensant à Mary Jane Turner, et il éprouvait maintenant le besoin de se défouler un peu. Il n'avait pas fallu longtemps au père de Mary pour s'apercevoir que la vie dans la marine marchande était sacrément plus facile que celle consistant à labourer des rochers et à s'inquiéter de savoir s'il allait pleuvoir suffisamment ou pas, et dimanche, dans la matinée, il avait remballé sa famille et pris la direction de Baltimore et d'un nouveau bateau. Arvin l'avait courtisée dès leur premier rendez-vous, mais maintenant il était content que Mary Jane ne l'ait jamais laissé explorer l'intérieur de sa culotte. Lui dire adieu avait déjà été assez difficile comme ça. « Je t'en prie », l'avait-il suppliée tandis qu'ils se tenaient sur le pas de la porte, la veille de son départ. Elle avait souri, s'était dressée sur ses orteils et, pour la dernière fois, lui avait murmuré des mots cochons à l'oreille. Daryl, Hobart et lui avaient réuni leurs économies pour la bonbonne, un pack de douze, quelques paquets de Pall Mall et un bidon d'essence. Puis jusqu'à minuit ils avaient sillonné les mornes rues de Lewisburg, écoutant la radio tantôt à fond, tantôt tout bas, et se confiant ce qu'ils feraient une fois le lycée terminé, jusqu'à ce que la fumée, le whisky et les grandioses projets d'avenir aient rendu leurs voix aussi rugueuses que du gravier.

Adossé au rocking-chair, Arvin se demandait qui habitait

maintenant son ancienne maison, si le commis vivait toujours tout seul dans sa petite caravane, et si Janey Wagner était maintenant en cloque. « Fourrer le doigt », marmonna-t-il. Il repensa à la façon dont l'adjoint Bodecker, après qu'il l'eut conduit au tronc à prières, l'avait enfermé à l'arrière de la voiture de patrouille, comme si le policier avait peur de lui, un gamin de dix ans au visage couvert de tarte aux myrtilles. Cette nuit-là, ne sachant pas quoi faire de lui, ils l'avaient mis dans une cellule vide, et l'assistante sociale était venue le lendemain avec certains de ses vêtements et l'adresse de sa grand-mère. Levant la bouteille, il vit qu'il ne restait plus que quelques centimètres au fond. Il la mit sous le fauteuil, pour Earskell, le lendemain matin.

23

Le révérend Sykes toussa un peu, et les fidèles de l'Église du Saint-Esprit Sanctifié de Coal Creek virent un filet de sang rouge vif descendre le long de son menton et goutter sur sa chemise. Il continua cependant de prêcher, délivrant un sermon convenable sur le fait d'aider son prochain, puis à la fin il annonça qu'il se retirait. « Provisoirement, dit-il. Jusqu'à ce que j'aille mieux. » Il dit que sa femme avait, dans le Tennessee, un neveu qui venait d'être diplômé d'une université religieuse. « Il prétend qu'il veut travailler avec des gens pauvres, continua Sykes. Je suppose que ça doit être un démocrate. » Il fit un grand sourire, espérant un rire qui allégerait un peu l'atmosphère, mais pour seule réponse il entendit deux femmes, au fond, qui pleuraient en compagnie de son épouse. Il se rendit compte alors que, ce jour-là, il aurait dû la laisser à la maison.

Reprenant son souffle avec précaution, il s'éclaircit la gorge. « Je ne l'ai pas vu depuis qu'il était enfant, mais sa mère dit que c'est un homme bien. Sa femme et lui devraient être là dans deux semaines, et, comme je vous l'ai dit, il vient juste pour aider un moment. Je sais qu'il est pas du coin, mais faites quand même en sorte qu'il se sente chez lui. » Sykes commença à tanguer un peu, et s'agrippa au pupitre pour rester droit. Il sortit de sa poche le paquet de Five Brothers et le brandit. « Je le lui laisserai, au cas où quelqu'un ici en aurait besoin. » Il fut pris d'un accès de toux qui le plia en deux, mais cette fois il réussit à se couvrir la bouche avec un mouchoir et à dissimuler le sang. Quand il reprit sa respiration, il se redressa et regarda autour de lui, le visage rouge et luisant de sueur. Il était incapable de leur dire qu'il était en train de mourir. Les poumons noircis contre lesquels il luttait depuis des années avaient fini par l'emporter. Selon le docteur, dans les prochaines semaines, les prochains mois, il allait retrouver son Créateur. Honnêtement, il ne pouvait pas dire que ça lui tardait, mais il savait qu'il avait eu une vie meilleure que celle de la plupart des gens. Après tout, n'avait-il pas survécu quarante-deux ans à ces pauvres diables ? morts dans l'effondrement de la mine qui lui avait montré sa voie ? Oui, il avait eu de la chance. Il essuya une larme et enfonça le mouchoir ensanglanté dans la poche de son pantalon. « Eh bien, inutile de vous retenir plus longtemps. J'ai terminé. »

24

Roy souleva Theodore du fauteuil roulant et le porta à travers le sable sale. Ils se trouvaient à l'extrémité nord d'une plage publique à St. Petersburg, un peu au sud de Tampa. Les jambes inutiles de l'invalide se balançaient d'avant en arrière comme celles d'une poupée de chiffon. Il se dégageait de lui une odeur fétide, une odeur de pisse, et Roy remarqua qu'il ne se servait plus de sa bouteille de lait, qu'il se contentait de tremper ses salopettes pourries à chaque fois qu'il en avait envie. Il dut poser Theodore plusieurs fois pour reprendre son souffle, mais il parvint finalement à le porter au bord de l'eau. Deux fortes femmes aux chapeaux à large bord se levèrent et les regardèrent, puis elles ramassèrent précipitamment leurs serviettes et leurs lotions et prirent la direction du parking. Roy retourna au fauteuil et prit leur dîner, deux litres de porto blanc et un paquet de jambon blanc. Ils avaient piqué ça dans une épicerie à quelques rues de là, après avoir été déposés par un routier qui transportait des oranges. « On n'a pas été bouclés ici quelque temps, une fois ? » demanda Theodore.

Roy avala sa dernière tranche de jambon et acquiesça.

« Oui. Trois jours, je crois. » Les flics les avaient embarqués pour vagabondage, juste avant la nuit. Ils prêchaient à un coin de rue. L'Amérique devenait pire que la Russie, leur avait hurlé un homme à la calvitie naissante tandis que, ce soir-là, ils avaient été escortés jusqu'à leur cellule et étaient passés devant la sienne. Pourquoi la police avait-elle le droit de jeter un homme en prison juste parce qu'il n'avait pas de fric, ni d'adresse ? Et si cet homme ne voulait pas de putain de fric, ni de putain d'adresse ? Où était toute cette liberté dont ils se vantaient tellement ? Chaque matin, les flics sortaient le protestataire du bloc, et l'obligeaient à passer la journée à monter et à descendre l'escalier, chargé d'une pile d'annuaires. Selon d'autres prisonniers, l'homme avait été arrêté vingt-deux fois pour vagabondage au cours de la seule année passée, et ils en avaient marre de nourrir ce salopard de Communiste. Au moins, il allait devoir en suer pour mériter sa mortadelle et son gruau.

« Je n'arrive pas à me souvenir, dit Theodore. Elle était comment la prison ?

– Pas mal. Je crois qu'on avait du café après les repas. » La deuxième nuit qu'ils avaient passée là, les flics avaient amené un grand malabar au visage couturé de cicatrices, surnommé le Mange-Boutons. Juste avant l'extinction des feux, ils l'avaient mis avec le Communiste, dans la cellule au bout du couloir. Dans la prison, tout le monde, sauf Roy et Theodore, avait entendu parler du Mange-Boutons. Il était célèbre tout le long du golfe du Mexique. « Pourquoi on l'appelle comme ça ? avait demandé Roy au spécialiste des chèques en bois, un type à la moustache en guidon de vélo, dans la cellule voisine de la leur.

– Parce que cet enfoiré vous saute dessus et, si vous en avez, il vous fait éclater vos boutons. » L'homme avait tortillé l'extrémité de sa moustache noire cirée. « Heureusement pour moi, j'ai toujours eu une belle peau.

– Pourquoi diable fait-il une chose pareille ?

– Il aime les manger, avait dit un autre homme depuis une cellule de l'autre côté du couloir. Y'en a qui disent qu'il est cannibale et qu'il a enterré des restes humains dans toute la Floride, mais j'y crois pas. Si vous voulez mon avis, il veut juste attirer l'attention.

– Seigneur, un fils de pute comme ça, il faudrait le tuer », avait dit Theodore avant de jeter un coup d'œil aux cicatrices d'acné sur le visage de Roy.

Le moustachu avait secoué la tête. « Il serait difficile à tuer. Vous avez déjà vu un de ces attardés capables de porter une voiture sur leur dos ? Ils en avaient un comme ça dans cette ferme de crocodiles où j'ai travaillé un été, près de Naples. Une fois qu'il avait démarré, on n'aurait pas pu arrêter ce salaud-là même avec une mitraillette. Le Mange-Boutons, il est comme ça. » Puis ils avaient entendu de l'agitation au bout du couloir. Apparemment, le Communiste n'allait pas se laisser faire aussi facilement, et ça avait un peu rassuré Roy et Theodore, mais au bout de quelques minutes ils n'avaient plus entendu que ses gémissements.

Le lendemain matin, trois costauds en tablier blanc étaient arrivés avec des matraques et avaient traîné le Mange-Boutons en camisole de force jusqu'à un asile de fous de l'autre côté de la ville. Le Communiste, après ça, avait cessé de dire du mal de la loi, il ne s'était pas plaint une seule fois des marques sur son visage, ni de ses ampoules aux pieds, et s'était contenté de monter et de descendre ses annuaires comme s'il était reconnaissant aux flics de lui avoir confié une tâche utile.

Theodore soupira, regarda le golfe bleu, l'eau aussi lisse ce jour-là qu'une plaque de verre. « Ça paraît bien, du café au dessert. Peut-être qu'on pourrait les laisser nous boucler un peu, pour faire une petite pause.

– Merde, Theodore, je veux pas passer la nuit en prison. » Roy gardait un œil sur le nouveau fauteuil roulant. Quelques jours plus tôt, quand les roues du précédent avaient lâché, il s'était glissé dans une maison de retraite et l'avait emprunté. Il se demandait sur combien de kilomètres il avait poussé Theodore depuis qu'ils avaient quitté la Virginie-Occidentale. Il n'était pas doué pour les chiffres, mais il estimait qu'ils ne devaient pas être loin du million.

« Je suis fatigué, Roy. »

Theodore agissait bizarrement depuis qu'il leur avait coûté leur boulot à la fête foraine, l'été précédent. Un jeune garçon, cinq ou six ans peut-être, en train de manger de la barbe à papa, était entré dans la tente pendant que Roy se trouvait à l'extérieur en train d'essayer d'attirer quelques spectateurs. Theodore avait juré que le garçon lui avait demandé de l'aider à remonter sa fermeture éclair, mais même Roy n'avait pu croire une chose pareille. En quelques minutes, Billy Bradford les avait chargés dans sa Cadillac et les avait largués à quelques kilomètres de là, en pleine campagne. Ils n'avaient même pas pu dire adieu à Flapjack ni à Lady Flamant Rose. Depuis, ils avaient essayé de s'intégrer à plusieurs équipes, mais, parmi les montreurs de monstres, la rumeur s'était répandue à propos de l'invalide pédophile et de son copain mangeur

d'insectes. « Tu veux que j'aille chercher ta guitare ?
demanda Roy.

– Non, dit Theodore. Aujourd'hui, je sens pas la musique
en moi.

– T'es malade ?

– Je sais pas, dit l'invalide. C'est comme si ça finissait
jamais.

– Tu veux une des oranges que le routier nous a don-
nées ?

– Surtout pas, merde. J'ai mangé assez de ces saloperies
pour me durer jusqu'au Jugement Dernier. Elles me filent
la chiasse.

– Je pourrais te déposer à l'hôpital, dit Roy. Et revenir
te prendre dans un jour ou deux.

– Les hôpitaux, c'est pire que les prisons.

– Tu veux que je prie pour toi ? »

Theodore se mit à rire. « Ah ! elle est bien bonne, Roy.

– C'est peut-être ça qui va pas chez toi. Tu ne crois plus.

– Recommence pas avec ces conneries, dit Theodore. J'ai
servi le Seigneur de différentes manières. Et mes jambes
sont là pour le prouver.

– Il te faut juste un peu de repos. Avant qu'il fasse nuit,
on va se trouver un bon arbre pour dormir dessous.

– Ça paraît bien, quand même. Qu'ils donnent du café
après les repas.

– Seigneur Jésus, si tu veux une tasse de café, je vais
t'en chercher une. On a encore un peu de monnaie.

– J'aimerais bien être encore avec la fête foraine, soupira
Theodore. On n'a jamais été aussi bien.

– Ouais, si c'est ce que tu penses, t'aurais pas dû approcher tes mains de ce gamin. »

188

Theodore prit un galet et le jeta dans l'eau. « Ça amène à se poser des questions, non ?

– Quoi ? demanda Roy.

– Je sais pas, dit l'invalide avec un haussement d'épaules. Ça amène à se poser des questions, c'est tout. »

QUATRIÈME PARTIE

HIVER

25

C'était un matin froid de février, au début de 1966, la cinquième année que Carl et Sandy vivaient ensemble. L'appartement était froid comme une glacière mais Carl, s'il continuait à frapper à la porte de la propriétaire, en dessous, pour qu'elle monte le thermostat, craignait de craquer et de l'étrangler avec sa propre résille crasseuse. Il n'avait jamais tué personne en Ohio : on ne devait pas souiller son propre nid. Telle était la Règle # 2. Et donc Mrs Burchwell, même si elle le méritait plus que tout, était protégée. Sandy se réveillait un peu avant midi et se dirigeait vers le salon avec, drapée sur ses étroites épaules, une couverture dont elle tirait les extrémités à travers la poussière et la crasse du sol. Elle se lovait en une boule frissonnante sur le canapé et attendait que Carl lui apporte une tasse de café et allume la télé. Pendant les heures qui suivaient, elle allumait des cigarettes, regardait des feuilletons, et toussait. À trois heures, Carl l'appelait de la cuisine pour lui dire qu'il était temps de se préparer pour aller au travail. Sandy servait au bar six soirs par semaine et, quoi qu'elle fût censée relayer Juanita à quatre heures, elle était toujours en retard.

Avec un gémissement, elle s'assit, écrasa sa cigarette dans le cendrier et débarrassa ses épaules de la couverture. Elle éteignit la télé, puis alla en frissonnant jusqu'à la salle de bains. Penchée sur le lavabo, elle s'aspergea d'un peu d'eau. Elle se sécha le visage, se regarda dans la glace, essaya vainement de faire disparaître les taches jaunes sur ses dents. Elle se mit du rouge à lèvres, se fit les yeux, tira ses cheveux bruns en une queue de cheval flasque. Elle était endolorie, couverte de bleus. Hier soir, après avoir fermé le bar, elle avait laissé un employé de la fabrique de papier, qui avait récemment perdu une main dans une machine à rembobiner, la plier pour vingt dollars sur la table de billard. Ces temps-ci, depuis ce foutu coup de téléphone, son frère la surveillait de près, mais de quelque façon qu'on voie les choses, vingt dollars, c'était vingt dollars. Avec cet argent, Carl et elle pourraient traverser la moitié d'un État ou payer leur facture d'électricité. Ça l'agaçait toujours, qu'avec tous ces coups tordus dans lesquels Lee était mouillé, il trouve le moyen de s'inquiéter des votes que sa sœur risquait de lui coûter. L'homme lui avait dit qu'il banquerait dix dollars de plus si elle le laissait enfoncer en elle son crochet de métal, mais Sandy lui avait répondu que c'était un truc qu'il devait garder pour sa femme.

« Ma femme est pas une pute, dit l'homme.

– Ouais, c'est vrai, rétorqua Sandy en remontant sa culotte. Elle t'a épousé, non ? » Tout le temps qu'il la martelait, elle s'était accrochée aux vingt dollars. Ça faisait longtemps qu'elle ne s'était pas faite baiser de façon aussi dure. Ce vieux salopard en voulait pour son argent. À la façon dont il grognait et suffoquait, le froid crochet de métal s'enfonçant dans la hanche droite de Sandy, on aurait dit qu'il allait avoir une crise cardiaque. Lorsqu'il eut terminé, l'argent dans sa main était roulé en une petite boule, trempé de sueur. Quand il se fut écarté, elle lissa les billets sur le tapis vert et les glissa dans son pull. « En plus, dit-elle en s'approchant pour déverrouiller la porte et le laisser sortir, ce machin a pas plus de sensation qu'une canette de bière. » Parfois, après une nuit comme ça, elle regrettait presque de ne plus faire partie de l'équipe de jour au Wooden Spoon. Au moins, Henry, le vieux cuisinier, était gentil. Il avait été son premier, juste après qu'elle avait eu seize ans. Cette nuit-là, ils étaient restés longtemps allongés tous les deux sur le sol de la réserve, couverts de la farine d'un sac de vingt-cinq kilos qu'ils avaient renversé. De temps en temps, il s'arrêtait encore au bar pour tailler une bavette et la taquiner en parlant d'écraser encore un peu de farine.

Quand elle entra dans la cuisine, Carl était assis devant la cuisinière en train de lire le journal pour la deuxième fois ce jour-là. Ses doigts étaient noircis d'encre. Tous les brûleurs étaient allumés, et la porte du four était ouverte. Des flammes bleues dansaient derrière lui comme des feux de camp miniature. Son pistolet était posé sur la table, le canon pointé vers la porte. Le blanc de ses yeux était strié de veines rouges et, à la lueur de l'ampoule nue qui pendait au-dessus de lui, son visage pâle, gras, pas rasé, évoquait une étoile froide et lointaine. Il avait passé la plus grande partie de la nuit courbé en deux dans le minuscule placard du couloir dont il se servait comme d'une chambre noire, donnant vie à la dernière pellicule qu'il avait gardée de l'été précédent. Il détestait voir ça se terminer. Quand il avait développé la dernière photo, il en avait presque pleuré. Le prochain mois d'août était encore loin.

« Ces gens sont tellement timbrés, dit Sandy en fouillant son sac à la recherche de ses clefs de voiture.

– Quels gens ? demanda Carl en tournant une nouvelle page.

– Ceux qu'on voit à la télé. Ils savent pas ce qu'ils veulent.

– Merde, Sandy, tu fais trop attention à ces enculés, dit-il avec un coup d'œil impatient à la pendule. Tu crois qu'ils s'occupent de toi, eux ? » Ça faisait déjà cinq minutes qu'elle aurait dû être à son travail. Toute la journée il avait attendu qu'elle s'en aille.

« Et tu sais, s'il y avait pas le docteur, je ne le regarderais plus », dit-elle. Elle parlait toujours du docteur de l'un des feuilletons, un grand et bel homme dont Carl était persuadé qu'il devait être le salopard le plus chanceux de la planète. Cet homme pouvait tomber dans le trou le plus infect et en ressortir avec une mallette pleine de fric et contenant les clefs d'une El Dorado neuve. Depuis des années que Sandy le regardait, il avait dû accomplir plus de miracles que Jésus-Christ. Carl ne pouvait pas le supporter, ce nez refait de star de cinéma, ces costumes à soixante dollars.

« Alors, il a sucé la bite de qui, aujourd'hui ? demanda-t-il.

– Ah ! Toi, tu peux parler », dit Sandy en enfilant son manteau. Elle en avait ras-le-bol de devoir toujours défendre ses feuilletons.

« Qu'est-ce que ça veut dire ?

– Ça veut dire tout ce que tu penses que ça veut dire, dit Sandy. T'as encore passé la nuit dans ce placard ?

– Je vais te dire une chose, j'aimerais bien le rencontrer, ce fils de pute.

– Sûr que tu voudrais bien.

– Je le ferais hurler comme un putain de goret, je le jure devant Dieu ! » hurla Carl tandis qu'elle claquait la porte derrière elle.

Quelques minutes après son départ, Carl cessa d'insulter l'acteur et éteignit les brûleurs. Il posa la tête sur ses bras et somnola un petit moment. Quand il se réveilla, la pièce était sombre. Il avait faim, mais il ne trouva au réfrigérateur que deux quignons de pain moisis et un morceau de fromage aux piments durci dans une boîte en plastique. Il ouvrit la fenêtre de la cuisine et jeta le pain dans la cour. Quelques flocons de neige voletaient dans le rayon de lumière provenant du porche. Il entendit quelqu'un rire dans le parc à bestiaux de l'autre côté de la rue, le claquement de métal d'un portail qu'on fermait violemment. Il se rendit compte que ça faisait plus d'une semaine qu'il n'avait pas mis le nez dehors.

Il ferma la fenêtre et alla dans le salon qu'il arpenta en chantant de vieilles hymnes religieuses et en agitant les bras dans l'air comme s'il dirigeait un chœur. « Bringing in the Sheaves »[1] était l'un de ses préférés, et il le chanta plusieurs fois d'affilée. Quand il était enfant, sa mère le fredonnait en faisant la lessive. Elle avait une hymne particulière pour chaque tâche, chaque migraine, le moindre putain de truc qui leur arrivait après la mort du vieux. Elle faisait la lessive de gens riches, et la moitié du temps elle se faisait gruger

---

1. Littéralement « Rassembler les gerbes », c'est-à-dire « ramener les infidèles », hymne célèbre, surtout utilisée par les protestants (1874).

par ces saligauds. Parfois il ratait l'école et se cachait sous la véranda pourrie en compagnie des limaces, des araignées et du peu qu'il restait du chat du voisin, et il passait la journée à l'écouter. Sa voix ne semblait jamais lasse. Il économisait le sandwich au beurre qu'elle lui avait préparé pour son déjeuner, buvait de l'eau sale dans une vieille boîte de soupe rouillée qu'il rangeait dans la cage thoracique du chat. Il faisait semblant de croire qu'il s'agissait de bouillon de bœuf ou de potage poulet-vermicelles, mais il avait beau faire tout son possible, elle sentait toujours la boue. Il regrettait bien de ne pas avoir acheté de la soupe la dernière fois qu'il avait été au magasin. Le souvenir de cette vieille boîte lui redonnait faim.

Il chanta pendant plusieurs heures, sa voix sonore résonnant à travers les pièces, le visage rouge et suant sous l'effort. Puis, juste avant neuf heures, la propriétaire commença à cogner furieusement au plafond avec un manche à balai. Il était en plein milieu d'une interprétation passionnée de « Onward Christian Soldiers »[1]. À tout autre moment, il l'aurait ignorée, mais ce soir-là il bredouilla et s'arrêta : il était d'humeur à passer à autre chose. Mais si elle ne montait pas rapidement ce putain de chauffage, il entreprendrait de la garder réveillée jusqu'à minuit. Il supportait plutôt bien le froid, mais les frissons et les plaintes perpétuels de Sandy lui portaient sur les nerfs.

Retournant à la cuisine, il prit une lampe de poche dans le tiroir à couverts et vérifia que la porte était bien fermée à clef. Puis il fit le tour de tous les rideaux, qu'il ferma,

---

1. « En avant, soldats du Christ ». Hymne d'origine anglaise (1865).

en finissant par la chambre. Il se mit à genoux et tâtonna sous le lit à la recherche du carton à chaussures. Il le porta dans le salon, éteignit toutes les lumières et s'installa sur le divan. Un filet d'air froid soufflait près des fenêtres disjointes, et il remonta la couverture de Sandy sur ses épaules.

Le carton sur les genoux, il ferma les yeux et glissa la main sous le couvercle. À l'intérieur, il y avait plus de deux cents photos, mais il n'en sortit qu'une seule. Il frotta lentement le pouce sur le papier glacé, essaya de deviner de quelle image il pouvait s'agir, un petit truc qu'il pratiquait pour faire durer les choses. Après avoir fait sa supposition, il ouvrit les yeux et alluma la lampe électrique juste une seconde. *Clic, Clic.* Un minuscule aperçu, et il posa cette photo de côté, referma les yeux, et en sortit une autre. *Clic, clic.* Des dos nus, des trous sanglants, et Sandy les jambes écartées. Il lui arrivait parfois de faire toute la boîte sans avoir émis une seule bonne supposition.

À un moment donné, il crut entendre un bruit, une portière claquer, des pas sur les marches de derrière. Il se leva et, sur la pointe des pieds, alla d'une pièce à l'autre, pistolet à la main, jetant un coup d'œil furtif à l'extérieur. Puis il vérifia la porte et retourna au divan. Le temps semblait se modifier, s'accélérer, ralentir, avancer, reculer, comme un rêve fou qu'il faisait en boucle. Une seconde il était debout dans un champ de soja boueux à la sortie de Jasper, Indiana, et le *clic* suivant de la lampe le conduisait au fond d'un ravin rocailleux au nord de Sugar City, Colorado. D'anciennes voix rampaient dans sa tête comme des vers, certaines remplies de malédictions, d'autres implorant encore sa pitié. À minuit, il avait parcouru une large portion du Midwest, revécu les derniers instants de vingt-quatre hommes étranges. Il se souvenait de tout. C'était comme s'il les ressuscitait à chaque fois qu'il sortait le carton, qu'il les excitait pour les éveiller, et leur permettait de chanter leur chant à eux. Un dernier *clic*, et il décida que c'était fini pour la soirée.

Après avoir remis le carton dans sa cachette, sous le lit, il ralluma les lumières et nettoya du mieux qu'il put la couverture avec le gant de toilette de Sandy. Pendant les heures qui suivirent, il resta assis à la table de la cuisine, graissant le pistolet, étudiant ses cartes routières et attendant que Sandy rentre du travail. Après avoir passé un moment avec le carton, il éprouvait toujours le besoin de sa compagnie. Elle lui avait parlé de l'homme de la fabrique de papier, et il y pensa un instant, ce qu'il ferait du crochet s'ils tombaient sur un auto-stoppeur comme ça.

Il avait oublié à quel point il avait faim jusqu'à ce qu'elle arrive avec deux hamburgers froids enduits de moutarde, trois bouteilles de bière et le journal du soir. Pendant qu'il mangeait, elle s'assit en face de lui et compta soigneusement ses pourboires, rangeant les *nickels*, les *dimes*, les *quarters*, en petites piles bien nettes, et il se rappela comment il s'était conduit, un peu plus tôt, à propos de son stupide feuilleton télé. « T'as fait une bonne soirée, aujourd'hui, dit-il quand elle eut enfin fini de compter.

– Pas mal pour un mercredi, je suppose, dit-elle avec un sourire fatigué. Alors, t'as fait quoi, aujourd'hui ? »

Il haussa les épaules. « Rien. J'ai nettoyé le frigidaire, chanté quelques chansons.

– T'as pas recommencé à enquiquiner la vieille dame, hein ?

– Je plaisantais, c'est tout. J'ai quelques nouvelles photos à te montrer.

– Duquel ?

– Celui qui avait un bandana autour de la tête. Elles sont bien.

– Pas ce soir, je pourrais pas m'endormir. » Puis elle poussa vers lui la moitié de la monnaie. Il la prit et la versa dans une boîte à café qu'il gardait sous l'évier. Ils mettaient toujours de l'argent de côté pour la prochaine bagnole, la prochaine pellicule, le prochain voyage. Il ouvrit la dernière bière, et lui servit un verre. Puis il s'agenouilla devant elle et lui retira ses chaussures, commença à masser ses pieds fatigués. « J'aurais pas dû te dire des trucs à propos de ton satané docteur, tout à l'heure, dit-il. Tu peux bien regarder ce que tu veux.

– C'est juste pour faire quelque chose, chéri. Ça me change les idées, tu comprends ? » Il acquiesça, passant délicatement les doigts sur la douce plante de ses pieds. Puis, quand elle eut terminé sa bière et une dernière cigarette, il souleva son corps mince et la porta, gigotante, dans le couloir, jusqu'à la chambre. Ça faisait des semaines qu'il ne l'avait pas entendue rire. Cette nuit, il lui tiendrait chaud, c'était le moins qu'il pût faire. Il était presque quatre heures du matin et, cahin-caha, avec beaucoup de chance et peu de regrets, ils avaient encore traversé une longue journée d'hiver.

26

Quelques jours plus tard, Carl conduisit Sandy à son travail en lui disant qu'il fallait qu'il sorte de l'appartement un moment. Il était tombé plusieurs centimètres de neige la nuit précédente, et, le matin, le soleil parvenait enfin à percer l'épaisse couche de nuages gris qui avaient flotté sur l'Ohio comme une malédiction lugubre, incessante, pendant plusieurs semaines. À Meade, tout, même la cheminée de la fabrique, étincelait de blancheur. « Tu veux entrer une minute ? lui proposa-t-elle quand il s'arrêta devant le Tecumseh. Je t'offre une bière. »

Carl regarda autour de lui les véhicules sur le parking couvert de neige fondue. Il était surpris qu'il y ait autant de monde en milieu de journée. Il était resté si longtemps enfermé dans l'appartement que, pour sa première sortie dans le monde réel depuis Noël, il imaginait ne pas pouvoir supporter autant de monde. « Non, je ne pense pas. Je pensais juste rouler un moment, et essayer de rentrer avant la nuit.

– Comme tu veux, dit-elle en ouvrant la portière. Mais n'oublie pas de venir me prendre, ce soir. »

Dès qu'elle fut à l'intérieur, Carl prit le chemin de

l'appartement de Watt Street. Il resta assis à la fenêtre de la cuisine jusqu'à ce que le soleil se couche, puis alla à la voiture. Il mit son appareil-photo dans la boîte à gants, et le pistolet sous le siège. Il y avait la moitié d'un plein dans le réservoir, et dans son portefeuille cinq dollars qu'il avait pris dans leur cagnotte. Il se promit qu'il n'allait rien faire de particulier, juste rouler un peu en ville et faire semblant. Parfois, cependant, il lui arrivait de regretter d'avoir fixé ces satanées règles. Merde, dans le coin, il pourrait sans doute tuer un plouc tous les soirs, s'il en avait envie. « Mais, bon Dieu, c'est justement pour ça que tu as fixé des règles, Carl, se dit-il en commençant à descendre la rue. Pour pas tout foutre en l'air. »

En passant devant le White Cow Diner, sur High Street, il vit son beau-frère debout à côté de sa voiture de patrouille, à la lisière du parking, en train de parler à quelqu'un qui était assis au volant d'une Lincoln noire rutilante. Étant donné la façon dont Bodecker agitait les bras, ils avaient l'air de s'engueuler. Carl ralentit et les regarda dans son rétroviseur aussi longtemps qu'il le put. Il pensa à une chose que Sandy lui avait dite, un soir, quelques semaines plus tôt, que s'il n'arrêtait pas de traîner avec des types comme Tater Brown et Bobo McDaniels, son frère allait finir en prison. « C'est qui, ces types ? » avait-il demandé. Il était assis à la table de la cuisine, en train de déballer un des cheeseburgers qu'elle avait rapportés de son travail. Quelqu'un en avait déjà pris une bouchée. De son canif, il gratta l'oignon coupé en dés.

« Ils dirigent tout de Circleville à Portsmouth, lui dit-elle. Enfin, tout ce qui est illégal.

– D'accord, dit Carl. Et comment tu sais ça, toi ? »

Elle rentrait toujours à la maison avec une nouvelle idio-
tie qu'un ivrogne lui avait fait gober. La semaine dernière,
elle avait parlé à quelqu'un qui avait participé à l'assassinat
de Kennedy. Parfois, le fait qu'elle soit aussi crédule l'éner-
vait un maximum, mais, enfin, il savait que c'était sans
doute l'une des principales raisons pour lesquelles elle était
restée avec lui tout ce temps.

« Eh bien, parce que ce type s'est arrêté au bar
aujourd'hui, juste après que Juanita fut partie et il m'a
donné une enveloppe pour Lee. » Elle alluma une cigarette
et souffla de la fumée en direction du plafond constellé
de taches. « Elle était bourrée de fric, et c'était pas des
billets d'un dollar. Il devait y avoir là-dedans quatre ou
cinq cents dollars, peut-être plus.

– Seigneur ! T'en as pris un peu ?

– Tu te fous de moi, non ? C'est pas le genre de type
à qui on pique des trucs. » Elle prit une frite dans la boîte
en carton grasse posée devant Carl, la trempa dans une
petite flaque de ketchup. Toute la soirée, elle avait pensé
à sauter dans la voiture et à se tirer avec l'enveloppe.

« Mais c'est ton frère, merde. Il te ferait rien.

– Carl, vu comment Lee est maintenant, je pense pas
qu'il y réfléchirait à deux fois avant de se débarrasser de
nous. Avant de se débarrasser de toi, en tout cas.

– Eh bien, alors, qu'est-ce que t'en as fait ? Tu l'as toujours sur toi ?

– Bien sûr que non. Quand Lee est arrivé, je la lui ai
donnée, et j'ai fait l'idiote. » Elle regarda la frite qu'elle
tenait dans la main, la laissa tomber dans le cendrier.
« Mais il avait pas l'air très content », ajouta-t-elle.

Pensant toujours à son beau-frère, Carl tourna dans Vine

Street. Chaque fois qu'il tombait sur Lee, ce qui, Dieu merci, n'arrivait pas souvent, ce fils de pute lui demandait : « Alors, tu travailles où, Carl ? » Il aurait donné n'importe quoi pour le voir dans une merde dont il ne pourrait pas se tirer en se contentant de montrer furtivement son putain d'insigne. Devant lui, il vit deux garçons, âgés peut-être de quinze ou seize ans, avancer lentement le long du trottoir. Il se rangea, coupa le moteur, baissa la vitre et aspira de grandes goulées d'air frais. Il les regarda se séparer au bout de la rue, l'un s'éloignant vers la droite, l'autre vers la gauche. Il baissa la vitre côté passager, démarra, roula jusqu'au stop, et tourna à droite.

« Salut, dit Carl en s'arrêtant à côté du gamin maigre qui portait une veste bleu marine au dos de laquelle on lisait, cousus en lettres blanches, les mots Meade High School. Tu veux que je fasse faire un petit bout de chemin ? »

Le garçon s'arrêta et regarda le conducteur de ce break misérable. Le visage de l'homme, luisant de sueur, brillait à la lueur des lampadaires. Un chaume brun couvrait ses joues grasses et son cou. Il avait les yeux perçants et cruels, comme ceux d'un rongeur. « Qu'est-ce que vous avez dit ? demanda le garçon.

– Je fais un tour dans le coin, dit Carl. On pourrait peut-être aller prendre une bière. » Il déglutit et se reprit avant de commencer à supplier.

Le garçon eut un sourire suffisant. « Vous vous êtes trompé de client, m'sieur, dit-il. Je suis pas comme ça. » Puis il se remit à marcher, accélérant le pas.

« Alors va te faire foutre », dit Carl dans sa barbe. Il resta assis dans la voiture et regarda le garçon disparaître à l'intérieur d'une maison à quelques portes de là. Il était un peu déçu mais, surtout, soulagé. Il savait que s'il était parvenu à faire monter ce voyou, il n'aurait pas pu se maîtriser. Il visualisait presque ce qui se serait passé, ce petit saligaud allongé dans la neige, éventré. Un jour, pensa-t-il, il faudrait qu'il photographie une scène d'hiver.

Il retourna au White Cow Diner, vit que Bodecker n'était plus là. Il se gara et entra, s'assit au comptoir et commanda une tasse de café. Ses mains tremblaient toujours. « Qu'est-ce qu'il peut faire froid, dehors, dit-il à la serveuse, une grande fille maigre avec un nez rouge.

– On est dans l'Ohio, dit-elle.

– Je n'en ai pas l'habitude.

– Ah bon ? Vous êtes pas du coin, alors ?

– Non, dit Carl, prenant une gorgée de café et sortant une de ses bites de chien. Je ne fais que passer en rentrant de Californie. » Puis il fronça les sourcils et baissa les yeux sur le cigare. Il ne savait pas vraiment pourquoi il avait dit ça, à moins que peut-être il ait voulu impressionner la fille. En général, la seule mention du nom de cet État le rendait malade. Sandy et lui s'y étaient installés quelques semaines après leur mariage. Carl pensait qu'il y rencontrerait le succès, qu'il prendrait des photos de stars de cinéma et de gens célèbres, qu'il trouverait à Sandy un travail de modèle, mais ils avaient terminé fauchés et affamés, et il avait fini par la vendre à deux hommes qu'il avait rencontrés devant les bureaux d'un imprésario louche, et qui avaient l'intention de réaliser un film porno. Au départ, elle avait refusé, mais ce soir-là, après qu'il l'eut gavée de vodka et de promesses, ils avaient gravi avec leur vieux tacot les collines brumeuses d'Hollywood et s'étaient arrêtés devant une petite villa sombre avec des journaux scotchés sur les fenêtres. « C'est peut-être l'occasion de notre vie, avait dit Carl en la conduisant à la porte. De nous faire des relations. »

En plus des deux hommes avec lesquels il avait passé le marché, il y en avait sept ou huit autres debout le long des murs jaune citron du salon, totalement vide en dehors d'une caméra sur un trépied et d'un lit double couvert de draps froissés. Un homme tendit un verre à Carl, et un autre, d'une voix douce, demanda à Sandy de retirer ses vêtements. Deux hommes la prirent en photo pendant qu'elle se déshabillait. Personne ne disait mot. Puis quelqu'un claqua dans ses mains et la porte de la salle de bains s'ouvrit à la volée. Un nain à la tête rasée beaucoup trop grosse pour son corps fit entrer dans la pièce un homme grand à l'air hébété. Le nain portait un beau pantalon roulé à une dizaine de centimètres au-dessus de ses chaussures italiennes à bouts pointus, et une chemise hawaïenne, mais l'homme qu'il conduisait était nu comme un ver, un long pénis veiné de bleu aussi large qu'une tasse à café se balançant entre ses jambes bronzées et musclées. Quand elle vit le nain, avec un grand sourire, détacher la laisse du collier de chien autour du cou de l'homme, Sandy roula hors du lit et commença à saisir frénétiquement ses vêtements. Carl se leva et dit : « Désolé, les gars. La dame a changé d'avis.

– Faites-moi sortir ce connard », grommela l'homme derrière la caméra. Avant que Carl ait pu comprendre ce qui lui arrivait, trois hommes l'avaient tiré vers la porte et déposé dans sa voiture. « Maintenant, t'attends là, ou alors elle aura vraiment mal », lui dit l'un d'eux. Carl mâchonnait son cigare et regardait des ombres se déplacer derrière les fenêtres bouchées, essayant de se persuader que tout allait bien se passer. Après tout, on était dans le milieu du cinéma, il ne pouvait rien arriver de trop grave. Deux heures plus tard, la porte d'entrée s'ouvrit et les trois mêmes hommes portèrent Sandy à la voiture, la jetèrent sur le siège arrière. L'un deux fit le tour côté chauffeur et tendit vingt dollars à Carl. « Ça fait pas le compte, dit Carl. On avait dit deux cents.

— Deux cents ? Merde, elle en valait même pas dix. Dès que ce gros fils de pute lui est entré dans le cul, elle s'est évanouie et elle est restée là comme un poisson mort. »

Carl se retourna et regarda Sandy allongée sur le siège. Elle commençait à revenir un peu à elle. Ils lui avaient renfilé son corsage à l'envers. « Ça suffit, ces conneries, dit-il. Je veux parler aux types avec qui j'ai passé le marché.

— Tu veux dire Jerry et Ted ? Hé, ça fait une heure qu'ils sont partis, dit l'homme.

— Je vais appeler les flics, voilà ce que je vais faire.

— Non, tu vas pas appeler les flics », dit l'homme en secouant la tête. Puis il passa la main par la fenêtre, empoigna Carl à la gorge et serra. « Si tu veux tout savoir, si t'arrêtes pas de râler et que tu te casses pas immédiatement, je vais te ramener à l'intérieur, et dire à ce vieux Frankie qu'il se lâche sur ton gros cul. Je les laisserai se faire cent dollars de plus, Tojo et lui. ». Tandis que l'homme retournait vers la maison, Carl l'entendit ajouter, dans son dos : « Et essaie pas de nous la ramener. Elle a pas ce qu'il faut pour ce genre de boulot. »

Le lendemain matin, Carl sortit et, avec les vingt dollars que lui avait donnés le type, acheta un Smith & Wesson .38 d'apparence antique chez un prêteur sur gages.

« Comment je suis sûr qu'il marche, ce machin ? demanda-t-il.

– Suivez-moi », dit l'homme. Il conduisit Carl dans une pièce à l'arrière et tira deux balles dans un tonneau rempli de sciure et de vieux magazines. « Ils ont arrêté de fabriquer ce modèle en 1940, ou dans ces eaux-là, mais c'est toujours une sacrée bonne arme. »

Il retourna au Blue Star Motel, où Sandy trempait dans une baignoire d'eau bouillante et de sel d'Epsom. Il lui montra son arme et lui jura qu'il allait plomber les deux salauds qui les avaient piégés. Mais quand il sortit, il remonta la rue et s'assit sur un banc dans le parc, où il passa le reste de la journée à se demander s'il n'allait pas plutôt se flinguer. Ce jour-là quelque chose s'était brisé en lui. Pour la première fois, il réalisait que sa vie n'avait aucun sens. La seule chose qu'il sût faire, c'était se servir d'un appareil-photo, mais qui avait besoin qu'un type quelconque et obèse, aux cheveux clairsemés, prenne d'ennuyeuses photos de chiards pleurnichards, de pouffiasses en robe de bal de promotion, de couples mariés moroses célébrant vingt ans de misère ? Ce soir-là, quand il rentra dans leur chambre, elle était déjà endormie.

Ils reprirent la route de l'Ohio l'après-midi du lendemain. Il conduisait, et elle était assise sur les oreillers qu'ils avaient volés dans la chambre du motel. Il se rendait compte qu'il avait du mal à la regarder dans les yeux, et ils se dirent à peine deux mots pendant tout le trajet à travers le désert, jusque dans le Colorado. Alors qu'ils commençaient à s'élever dans les Rocheuses, son saignement finit par cesser et elle lui dit qu'elle préférait conduire que de rester assise comme ça à penser qu'elle avait été violée par l'esclave drogué de ce nain, pendant que tous ces hommes se moquaient d'elle. Quand elle fut derrière le volant, elle alluma une cigarette et mit la radio. Il leur restait quatre dollars. Deux heures plus tard, ils prirent un homme qui sentait le gin et qui faisait du stop pour rentrer chez sa mère, à Omaha. Il leur raconta qu'il avait tout perdu, y compris sa voiture, dans un bordel – à vrai dire, juste une caravane, avec trois putes qui se relayaient, une tante et ses deux nièces – au milieu des dunes, au nord de Reno. « La chatte, dit l'homme. Ça a toujours été mon problème.

– C'est comme une espèce de maladie qui s'empare de vous ? dit Carl.

– Mon pote, je croirais entendre ce docteur pour la tête que j'ai dû aller voir une fois. ». Ils roulèrent en silence pendant quelques minutes, puis l'homme se pencha en avant et posa nonchalamment les bras sur le haut du siège avant. Il leur proposa de prendre une gorgée dans sa flasque, mais ni l'un ni l'autre n'était d'humeur à faire la fête. Carl ouvrit la boîte à gants pour sortir l'appareil. Il se disait qu'il ferait aussi bien de prendre quelques photos du paysage. Il y avait une bonne chance pour qu'il ne revoie jamais ces montagnes. « C'est votre femme ? demanda l'homme après s'être renfoncé sur son siège.

– Ouais, dit Carl.

– Je vais vous dire une chose, mon ami. Je ne sais pas quelle est votre situation, mais je vous donne vingt dollars pour un coup rapide avec elle. Pour tout vous dire, je ne pense pas pouvoir tenir jusqu'à Omaha.

– Ça suffit », dit Sandy. Elle appuya sur les freins et mit son clignotant. « J'en ai plein le dos des fils de pute comme vous. »

Carl jeta un coup d'œil au pistolet, à moitié dissimulé par une carte dans la boîte à gants. « Attends une minute », dit-il à Sandy à voix basse. Il se retourna et regarda l'homme, vêtements chics, cheveux noirs, teint olivâtre, pommettes saillantes. Un soupçon d'eau de Cologne se mêlait à l'odeur du gin. « Je croyais que vous aviez perdu tout votre argent.

— En fait, c'est vrai, tout ce que j'avais sur moi, en tout cas, mais quand je suis arrivé à Vegas, j'ai appelé maman. Cette fois-ci, elle n'a pas voulu me racheter de voiture, mais elle m'a envoyé quelques dollars pour rentrer à la maison. Pour les trucs comme ça, elle est très bien.

— Si on disait cinquante ? proposa Carl. Vous les avez ?

— Carl ! » hurla Sandy. Elle était sur le point de lui dire qu'il pouvait tirer son gros cul de là, lui aussi, quand elle le vit sortir furtivement l'arme de la boîte à gants. Elle tourna à nouveau les yeux sur la route, et reprit une vitesse de croisière.

« Je sais pas, mon vieux, dit l'homme en se grattant le menton. Sûr, je les ai, les cinquante dollars, mais pour ce prix-là, on peut s'offrir un feu d'artifice. Vous voyez ce que je veux dire ? Ça vous dérangerait qu'elle fasse quelques extras ?

— Non, tout ce que vous voulez », dit Carl. Sa bouche devenait sèche tandis que son cœur battait de plus en plus vite. « Il faut juste qu'on trouve un endroit tranquille pour s'arrêter. » Il rentra son ventre et glissa le pistolet dans son pantalon.

Une semaine plus tard, quand il trouva enfin le courage de développer les photos qu'il avait prises ce jour-là, Carl sut, au premier coup d'œil, avec une certitude qu'il ressentait pour la première fois, que le début de l'œuvre de sa vie lui retournait son regard depuis le bain de fixateur, dans la casserole. Même si ça lui faisait mal de voir, une fois de plus, Sandy les bras autour du cou de ce chasseur de putes, dans les transes de son premier véritable orgasme, il savait qu'il ne serait jamais capable d'arrêter. Et l'humiliation qu'il avait ressentie en Californie ? Il se jura que ça ne se reproduirait jamais. L'été suivant ils partirent en chasse pour la première fois.

La serveuse attendit que Carl ait allumé son cigare, et demanda : « Alors, qu'est-ce que vous faites dans le coin ?

– Je suis photographe. Surtout des stars de cinéma.

– Vraiment ? Vous avez déjà pris une photo de Tab Hunter ?

– Non, je peux pas dire ça, dit Carl. Mais je parie que ça serait agréable de travailler avec lui. »

27

Au bout de quelques jours, Carl était devenu un habitué du White Cow. Après être resté si longtemps enfermé dans l'appartement, ça faisait du bien de se sentir à nouveau au milieu des autres. Quand la serveuse lui demanda quand il comptait retourner en Californie, il lui dit qu'il avait décidé de rester là un moment, histoire de faire une pause par rapport à toutes ces conneries de Hollywood. Un soir, alors qu'il était assis au bar, deux hommes qui pouvaient avoir une soixantaine d'années s'arrêtèrent dans une longue El Dorado noire. Ils se garèrent à quelques pas de la porte, et entrèrent en se pavanant. L'un arborait une tenue western brodée de sequins étincelants. Son gros ventre était tenu par une ceinture dont la forme était censée représenter une Winchester, et il marchait les jambes arquées, comme si, pensa Carl, il venait juste de descendre d'un cheval particulièrement large ou qu'il se planquait un concombre dans le cul. L'autre portait un costume bleu marine, la poitrine décorée de divers médailles et rubans patriotiques, et une casquette carrée VFW[1] inclinée en un

---

1. Veteran of Foreign War.

angle désinvolte. Tous deux avaient le visage rouge d'alcool fort et d'arrogance. Carl reconnut le cow-boy pour l'avoir vu dans le journal, une grande gueule de républicain qui appartenait au conseil municipal et qui, lors de ses réunions mensuelles, se plaignait constamment de scènes de sexe dépravé, en plein air, dans le parc de la ville. Carl l'avait traversé des centaines de fois, la nuit, mais la chose la plus osée qu'il ait vue était un couple d'adolescents maladroits tentant un baiser devant le petit mémorial de la Deuxième Guerre mondiale.

Les deux hommes s'assirent dans un box et commandèrent des cafés. Quand ils furent servis, ils commencèrent à parler d'un homme aux cheveux longs qu'ils avaient vu déambuler sur le trottoir, en rentrant de l'American Legion. « Jamais je n'aurais pensé que je verrais une chose pareille dans le coin, dit l'homme au costume.

– Attends un peu, dit le cow-boy. Si on ne fait rien, d'ici un an ou deux, il y en aura autant que de puces sur le cul d'un singe. » Il prit une gorgée de café. « J'ai une nièce qui habite New York, et son gamin ressemble à une fille, les cheveux sur les oreilles. Je n'arrête pas de lui dire de me l'envoyer, que je lui remettrai les idées en place, mais elle ne veut pas en entendre parler. Elle dit que ce serait trop dur pour lui. »

Ils baissèrent la voix, mais Carl les entendait encore parler de la façon dont, autrefois, on pendait les nègres, et qu'il faudrait bien que quelqu'un recommence le lynchage, même si c'était un sacré boulot, mais, cette fois-ci, avec les types aux cheveux longs. « Qu'on étire un peu leur cou crasseux à quelques-uns, dit le cow-boy. Ça les secouera, nom de Dieu. Au moins, ils ne traîneront plus dans le coin. »

Depuis l'autre bout du *diner,* Carl pouvait sentir l'odeur de leur après-rasage. Il regarda fixement le sucrier, devant lui sur le comptoir, et essaya d'imaginer leurs vies, les pas irrévocables qu'ils avaient franchis pour arriver là où ils se trouvaient, à Meade, Ohio, par cette soirée froide et sombre. Il fut parcouru par une sensation électrique, la conscience qu'il éprouva de la brièveté de son passage sur cette terre, de ce qu'il en avait fait, de ces deux vieux cons, et de leur rapport avec tout ça. C'était le même type de sensation qu'il éprouvait avec les modèles. Ils avaient préféré un mode de locomotion à un autre, choisi un itinéraire plutôt qu'un autre, et ils avaient fini dans leur voiture, à Sandy et à lui. Pouvait-il expliquer ça ? Non, il ne pouvait pas l'expliquer, mais il le sentait, pour sûr. *Le mystère,* Carl ne pouvait rien dire de plus. Demain, il le savait, tout ça ne signifierait plus rien. La sensation aurait disparu jusqu'à la prochaine fois. Puis il entendit de l'eau couler dans l'évier du bar, et l'image précise d'une tombe imbibée d'eau qu'il avait creusée, par une nuit pleine d'étoiles, remonta à la surface de sa mémoire – il avait creusé dans un terrain humide, et une demi-lune, haut dans le ciel et aussi blanche que de la neige fraîche, avait dansé avant de s'installer au-dessus de l'eau qui suintait au fond du trou, et jamais il n'avait rien vu d'aussi beau – il essaya de s'accrocher à cette image parce qu'il n'y avait pas repensé depuis longtemps, mais les voix des deux vieux s'élevèrent à nouveau, et troublèrent sa quiétude.

Il commençait à avoir un peu mal à la tête, et il demanda à la jeune serveuse une de ces aspirines qu'elle avait dans son sac. Elle aimait les fumer, lui avait-elle avoué un soir, les écraser et se rouler une cigarette avec la poudre. De la came de petite ville, avait pensé Carl, et il avait dû se retenir pour ne pas se moquer d'elle, cette pauvre idiote. Elle lui tendit deux comprimés avec un clin d'œil, Seigneur, comme si elle lui passait une dose de morphine, ou de je ne sais quoi. Il lui sourit, et pensa une fois de plus à l'emmener pour faire un essai, regarder un auto-stoppeur s'éclater avec elle pendant qu'il prendrait quelques photos, et lui assurerait que c'est comme ça que commencent tous les modèles. Elle le croirait, sans aucun doute. Il lui avait raconté des histoires plutôt salaces, et elle ne paraissait plus gênée avec lui. Puis il avala les aspirines et se tourna un peu sur son tabouret pour pouvoir mieux entendre les deux vieux.

« Les démocrates vont être la ruine de ce pays, dit le cow-boy. Ce qu'il faut qu'on fasse, Bus, c'est qu'on crée notre propre petite armée. Qu'on en tue quelques-uns, et les autres comprendront.

– Tu veux dire les démocrates, ou les cheveux longs, J.R. ?

– Eh bien, on commencerait par les mauviettes, dit le cow-boy. Tu te souviens de ce putain de dingo qui avait ce poulet accroché à lui, cette fois-là ? Bus, je te garantis que ces cheveux longs, ça sera dix fois pire que ça. »

Carl prit une gorgée de café et écouta les deux hommes rêver de milices privées. Ce serait leur ultime contribution au pays avant leur mort. Ils parlaient joyeusement de se sacrifier, s'il en était besoin. Tel était leur devoir de citoyen. Puis Carl entendit l'un d'eux s'adresser à lui à voix haute : « Qu'est-ce que tu regardes comme ça ? »

Tous deux le dévisageaient. « Rien, dit Carl. Je bois mon café, c'est tout. »

Le cow-boy fit un clin d'œil à l'homme au costume et demanda : « Qu'est-ce que t'en penses, mon garçon ? Tu les aimes, les cheveux longs ?

– Je ne sais pas, dit Carl.

– Merde, J.R., il y en a sans doute un qui l'attend à la maison, plaisanta l'homme au costume.

– Ouais, il a pas le cran pour ce qu'il nous faut à nous, dit le cow-boy en se tournant à nouveau vers son café. Merde, il a sans doute même pas fait l'armée. Il est mou comme une chiffe, ce garçon. » Il secoua la tête. « Tout ce putain de pays est en train de devenir comme ça. »

Carl ne dit rien, mais il se demanda quel effet ça ferait de buter deux vieux cons racornis comme ça. Pendant un instant, il envisagea de les suivre quand ils sortiraient et, pour commencer, il les forcerait à s'enculer l'un l'autre. Il paria que le temps qu'il passe aux choses sérieuses, le cow-boy serait capable de chier dans le petit chapeau de l'homme au costume. Ces deux connards pouvaient bien regarder Carl Henderson et le prendre pour un moins que rien, il s'en fichait. Ils pouvaient se gonfler la tête jusqu'au Jugement Dernier à propos des meurtres qu'ils aimeraient commettre, mais ni l'un ni l'autre n'avait assez de couilles pour ça. Dans un quart d'heure, il pouvait faire en sorte que tous les deux le supplient de leur accorder un siège en enfer. Il était capable de choses qui pourraient les pousser à se sucer mutuellement pour deux minutes de rémission. Il lui suffisait de se décider. Il prit une autre gorgée de café, regarda sa Cadillac à l'extérieur, la rue brumeuse. Sûr, juste un type gras, patron. Aussi mou qu'une putain de chiffe.

Le cow-boy alluma une autre cigarette et expectora une

substance visqueuse brune qu'il cracha dans un cendrier. « Transformer un de ces satanés machins en animal de compagnie, voilà ce que j'aimerais faire, dit-il en s'essuyant la bouche avec une serviette en papier que lui tendit l'autre.

– Tu préférerais un homme ou une femme, J.R. ?

– Tu parles ! Ils sont pareils, non ? »

L'homme au costume fit un grand sourire. « Tu le nourrirais avec quoi ?

– Tu sais foutrement bien avec quoi je le nourrirais, Bus », dit le cow-boy, et tous les deux éclatèrent de rire.

Carl se retourna. Il n'avait encore jamais pensé à ça. Un animal de compagnie. Pour l'instant, envisager une chose pareille n'était pas possible, mais un jour, qui sait... Tu vois, pensa-t-il, il y a toujours quelque chose de nouveau et d'excitant à imaginer, même dans cette vie. Mis à part les semaines où ils étaient en chasse, il avait toujours du mal à garder le moral, puis quelque chose se produisait qui lui rappelait que tout n'était pas totalement merdique. Évidemment, ne fût-ce que pour transformer un modèle en une sorte d'animal de compagnie, il faudrait qu'ils quittent la ville, qu'ils trouvent un trou isolé. Il leur faudrait un sous-sol ou, tout au moins, un bâtiment extérieur proche de la maison, une cabane à outils, ou une grange. Il pourrait peut-être même arriver à le dresser, à le soumettre à ses désirs, même s'il doutait, tout en l'envisageant, d'en avoir la patience. C'était déjà assez difficile d'essayer de maîtriser Sandy.

28

Un après-midi de la fin février, Bodecker entra au Tecumseh peu après le début du service de Sandy, et commanda un Coca. Il n'y avait personne d'autre dans le bar. Elle le servit sans un mot, puis se retourna vers l'évier, derrière le bar, où elle lavait des chopes sales et des petits verres qui restaient de la soirée de la veille. Il remarqua les cernes sombres autour de ses yeux et les mèches grises dans ses cheveux. En voyant son jean pendouiller sur ses hanches, on n'aurait pas dit qu'elle pesait quarante-cinq kilos. Il en voulait à Carl de la façon dont elle s'était dégradée. Bodecker détestait penser que ce fils de pute vivait à ses crochets, comme c'était le cas. Même si Sandy et lui n'avaient jamais été ce qu'on appelle proches, c'était quand même sa sœur. Elle venait d'avoir vingt-quatre ans, cinq ans de moins que lui. À la voir aujourd'hui, on aurait cru qu'elle en avait plus de quarante.

Lee déplaça son tabouret vers l'extrémité du bar, de façon à pouvoir observer la porte. Depuis le soir où il était entré dans le bar et avait pris la liasse de billets – de loin le truc le plus idiot que Tater Brown lui ait fait jusque-là, et ce connard avait encore les oreilles qui tintaient – Sandy lui avait à peine adressé la parole. Qu'elle pense du mal de lui le gênait un peu, du moins quand il prenait le temps d'y réfléchir. Il s'imaginait qu'elle était encore fâchée à cause de tout le tapage qu'il avait fait quand il avait appris qu'elle vendait son cul. Il se tourna pour la regarder. L'endroit était mort, il n'y avait d'autre son que celui des verres qui s'entrechoquaient dans l'eau quand elle en prenait un pour le laver. Merde, qu'elle aille au diable, pensa-t-il. Il commença à parler, lui dit que Carl passait beaucoup de temps à discuter avec une jeune serveuse du White Cow pendant qu'elle était coincée ici à servir au bar pour payer les factures.

Sandy posa un verre sur l'égouttoir, et s'essuya les mains tout en réfléchissant à ce qu'elle pouvait répondre. Ces temps-ci, Carl l'avait très souvent amenée au travail, mais ça ne regardait pas Lee. De toute façon, que ferait-il d'une fille ? Les seules fois où Carl bandait encore, c'était quand il regardait ses photographies. « Et alors ? dit-elle enfin. Il se sent seul.

– Ouais, et il ment aussi beaucoup », dit Bodecker. Pas plus tard que l'autre soir, il avait vu le break noir de Sandy devant le White Cow. Il s'était garé de l'autre côté de la rue, et avait regardé son beau-frère bavarder avec la serveuse. On aurait dit qu'ils passaient du bon temps, et ça l'avait rendu curieux. Quand Carl était parti, il était entré, s'était assis au comptoir et avait commandé un café. « Ce type qui vient de sortir, vous connaissez son nom ? demanda-t-il.

– Vous voulez dire Bill ?

– Bill, hein ? dit Bodecker en réprimant un sourire. C'est un ami à vous ?

– Je ne sais pas. On s'entend bien. »
Bodecker sortit de sa poche de chemise un petit bloc-

notes et un crayon, et fit semblant d'écrire quelque chose.
« Arrêtez ces conneries, et dites-moi ce que vous savez de lui.

– J'ai fait quelque chose de mal ? » Elle se glissa une mèche de cheveux dans la bouche, commença à s'agiter.
« Non, pas si vous parlez. »

Après avoir entendu la fille répéter quelques-unes des histoires de Carl, Bodecker jeta un coup d'œil sur sa montre et se leva. « Ça suffit pour l'instant, dit-il en remettant le bloc-notes dans sa poche. Apparemment, ce n'est pas le type qu'on cherche. » Il réfléchit un moment, regarda la fille. Elle se mordillait toujours les cheveux. « Quel âge avez-vous ? demanda-t-il.

– Seize ans.

– Ce Bill vous a déjà demandé de poser pour des photos ? »

La fille rougit. « Non, dit-elle.

– La première fois où il commencera à vous parler de ce genre de trucs, appelez-moi, d'accord ? » Si Carl avait essayé de baiser cette fille, ça ne l'aurait pas dérangé. Mais ce fils de pute avait gâché la vie de sa sœur, et Bodecker ne pouvait oublier ça, même s'il se répétait que ça ne le regardait pas. Ça le dévorait, comme un cancer. Le mieux qu'il puisse faire pour l'instant, c'était de parler à Sandy de cette petite serveuse. Mais un jour, cependant, il ferait payer le prix fort à Carl. Ça ne serait pas si difficile, pensa-t-il, un peu comme s'il castrait un chien.

Après avoir interrogé la fille, il quitta le *diner*, roula jusqu'au parc municipal, à côté de la prison, et attendit que Tater Brown lui porte un peu d'argent. Le répartiteur piailla quelque chose sur la radio, à propos d'un délit de fuite sur Huntington Pike, et Bodecker se pencha pour baisser le volume. Quelques jours auparavant, il avait fait un autre boulot pour Tater ; il s'était servi de son insigne pour faire gicler un dénommé Coonrod d'une vieille cabane où il se planquait, dans les fonds de Paint Creek. Menotté sur le siège arrière, Coonrod imaginait que le shérif le conduisait en ville pour l'interroger, jusqu'au moment où la voiture de patrouille s'arrêta le long du chemin gravillonné au sommet de Reub Hill. Bodecker ne dit pas un mot, se contentant de l'extraire du véhicule par ses bracelets de métal, et de quasiment le tirer jusque dans les bois, sur une centaine de mètres. À l'instant où Coonrod cessa de hurler à propos de ses droits pour commencer à implorer sa pitié, Bodecker fit un pas derrière lui et lui tira une balle dans la nuque. Maintenant, Tater lui devait cinq mille dollars, mille de plus que ce que le shérif lui avait demandé la première fois. Ce sadique de Coonrod avait tabassé une des meilleures putes du club de strip-tease de Tater, il avait essayé de lui arracher l'utérus avec une ventouse pour déboucher les toilettes. Ça avait coûté trois cents dollars de plus, pour qu'on lui refourre le tout à l'intérieur. Bodecker était le seul capable de mettre un terme à cette affaire.

Sandy soupira et dit : « O.K., Lee, putain, de quoi tu me parles, là ? »

Bodecker vida son verre, commença à croquer les glaçons. « Eh bien, selon cette fille, ton petit mari s'appelle Bill, et c'est un grand photographe de Californie. Il lui a raconté qu'il est vachement pote avec un paquet de stars. »

Sandy se retourna vers l'évier, plongea encore deux verres sales dans l'eau tiède. « Sans doute qu'il devait juste plaisanter avec elle. Parfois, Carl aime bien se moquer des gens pour le plaisir, juste pour voir leurs réactions.

– Eh bien, d'après ce que j'ai vu, il a obtenu une réaction plutôt bonne. Je dois dire que je n'avais pas pensé que ce gros con était capable de ça. »

Sandy jeta son torchon, et se retourna : « Qu'est-ce que tu fous ? Tu l'espionnes ?

– Hé, je voulais pas t'emmerder, dit Bodecker. Je pensais que tu voudrais savoir.

– T'as jamais aimé Carl.

– Seigneur Jésus, Sandy, il t'a forcée à faire la pute ! »

Elle fit les yeux ronds. « Comme si t'avais jamais rien fait de mal. »

Bodecker mit ses lunettes de soleil et eut un sourire forcé, montrant à Sandy ses grandes dents blanches. « Mais dans le coin, la loi, c'est moi, ma fille. Tu t'apercevras que ça fait toute la différence. » Il jeta sur le comptoir un billet de cinq dollars, sortit, et monta dans sa voiture. Il resta assis comme ça quelques minutes, fixant, à travers le pare-brise, les caravanes délabrées sur Paradise Acres, le terrain pour mobile-homes à côté du bar. Puis il laissa aller sa tête contre le siège. Ça faisait une semaine et, jusque-là, personne n'avait signalé la disparition du salaud à la ventouse. Il pensa qu'avec une partie de l'argent, il achèterait peut-être une nouvelle voiture à Florence. Il avait tellement envie de fermer les yeux quelques minutes, mais, par les temps qui couraient, s'endormir en terrain découvert n'était pas une bonne idée. Il commençait à être sérieusement dans la merde. Il se demanda combien de temps encore il pourrait éviter de tuer Tater ou, dans le même ordre d'idées, combien de temps encore il avait devant lui avant qu'un quelconque fils de pute ne décide de le tuer, lui.

29

Un dimanche matin, Carl prépara des pancakes pour Sandy. C'était son plat préféré. La veille, elle était rentrée ivre, dans une de ses humeurs moroses. Chaque fois qu'elle se laissait engluer dans ces sentiments négatifs, il n'y avait pas grand-chose qu'il puisse dire ou faire pour qu'elle se sente mieux. Elle devait s'en tirer toute seule. Quelques nuits passées à boire et à pleurnicher, et ce serait fini. Carl connaissait Sandy mieux qu'elle ne se connaissait elle-même. Le lendemain soir, ou peut-être le surlendemain, après la fermeture, elle baiserait avec un de ses clients, un gars de la campagne aux cheveux en brosse encombré d'une femme et de trois ou quatre morveux. Il dirait à Sandy qu'il regrettait de ne pas l'avoir connue avant d'épouser la vieille truie, qu'elle était la plus belle fille qu'il ait jamais eue, et tout irait comme sur des roulettes jusqu'à sa prochaine crise de cafard.

À côté de l'assiette, il avait posé un pistolet, calibre .22. Il l'avait acheté dix dollars quelques jours plus tôt à un vieil homme qu'il avait rencontré au White Cow. Ce pauvre connard avait peur, s'il le gardait chez lui, de se tirer une balle. Sa femme était morte à l'automne. Il l'avait mal traitée, il le reconnaissait, même quand elle gisait sur son lit de mort ; mais maintenant il était si seul qu'il ne pouvait le supporter. Il raconta tout ça à Carl et à la jeune serveuse tandis qu'une neige glacée cliquetait contre les vitres du *diner*, et que le vent secouait l'enseigne en métal, dans la rue. Le vieux portait un long pardessus qui sentait la fumée et les pastilles pour la toux, et un bonnet tricoté bleu moucheté de peluches, bien enfoncé sur sa tête. Tandis qu'il se confessait, Carl eut l'idée qu'il serait peut-être bien pour Sandy d'avoir son arme à elle quand ils partaient en chasse, juste par sécurité au cas où quelque chose tournât mal. Il se demanda pourquoi il n'y avait encore jamais pensé. Même s'il était toujours prudent, il arrivait aux meilleurs de rater leur coup. En achetant le pistolet, il s'était senti bien, il avait pensé que ça signifiait peut-être qu'il devenait plus sage.

Pour abattre quelqu'un avec un .22, on doit lui tirer dans l'œil, ou lui planter l'arme directement dans l'oreille, mais ça serait toujours mieux que rien. Il avait fait ça une fois avec un étudiant, il lui avait planté l'arme dans l'oreille, un petit con de Purdue[1] aux cheveux frisés qui avait ricané quand Sandy lui avait dit qu'autrefois elle rêvait de faire une école d'esthéticienne, mais qu'elle avait fini par atterrir dans un bar, et que tout s'était passé tel que c'était écrit. Après l'avoir ficelé, Carl avait trouvé un livre dans la poche du manteau du garçon, les *Poèmes de John Keats*. Il avait essayé de demander à cet enculé quel était son poème préféré, mais à ce moment-là ce gros malin s'était chié dessus,

---

1. Célèbre université d'Indiana.

et il avait du mal à se concentrer. Carl ouvrit le livre sur un poème au hasard et commença à le lire pendant que le garçon pleurait en suppliant qu'on le laisse en vie, la voix de Carl se faisant de plus en plus forte pour noyer les supplications jusqu'à ce qu'il arrive au dernier vers, qu'il avait oublié maintenant, une connerie à propos d'amour et de gloire dont il devait bien admettre que, sur le coup, ça lui avait donné des frissons. Puis il avait appuyé sur la gâchette et un bouchon de cervelle humide et grise était apparu de l'autre côté de la tête de l'étudiant. Quand il fut au sol, des flaques de sang se formèrent dans ses orbites, comme des petits lacs de feu, ce qui avait fait une sacrée photo, mais c'était avec le .38, pas avec une putain de sarbacane de .22. Carl était sûr que s'il pouvait montrer la photo de ce garçon à ce vieux type qui puait, ce triste con y réfléchirait à deux fois avant de se foutre en l'air, du moins pas avec un pistolet. La serveuse avait trouvé très habile la façon dont Carl avait écarté le pistolet de l'homme pour qu'il ne se fasse pas de mal. Ce soir-là, vu la façon dont elle n'arrêtait pas de répéter à quel point il était merveilleux, il aurait pu la baiser sur le siège arrière du break, s'il l'avait voulu. À une époque, il y avait de ça quelques années, il aurait été tout excité par cette petite salope, mais ces temps-ci, une chose comme ça ne l'attirait plus beaucoup.

« Qu'est-ce que c'est ? demanda Sandy quand elle vit le pistolet à côté de son assiette.

– C'est juste au cas où quelque chose tournerait mal. »

Elle secoua la tête, et poussa le pistolet sur la table en direction de Carl.

« C'est ton boulot de t'assurer que tout se passe bien.

– Je disais juste que...

– Écoute, si t'as plus assez de couilles pour ça, dis-le, c'est tout. Seigneur Jésus, au moins, préviens-moi avant de nous faire tuer tous les deux, dit Sandy.

– Je n'aime pas quand tu parles comme ça, je te l'ai déjà dit. » Il regarda le tas de pancakes en train de refroidir. « Et en plus, tu vas me manger toutes ces satanées pancakes, tu m'entends ?

– Va te faire foutre. Je mangerai ce que je veux. » Elle se leva, et il la vit porter son café dans le salon, entendit la télé s'allumer. Il prit le .22 et le dirigea contre la cloison qui séparait la cuisine du divan où, sans aucun doute, elle devait avoir posé son cul maigre. Il resta comme ça quelques minutes, se demandant s'il serait capable de tirer, puis rangea le pistolet dans un tiroir. Ils passèrent le reste de cette froide matinée à regarder sans rien dire un film de Tarzan, puis Carl alla au Big Bear et acheta un seau de glace à la vanille et une tarte aux pommes. Elle avait toujours aimé les sucreries. S'il y était obligé, il la gaverait, pensa-t-il en payant à la caisse.

Il y avait bien des années, il avait entendu un des petits amis de sa mère dire que, autrefois, un homme, s'il en avait assez de sa femme, pouvait la vendre, tirer son cul jusqu'au marché de la ville avec un licou de cheval passé autour de son fichu cou. Étouffer Sandy avec un peu de crème glacée n'était pas si grave. Parfois, les femmes ne savent pas ce qui est le mieux pour elles. Sa mère ne le savait pas, c'est sûr. Un homme du nom de Lyndon Langford, le plus malin de la longue série de salopards avec qui elle avait couché pendant le temps qu'elle avait passé sur terre, un ouvrier de l'usine General Motors de Colombus qui, parfois, quand il essayait de se mettre au régime sec, lisait de vrais livres, avait donné au petit Carl sa première leçon de photographie. Souviens-toi juste d'une chose, lui avait dit un jour Lyndon : la plupart des gens adorent se faire prendre en photo. Si tu pointes un appareil sur eux, ils feront à peu près tout ce que tu veux. Il n'oublierait jamais la première fois qu'il vit le corps nu de sa mère, sur l'une des photos de Lyndon, attaché à un lit avec des rallonges électriques, un carton sur la tête avec deux trous pour les yeux. Cela dit, quand il n'avait pas bu, c'était un type à peu près bien. Puis Carl avait tout gâché en mangeant une tranche du jambon de traiteur que Lyndon gardait au frigidaire pour les soirs où il travaillait de nuit. Sa mère ne le lui avait jamais pardonné, elle non plus.

30

Quand l'Ohio commença à se réchauffer et à reverdir, Carl entreprit sérieusement de préparer le prochain voyage. Cette fois-ci, il envisageait d'aller dans le Sud, pour changer un peu du Midwest. Il passait ses soirées à étudier son atlas routier : Géorgie, Tennessee, Virginie, les deux Caroline. Deux mille kilomètres par semaine, c'est toujours ce qu'il prévoyait. Même si, en général, ils changeaient de voiture au moment de la floraison des pivoines, il avait décidé que le break était en assez bon état pour une sortie supplémentaire. Et Sandy ne rapportait plus l'argent qu'elle rapportait quand elle faisait le tapin régulièrement. Lee avait veillé à ça.

Allongée sur son lit, tard, un mercredi soir, Sandy dit : « J'ai réfléchi à ce pistolet, Carl. Tu as peut-être raison. » Elle ne l'avait pas précisé, mais elle avait aussi beaucoup réfléchi à la serveuse du White Cow. Elle s'y était même arrêtée, une fois ; elle avait commandé un milk-shake, pour observer la fille. Elle aurait préféré que Lee ne lui en parle pas. Ce qui l'ennuyait le plus, c'était que la fille lui rappelait ce qu'elle était elle-même avant que Carl n'entre dans sa vie : nerveuse, timide, cherchant à faire plaisir. Puis, quelques soirs plus tôt, en remplissant un verre pour un homme avec qui elle avait récemment baisé pour rien, elle n'avait pu s'empêcher de remarquer que maintenant, il ne la regardait même plus. En voyant l'homme s'en aller quelques minutes plus tard en compagnie d'une bimbo aux grandes dents et en fausse veste de fourrure, il lui vint à l'esprit que Carl cherchait peut-être à la remplacer. Ça lui faisait mal de penser qu'il se détournait d'elle de cette façon, mais pourquoi serait-il différent de n'importe lequel des autres salopards qu'elle avait connus ? Elle espérait se tromper, mais après tout, avoir son pistolet à elle n'était peut-être pas une si mauvaise idée.

Carl ne dit rien. Il fixait misérablement le plafond, souhaitant la mort de la propriétaire. Il fut étonné que Sandy reparle du pistolet après tout ce temps, mais peut-être avait-elle enfin réfléchi. Qui n'aurait pas souhaité avoir une arme, en faisant ce qu'ils faisaient ? Il roula sur lui-même, rejeta de ses grosses jambes sa partie des draps. Il faisait vingt degrés dehors à trois heures du matin, et la vieille salope avait laissé le chauffage allumé. Il était certain qu'elle l'avait fait exprès. Ils s'étaient encore engueulés l'autre jour à propos du fait qu'il chante la nuit. Il se leva, ouvrit la fenêtre, et resta là à se laisser rafraîchir par une brise légère. « Qu'est-ce qui t'a fait changer d'avis ? demanda-t-il.

– Oh, je ne sais pas. On ne sait jamais ce qui peut arriver, c'est toi qui l'as dit, non ? »

Il contempla l'obscurité, frotta le début de barbe sur son visage. Il redoutait de retourner dans le lit. Son côté était trempé de sueur. Peut-être allait-il passer la nuit sur le sol, près de la fenêtre, pensa-t-il. Il s'appuya près de la porte-

moustiquaire défoncée et respira plusieurs fois à fond.
Merde, il avait l'impression de suffoquer. « Elle fait juste
ça par malveillance, nom de Dieu.

– Quoi ?

– Laisser ce putain de chauffage. »

Sandy se souleva sur les coudes et contempla sa forme
sombre tapie près de la fenêtre, comme une créature
mythique, menaçante, prête à étendre ses ailes et à s'envo-
ler. « Mais tu me montreras comment tirer, hein ?

– Bien sûr, dit Carl. C'est pas très compliqué. » Il
l'entendit frotter une allumette derrière lui, tirer une bouffée de cigarette. Il se tourna vers le lit. « Un jour, quand
tu es de repos, on l'emportera dans la campagne. Pour que
tu puisses tirer quelques balles. »

Le dimanche, ils quittèrent l'appartement vers midi et
roulèrent jusqu'au sommet de Reub Hill, puis redescendi-
rent de l'autre côté. Il tourna à gauche sur un chemin
boueux, et s'arrêta quand ils arrivèrent à la décharge, tout
au bout. « Comment tu connais cet endroit ? » demanda
Sandy. Avant de rencontrer Carl, elle avait passé plus d'une
nuit à se faire sauter ici par des garçons dont elle n'avait
maintenant aucune envie de se souvenir. Elle avait toujours
espéré que si elle couchait avec le prochain, il la traiterait
comme sa petite amie, l'emmènerait peut-être danser au
Winter Garden ou à l'Armory, mais ça n'était jamais arrivé.
Dès qu'ils jouissaient, ils en avaient fini avec elle. Deux
d'entre eux lui piquèrent même ses pourboires, l'obligeant
à rentrer chez elle à pied. Elle regarda par la fenêtre et
vit, dans la rigole, une capote usagée étalée sur le dessus
d'une bouteille de Boone's Farm. Les garçons, autrefois,
surnommaient cet endroit la « voie ferrée ». Apparemment,

c'était toujours le cas. En y réfléchissant, elle s'aperçut que jamais de sa vie elle n'était allée danser.

« J'ai découvert ce coin un jour par hasard, dit Carl. Ça m'a rappelé cet endroit, dans l'Iowa.

– Tu veux dire avec l'Épouvantail ?

– Ouais. Salut Californie, j'arrive, cette tête de nœud. » Il se pencha par-dessus Sandy et ouvrit la boîte à gants, où il prit le .22 et un paquet de cartouches. « Allons, on va voir ce que ça donne. »

Il chargea le pistolet et posa quelques vieilles boîtes de conserve rouillées sur le dessus d'un matelas humide et taché. Puis il recula jusqu'à l'avant de la voiture et tira six balles à une dizaine de mètres. Il fit tomber quatre boîtes. Après lui avoir montré à nouveau comment charger, il lui tendit le pistolet. « Cette saloperie tire un peu à gauche, dit-il, mais c'est bon. N'essaie pas de viser, mais essaie plutôt de pointer, comme avec ton doigt. Respire à fond, appuie sur la gâchette, et laisse aller. »

Tenant le pistolet à deux mains, Sandy visa. Elle ferma les yeux et appuya sur la gâchette. « Ne ferme pas les yeux », dit Carl. Elle tira cinq balles aussi vite que possible. Elle fit plusieurs trous dans le matelas. « Eh bien, tu te rapproches », dit-il. Il lui tendit la boîte de cartouches. « Cette fois, c'est toi qui charges. » Il sortit un cigare et l'alluma. Quand elle toucha la première boîte, elle couina comme une petite fille qui a trouvé un œuf de Pâques. Elle loupa la suivante, puis en toucha une autre. « Pas mal, dit-il. Voyons, que je vérifie. »

Il venait de finir de recharger le pistolet quand ils entendirent un pick-up descendre rapidement la route dans leur direction. Le véhicule s'arrêta dans une embardée à quelques mètres d'eux, et un homme entre deux âges, au visage émacié, en sortit. Il portait un pantalon de costume bleu, une chemise blanche, et des souliers noirs cirés. Il avait sans doute passé toute la matinée coincé à l'église, assis sur un banc avec sa femme au gros cul, pensa Carl. Et maintenant il se préparait à manger un poulet rôti, et à faire une petite sieste si cette vieille truie voulait bien fermer sa gueule cinq minutes. Et demain matin, retour au boulot, et pas pour rigoler. On pouvait presque admirer quelqu'un qui était capable de se contenter de ça. « Qui vous a donné la permission de tirer ici ? » dit l'homme. Sa voix rude suggérait qu'il n'était pas très content.

« Personne. » Carl regarda autour de lui et haussa les épaules.

« Merde, mon pote, c'est juste une décharge.

– C'est mon terrain, voilà ce que c'est, dit l'homme.

– On s'entraîne juste à tirer sur une cible. J'essaie d'apprendre à ma femme à se défendre. »

L'homme secoua la tête. « Je ne permets pas qu'on tire sur mon terrain. Hé, mon gars, j'ai du bétail par là. En plus, vous savez pas que c'est le Jour du Seigneur ? »

Carl poussa un soupir et jeta un regard sur le champ brun qui entourait la décharge. Aucune vache en vue, nulle part. Le ciel était une basse canopée grise infinie, immuable. Aussi loin qu'il fût de la ville, il pouvait percevoir dans l'air l'odeur âcre de la fabrique de papier. « D'accord, j'ai compris. » Il regarda le fermier retourner à son pick-up en secouant sa tête grise. « Hé, m'sieur », appela Carl soudain.

L'homme s'arrêta et se retourna. « Qu'est-ce qu'il y a, maintenant ?

– Je me demandais, dit Carl en faisant quelques pas dans sa direction. Ça vous dérangerait si je vous prenais en photo ?

– Carl... », dit Sandy. Mais, de la main, il lui fit signe de se taire.

« Pourquoi diable vous feriez une chose pareille ? dit l'homme.

– Eh bien, je suis photographe. Je pensais juste que ça ferait une bonne photo. Mince, je pourrais peut-être la vendre à un magazine, ou je ne sais quoi. Je garde toujours les yeux à l'affût pour les bons sujets comme vous. »

L'homme regarda Sandy debout à côté du break. Elle allumait une cigarette. Il n'approuvait pas les femmes qui fument. La plupart de celles qu'il avait connues étaient des roulures, mais il imaginait qu'un homme qui prenait des photos pour vivre ne pouvait sans doute pas trouver une fille décente. Difficile de dire où il l'avait ramassée. Quelques années auparavant, il avait trouvé dans sa porcherie une certaine Mildred McDonald, à moitié nue, en train de déguster une sucette à cancer. Elle lui avait dit qu'elle attendait un homme. Elle avait dit ça tout naturellement, puis avait essayé de le pousser à s'allonger avec elle dans la boue. Il jeta un coup d'œil au pistolet que Carl tenait dans sa main, et remarqua que son doigt était toujours sur la gâchette. « Vous feriez mieux de vous tirer d'ici, dit l'homme qui commença à avancer rapidement vers son pick-up.

– Qu'est-ce que vous allez faire ? Appeler les flics ? » Carl regarda Sandy, derrière lui, et lui fit un clin d'œil.

L'homme ouvrit la portière et plongea la main dans sa voiture. « Hé, mon gars, pour m'occuper de vous, j'ai pas besoin d'un pourri de shérif. »

En entendant ça, Carl se mit à rire, puis regarda autour de lui et vit le fermier debout derrière la portière du pick-up, un fusil pointé dans sa direction à travers la vitre ouverte. Son visage buriné était éclairé d'un large sourire. « C'est de mon beau-frère que vous parlez, lui dit Carl, sa voix devenue sérieuse.

– Qui ? Lee Bodecker ? » L'homme tourna la tête et cracha. « À votre place, je m'en vanterais pas. »

Carl resta immobile au milieu de la route, le regard fixé sur le fermier. Il entendit un grincement derrière lui quand Sandy entra dans la voiture et claqua la portière. Pendant une seconde, il envisagea de lever le pistolet et de le décharger sur ce salopard, une fusillade à la régulière. Sa main commença à trembler un peu, et il respira à fond pour essayer de se calmer. Puis il pensa à l'avenir. Il y avait toujours la prochaine chasse. Encore quelques semaines, et Sandy et lui seraient à nouveau sur la route. Depuis qu'il avait entendu les républicains discuter au White Cow, il pensait à tuer l'un de ces cheveux longs. Selon les informations qu'il avait vues à la télé récemment, le pays prenait le chemin du chaos. Et il voulait être là pour assister à ça. Rien ne lui ferait plus plaisir que de voir un jour tout ce merdier partir en flammes. Et Sandy, ces temps-ci, mangeait mieux, commençait à s'épaissir. Elle perdait rapidement sa beauté – ils ne lui avaient jamais fait soigner les dents – mais ils avaient encore quelques bonnes années devant eux. Inutile de gâcher tout ça parce qu'un imbécile de fermier avait des états d'âme. Dès qu'il eut pris sa décision, sa main cessa de trembler. Il se retourna et commença à se diriger vers le break.

« Et que je ne vous revoie jamais par ici, compris ? » entendit-il l'homme lui crier quand il prit place sur le siège avant et tendit son pistolet à Sandy. En démarrant, il se retourna une dernière fois, mais il ne voyait toujours pas ces putains de vaches.

CINQUIÈME PARTIE

PRÉDICATEUR

31

Parfois, si les flics devenaient trop durs ou s'ils avaient trop faim, ils prenaient le chemin de l'intérieur, s'éloignant de la grande étendue d'eau que Theodore aimait tant, pour que Roy puisse trouver du travail. Tandis que Roy ramassait des fruits pendant quelques jours ou quelques semaines, Theodore restait assis sous un bouquet d'arbres ou à l'ombre d'un buisson, attendant chaque soir son retour. Maintenant, son corps n'était plus qu'une coquille vide. Sa peau était grise comme de l'ardoise, et sa vue avait faibli. Il s'évanouissait sans raison, se plaignait de douleurs aigües qui lui engourdissaient les bras, et d'un poids sur l'estomac qui parfois lui faisait vomir son petit-déjeuner et le demi-litre de vin chaud que Roy laissait chaque matin pour lui tenir compagnie. Pourtant, chaque soir, il essayait de ressusciter pour quelques heures, tentait de jouer de la musique, même si ses doigts ne fonctionnaient plus très bien. Roy faisait le tour de leur campement une bonbonne à la main, essayant d'entamer un prêche, quelque chose qui vienne du cœur, tandis que Theodore écoutait et grattait sa guitare. Pendant un moment, ils répétaient leur grand retour, puis Roy s'effondrait sur sa couverture, épuisé par sa journée de travail dans les vergers. Au bout d'une minute ou deux, il ronflait. Avec un peu de chance, il rêvait de Lenora. Sa petite fille. Son ange. Récemment, il pensait de plus en plus souvent à elle, mais c'est en dormant qu'il s'en rapprochait le plus.

Dès que le feu s'éteindrait, les moustiques attaqueraient en piqué, ce qui rendait fou Theodore. Ils ne dérangeaient absolument pas Roy, et l'invalide aurait voulu avoir un sang comme le sien. Une nuit, il s'était réveillé, les moustiques lui bourdonnant aux oreilles, toujours assis dans son fauteuil, la guitare posée devant lui sur le sol. Roy était pelotonné comme un chien de l'autre côté des braises. Ça faisait deux semaines qu'ils campaient au même endroit. De petits tas de selles et de vomi de Theodore était éparpillés sur l'herbe morte. « Seigneur, il faudrait peut-être qu'on pense à bouger », avait dit Roy ce soir-là en revenant du magasin au bout de la rue. Il s'éventa de ses mains. « Ça commence à être plutôt mûr, par ici ! » C'était il y a quelques heures, dans la chaleur du jour. Mais maintenant une fraîche brise, qui sentait légèrement l'eau salée à soixante kilomètres de là, agitait les feuilles des arbres au-dessus de la tête de Theodore. Il se pencha et ramassa la bonbonne de vin à ses pieds. Il en but une gorgée, la reboucha et regarda les étoiles posées contre le ciel noir comme les minuscules éclats d'un miroir brisé. Elles lui rappelaient le brillant que Flapjack utilisait pour ses paupières. Un soir, aux environs de Chattahoochee, un an environ après l'incident avec le petit garçon, Roy et lui s'étaient faufilés quelques instants dans la fête foraine. Non, leur dit le vendeur de hot-dogs, Flapjack n'était plus avec eux. « On s'était installés juste en dehors d'une ville de bouseux, dans l'Arkansas, et une nuit il avait disparu. Mince, le lendemain, on avait déjà traversé la moitié de l'État avant que quiconque ait remarqué qu'il n'était pas là. Le patron avait dit qu'il finirait bien par réapparaître, mais il n'était jamais revenu. Vous connaissez Bradford, les gars, les affaires avant tout. » Il dit que, de toute façon, Flapjack commençait à être moins drôle.

Theodore était si las, si dégoûté de tout ça. « On a quand même eu des bons moments, hein, Roy ? » dit-il à voix haute, mais l'homme sur le sol ne bougea pas. Il but une autre gorgée et posa la bonbonne sur ses genoux. « Des bons moments », répéta-t-il à voix basse. Les étoiles devinrent floues, et disparurent. Il rêvait de Flapjack dans son costume de clown, d'églises nues éclairées par des lanternes fumeuses, de rades bruyants au sol couvert de sciure, puis un océan lui léchait doucement les pieds. Il la sentait, il sentait l'eau froide. Il sourit, se propulsa en avant et commença à flotter sur la mer, plus loin qu'il n'avait jamais été. Il n'avait pas peur : Dieu le rappelait à lui, et bientôt ses jambes fonctionneraient à nouveau. Mais au matin, il s'éveilla sur le sol dur, déçu de se trouver encore en vie. Il tendit la main et tâta son pantalon. Il s'était encore pissé dessus. Roy était déjà parti travailler. Il s'allongea, un côté du visage pressé contre la terre. Il fixa un tas de sa merde couverte de mouches, à quelques pas, et essaya de glisser à nouveau dans le sommeil, dans l'océan.

32

Emma et Arvin se tenaient devant le rayon boucherie de l'épicerie de Lewisburg. On était à la fin du mois, et la vieille femme n'avait pas beaucoup d'argent, mais le nouveau pasteur arrivait samedi. La congrégation avait prévu d'organiser à l'église, pour sa femme et lui, un dîner à la fortune du pot. « Tu crois que ça irait, des foies de volaille ? » demanda-t-elle après avoir effectué mentalement de nouveaux calculs. Les abats étaient moins chers.

« Pourquoi ça n'irait pas ? » dit Arvin. À ce stade-là, il aurait acquiescé à tout ; pour lui, même des museaux de porc auraient convenu. Ça faisait vingt minutes que la vieille femme regardait intensément les plateaux de viande sanguinolente.

« Je sais pas, dit-elle. Tout le monde dit qu'ils aiment bien la façon dont je les prépare, mais…

– D'accord. Alors, achète-leur à tous un gros steak.

– Pff. Tu sais bien que je ne peux pas me permettre une chose pareille.

– Alors on prend des foies de volaille, dit-il avec un geste vers le boucher au tablier blanc. Arrête de t'inquiéter pour

242

ça, grand-mère. C'est juste un pasteur. À mon avis, il a mangé bien pire que ça. »

Ce samedi soir, Emma recouvrit d'un linge propre sa poêle remplie de foies, et Arvin la posa soigneusement sur le plancher à l'arrière de sa voiture. Sa grand-mère et Lenora étaient plus qu'un peu nerveuses. Elles avaient passé la journée à s'entraîner pour se présenter. « Ravie de faire votre connaissance », répétaient-elles à chaque fois qu'elles se croisaient dans la petite maison. Earskell et lui, assis sur la véranda, en gloussaient de rire, mais au bout d'un moment, ça commença à devenir pénible. « Seigneur Jésus, mon garçon, je peux plus supporter ça », finit par dire le vieil homme. Il se leva de son rocking-chair, fit le tour de la maison et pénétra dans les bois. Il fallut plusieurs jours à Arvin pour se sortir de la tête ces cinq mots, cette connerie de « Ravie de faire votre connaissance ».

À six heures, quand ils arrivèrent, le parking autour de la vieille église était déjà plein. Arvin portait la poêlée de foies, qu'il posa sur la table à côté des autres mets. Le nouveau pasteur, grand et corpulent, était debout au milieu de la pièce, serrant des mains en disant : « Ravi de faire votre connaissance », encore et encore. Il s'appelait Preston Teagardin. Ses cheveux blonds mi-longs étaient coiffés en arrière à l'aide d'une brillantine parfumée, une grosse pierre ovale scintillait à l'une de ses mains poilues, et à l'autre une mince alliance en or. Il portait un pantalon bleu pastel brillant trop étroit, des bottines et une chemise blanche ruchée qui, alors qu'on n'était qu'au premier avril et qu'il faisait encore frais, était déjà trempée de sueur. Arvin lui donnait une trentaine d'années, mais sa femme semblait nettement plus jeune, peut-être même qu'elle n'avait pas vingt ans. Elle était mince comme un roseau, avec des cheveux auburn partagés au milieu, et un teint pâle, avec des taches de rousseur. Elle se tenait à quelques pas de son mari, mâchonnant un chewing-gum et tirant sur la jupe à pois lavande et blanc qui n'arrêtait pas de remonter sur son cul mince et rond. Le pasteur la présentait invariablement comme « ma tendre et bonne épouse de Hohenwald, Tennessee ».

Le pasteur Teagardin essuya son front large et lisse avec un mouchoir brodé, et évoqua une église dans laquelle il avait servi pendant un moment, à Nashville, où il y avait l'air conditionné. Il était évident qu'il était déçu par l'installation de son oncle. Seigneur, il n'y avait même pas de ventilateur. En plein été, cette vieille bâtisse devait être une salle de torture. Son esprit se mit à vagabonder, et il commençait à paraître aussi somnolent et ennuyé que sa femme, mais Arvin remarqua qu'il se ragaillardit nettement quand Mrs Alma Reaster arriva accompagnée de ses deux filles adolescentes, Beth Ann et Pamela Sue, âgées de quatorze et seize ans. C'était comme si deux anges avaient voleté dans la pièce et s'étaient posé sur les épaules du pasteur. Malgré tous ses efforts, il ne parvenait pas à détourner les yeux de leurs corps fermes et bronzés, vêtus de robes assorties jaune pâle. Soudain inspiré, Teagardin commença à parler à tous ceux qui l'entouraient de constituer un groupe de jeunes, quelque chose de très efficace qu'il avait vu dans plusieurs paroisses de Memphis. Il ferait tout son possible, il le jurait, pour que les jeunes se sentent concernés. « Ils sont le sang de toute Église », dit-il. Puis sa femme s'avança d'un pas et lui murmura quelque chose à l'oreille tandis qu'elle fixait les filles Reaster qui avaient dû gravement le troubler, pensèrent certains membres de la congrégation, vu la façon dont, de ses lèvres rouges, il faisait la bouche en cul de poule et pinçait l'intérieur du bras de sa femme. Arvin avait du mal à croire que ce gros renifleur de chatte pût être parent d'Albert Sykes.

Il se glissa à l'extérieur pour fumer juste avant qu'Emma et Lenora se risquent à aller se présenter au nouveau pasteur. Il se demanda comment elles réagiraient quand le révérend les accueillerait de son « Ravi de faire votre connaissance ». Il se mit sous un prunier en compagnie de quelques fermiers vêtus de bleus de travail et de chemises boutonnées jusqu'au col, les écoutant parler du cours de la viande de veau tout en regardant quelques retardataires se dépêcher d'entrer dans l'église. Enfin, quelqu'un arriva à la porte et cria : « Le pasteur est prêt à manger. »

Les gens insistèrent pour que Teagardin et sa femme se servent les premiers ; le révérend prit donc deux assiettes et entreprit de faire le tour des tables, humant délicatement la nourriture, découvrant des plats, plongeant le doigt ici et là juste pour goûter, faisant son numéro devant les deux filles Reaster qui gloussaient en se chuchotant à l'oreille. Puis, soudain, il s'arrêta et tendit à sa femme ses assiettes toujours vides. Le pinçon sur le bras de celle-ci commençait déjà à bleuir. Teagardin regarda le plafond, les mains tendues très haut, puis désigna la poêlée de foies de volaille d'Emma. « Mes amis, commença-t-il d'une voix sonore, il ne fait pas de doute qu'ici, ce soir, dans cette église, nous sommes tous des gens humbles, et que vous avez tous été très gentils envers moi et ma jeune et tendre épouse. Je vous remercie du fond du cœur pour cet accueil chaleureux. C'est vrai, aucun de nous n'a tout l'argent et les belles voitures et les breloques et les beaux habits que nous aimerions tous avoir, mais, mes amis, la pauvre vieille âme qui a apporté ces foies de volaille dans une poêle cabossée, et bien, disons que je suis inspiré pour prêcher à ce propos pendant une minute avant que nous ne nous mettions à manger. Rappelez-vous, si vous le pouvez, ce que Jésus a dit aux pauvres de Nazareth, il y a tant de siècles. Bien sûr, certains d'entre nous sont plus riches que les autres, et je vois sur cette table beaucoup de viande blanche et de viande rouge, et je soupçonne que les gens qui ont apporté ces plats mangent en général plutôt bien. Mais les pauvres gens doivent apporter ce qu'ils peuvent se permettre, et parfois ils ne peuvent pas se permettre grand-chose. Aussi ces abats sont-ils pour moi un signe qui me dit que je devrais, en tant que nouveau pasteur, me sacrifier afin que vous puissiez tous avoir ce soir une part de la bonne viande. Et c'est ce que je vais faire, mes amis. Je vais manger ces abats afin que vous puissiez tous avoir votre part de ce qu'il y a de meilleur. Ne vous inquiétez pas, je suis comme ça, c'est tout. Chaque fois qu'Il m'en offre l'occasion, je prends modèle sur notre bon Seigneur Jésus, et ce soir Il m'a comblé d'une nouvelle opportunité de suivre ses pas. Amen. » Puis le pasteur Teagardin dit à voix basse quelque chose à sa femme rousse et elle se dirigea droit sur les desserts, chaloupant un peu sur ses hauts talons, et remplit les assiettes de tarte à la crème, de gâteau aux carottes et des biscuits de Mrs Thompson, pendant qu'il portait la poêle pleine de foies à sa place à l'extrémité de l'une des longues tables en contreplaqué installées pour le repas.

« Amen », répétèrent les fidèles. Certains paraissaient gênés, tandis que d'autres, ceux qui avaient apporté des bons plats, arboraient un grand sourire. Quelques-uns jetèrent un coup d'œil à Emma, debout à l'arrière avec Lenora. Quand elle sentit ces regards sur elle, elle commença à défaillir et la fille la prit par le coude. Arvin se précipita par la porte ouverte, et l'aida à sortir. Il l'assit sur l'herbe, sous un arbre, et Lenora lui apporta un verre d'eau. La vieille femme but une gorgée et se mit à pleurer. Arvin lui tapota l'épaule « Allons, allons, dit-il, ne t'inquiète pas pour ce gros lourdaud vaniteux. Il doit pas avoir deux sous devant lui. Tu veux que j'aille lui parler ? »

Elle se tamponna les yeux avec l'ourlet de sa robe du dimanche. « Je me suis jamais senti aussi gênée de ma vie, dit-elle. J'aurais voulu ramper sous la table.

– Tu veux que je te ramène ? »

Elle renifla encore un peu, puis soupira. « Je ne sais pas quoi faire. » Elle regarda en direction de la porte de l'église. « C'est sûr que c'est pas le genre de pasteur que j'espérais.

– Allons, grand mère, cet idiot n'est pas un pasteur. Il est aussi mauvais que ceux qu'on entend à la radio qui supplient pour qu'on leur envoie de l'argent.

– Arvin, tu devrais pas parler comme ça, dit Lenora. Le pasteur Teagardin ne serait pas là si le Seigneur l'avait pas envoyé.

– Ouais, c'est vrai. » Il commença à aider sa grand-mère à se relever. « T'as vu la façon dont il a englouti ces foies de volaille ? plaisanta-t-il pour la forcer à sourire. Mince, ce type avait sans doute jamais rien mangé d'aussi bon. C'est pour ça qu'il a voulu tous les garder pour lui. »

33

Preston Teagardin était allongé sur le divan, dans la maison que la congrégation avait louée pour sa femme et lui, en train de lire le vieux manuel de psychologie qu'il avait à l'université. La maison était une petite cabane carrée avec quatre fenêtres sales et des toilettes extérieures entourées de saules pleureurs, au bout d'un chemin de terre. La cuisinière à gaz qui fuyait abritait des souris momifiées, et les meubles de rebut qu'ils leur avaient fournis sentaient le chien, ou le chat, ou Dieu sait quelle créature crasseuse. Mon Dieu, vu la façon dont vivaient les gens du coin, il n'aurait pas été surpris qu'il s'agisse de porcs. Il n'était à Coal Creek que depuis deux semaines, mais il méprisait déjà l'endroit. Il continuait à essayer d'envisager cette mission dans un trou pareil comme une sorte d'épreuve spirituelle voulue par le Seigneur, mais c'était avant tout le fait de sa mère. Pour ça oui, elle l'avait bien eu, elle l'avait enculé bien profond, cette vieille garce. Plus un penny de pension jusqu'à ce qu'il ait montré ce dont il était capable, avait-elle dit après avoir découvert – la semaine même où elle devait assister à sa cérémonie de remise de diplôme – qu'il avait été viré de l'université religieuse Heavenly Reach à la fin de son premier semestre. Et alors, un ou deux jours plus tard, sa sœur avait appelé et lui avait dit qu'Albert était malade. Quel parfait timing ! Sans même lui demander son avis, elle avait spontanément proposé son fils.

Le cours de psychologie qu'il avait suivi avec le Dr. Phillips était la seule bonne chose qu'il ait retirée de son passage là-bas. De toute façon, quelle importance un diplôme comme celui d'Heavenly Reach pouvait-il avoir dans le monde des universités d'Ohio ou de Harvard ? Il aurait tout aussi bien pu acheter un diplôme par correspondance à l'une de ces adresses citées au dos des magazines de bandes dessinées. Sûr qu'il aurait voulu suivre les cours d'une véritable université et étudier le droit, mais non, pas avec son argent à elle. Sa mère voulait qu'il devienne un modeste prédicateur, comme Albert. Elle craignait de le gâter, disait-elle. Elle disait un tas de conneries, mais, d'après ce que Preston comprenait, ce qu'elle voulait vraiment, c'était qu'il continue à dépendre d'elle, qu'il reste dans ses jupes, pour qu'il soit toujours forcé de lui lécher le cul. Il avait toujours su comprendre les gens, leurs envies et leurs désirs mesquins, surtout ceux des adolescentes.

Cynthia était l'une de ses premières grandes réussites. Elle n'avait que quinze ans quand il avait aidé l'un de ses professeurs à l'emballer, lors de la célébration d'un baptême à Flat Fish Creek. Le soir même, il avait enfilé son petit cul délicat sous un rosier de Heavenly Reach, et moins d'un an après il l'avait épousée pour pouvoir s'occuper d'elle sans que ses parents y fourrent leur nez. Au cours des trois dernières années, il lui avait appris toutes les choses qu'il imaginait qu'un homme puisse faire à une femme. Il ne pouvait calculer le temps que ça lui avait pris, mais maintenant elle était aussi bien entraînée qu'un jeune chiot. Il lui suffisait de claquer dans ses doigts, et elle commençait à saliver en attendant ce qu'il lui plaisait d'appeler son « bâton ».

Il la regarda, en sous-vêtements, lovée dans un fauteuil graisseux qui allait avec ce dépotoir, sa fente soyeuse serrée contre la mince toile jaune. Elle louchait sur un article du *Hit Parader* à propos des Dave Clark Five[1], essayant d'articuler les mots. Un jour, pensa-t-il, s'il la gardait, il devrait lui apprendre à lire. Il avait récemment découvert qu'il pouvait durer deux fois plus longtemps si l'une de ses jeunes conquêtes lisait le Saint Livre pendant qu'il la prenait par-derrière. Preston adorait la façon dont elles haletaient sur les textes sacrés, la façon dont elles commençaient à bafouiller, à arquer le dos et à lutter pour ne pas se tromper de ligne – car il pouvait se fâcher vraiment quand elles lisaient mal – juste avant que son « bâton » n'explose. Mais Cynthia ? Merde, une collégienne débile sortie du trou le plus paumé des Appalaches aurait lu mieux qu'elle. À chaque fois que sa mère faisait remarquer que son fils, Preston Teagardin, avec quatre années de latin au lycée derrière lui, avait fini par épouser une illettrée d'Hohenwald, elle manquait d'avoir une nouvelle crise.

Garder ou non Cynthia offrait donc matière à discussion. Parfois, pendant une seconde ou deux, il la regardait et

---

1. Groupe de rock britannique des années cinquante.

se découvrait incapable de se rappeler ne fût-ce que son nom. Bouche bée, l'esprit engourdi par ses nombreuses expériences, il réalisait que ce qui, un jour, avait été nouveau et ferme était maintenant un souvenir fané, et il en allait de même pour l'excitation qu'elle suscitait autrefois en lui. Mais le plus gros problème que lui posait Cynthia, c'est qu'elle ne croyait plus en Jésus. Preston pouvait supporter à peu près tout, sauf ça. Il avait besoin qu'une femme, quand elle était couchée avec lui, soit persuadée qu'elle commettait un péché, qu'elle courait le danger imminent d'aller en Enfer. Comment aurait-il pu être séduit par quelqu'un qui ne comprenait pas le combat désespéré faisant rage entre le Bien et le Mal, la pureté et la luxure ? Chaque fois qu'il baisait une jeune fille, Preston se sentait coupable, avait l'impression de se noyer dans la culpabilité, au moins pendant une ou deux longues minutes. Pour lui, une telle sensation était la preuve que, aussi cruel et corrompu qu'il pût être, il pouvait encore aller au Paradis, du moins s'il se repentait, avant de pousser son dernier soupir, de son goût lamentable pour les prostituées. Tout était une question de timing, ce qui, évidemment, rendait les choses encore plus excitantes. Mais tout cela semblait parfaitement égal à Cynthia. Ces temps-ci, baiser Cynthia, c'était comme planter son « bâton » dans un beignet gras et sans âme.

Mais cette petite Laferty, pensa Preston en tournant une page de son manuel de psychologie et en frottant à travers son pyjama sa bite à moitié dure, Seigneur, voilà une croyante. Ces deux derniers dimanches, il l'avait observée de près, à l'église. Physiquement, elle n'était pas terrible, c'est vrai, mais il avait connu pire à Nashville quand il avait accompli un mois de volontariat à l'asile d'indigents. Il se pencha et prit un cracker dans un paquet sur la table basse, se le fourra dans la bouche. Il le laissa posé sur sa langue, comme une hostie, et fondre, se transformer en une boulette molle, dépourvue de goût. Oui, Miss Lenora Laferty conviendrait pour le moment, du moins jusqu'à ce qu'il arrive à mettre la main sur une des filles Reaster. Dès qu'il lui aurait fait quitter cette robe défraîchie, il ferait naître un sourire sur ce triste visage pincé. Selon les commérages de la paroisse, son père, à un moment donné, avait été prédicateur dans le coin, puis – c'est du moins ce qu'on racontait – il avait assassiné la mère de la fille, et disparu. Laissé la pauvre petite Lenora encore bébé avec la vieille femme qui avait été si bouleversée à propos des foies de volaille. Cette fille serait facile, il pouvait le prédire.

Il avala le cracker et soudain une petite étincelle de joie parcourut son corps, du sommet de sa tête blonde à ses jambes et à ses orteils. Dieu merci, Dieu merci, sa mère, il y avait bien des années, avait décidé qu'il serait pasteur. Toute la chair fraîche qu'un homme pouvait consommer, s'il menait correctement son jeu. La vieille bique lui frisait les cheveux tous les matins, lui apprenait l'hygiène, le faisait s'entraîner à mimer des expressions dans la glace. Elle étudiait la Bible avec lui chaque soir, le conduisait à différentes églises, prenait soin qu'il fût bien habillé. Preston n'avait jamais joué au base-ball, mais il pouvait pleurer au bon moment ; il ne s'était jamais bagarré, mais il pouvait réciter le Livre des Révélations les yeux fermés. Alors, oui, mon Dieu, il ferait ce qu'elle lui avait demandé, il aiderait pendant un moment son misérable beau-frère, il habiterait dans ce dépotoir, et il ferait même semblant d'aimer ça. Il lui montrerait son « courage », nom de Dieu. Puis, quand Albert serait remis sur pieds, il lui demanderait de l'argent, à cette vieille peau. Il devrait sans doute lui mentir, lui raconter des conneries, mais au moins il en éprouverait un soupçon de culpabilité, alors ça allait. Tout pour aller sur la Côte ouest. C'était sa nouvelle obsession. Récemment, il avait entendu des trucs aux informations. Il se passait là-bas quelque chose dont il voulait être témoin. L'amour libre, les filles en cavale vivant dans les rues avec des fleurs dans leurs cheveux emmêlés. Des proies faciles pour un homme doué de ses capacités.

Preston marqua sa page avec le vieux paquet de tabac de son oncle, et referma le livre. Five Brothers ? Seigneur, quel genre de personne fallait-il être pour placer sa confiance dans une chose pareille ! Quand le vieil homme lui avait dit que ce paquet avait le pouvoir de guérir, il avait failli lui éclater de rire au nez. Il regarda Cynthia, maintenant à moitié endormie, un filet de salive lui coulant du menton. Il claqua dans ses doigts, et instantanément elle ouvrit les yeux. Elle fronça les sourcils et essaya de refermer les yeux, mais c'était impossible. Elle fit son possible pour résister, puis se leva de son fauteuil et se mit à genoux à côté du divan de Preston. Il défit les boutons de son pyjama, écarta un peu ses grosses jambes poilues. Tandis qu'elle commençait à le prendre dans sa bouche, il prononça en lui-même une petite prière : Seigneur, accorde-moi six mois en Californie, et puis je reviendrai et je me conduirai bien, je m'installerai avec une foule de gens bien, je le jure sur la tombe de ma mère. Il appuya sur la tête de Cynthia, l'entendit qui commençait à suffo-

quer et à étouffer. Puis les muscles de sa gorge se déten-
dirent, et elle cessa de résister. Il la maintint dans cette
position jusqu'à ce que son visage devienne écarlate, puis
pourpre, du manque d'air. Il aimait ça, ouais, c'est sûr. La
regarder s'en aller.

34

Un jour, en rentrant du lycée, Lenora s'arrêta à l'Église du Saint-Esprit Sanctifié de Coal Creek. La porte de devant était grande ouverte, et la minable voiture de sports anglaise du pasteur Teagardin – un cadeau de sa mère quand il était entré à Heavenly Reach – était garée à l'ombre, comme la veille et l'avant-veille. C'était une chaude après-midi de la mi-mai. Elle avait semé Arvin, regardé depuis une fenêtre du lycée jusqu'à ce qu'elle l'ait vu renoncer à l'attendre et partir sans elle. Elle entra dans l'église et laissa ses yeux s'habituer à la pénombre. Le nouveau pasteur était assis sur l'un des bancs, à mi-chemin de l'allée centrale. On aurait dit qu'il priait. Elle attendit de l'avoir entendu dire « Amen », puis commença à avancer lentement.

Teagardin sentit sa présence. Ça faisait maintenant trois semaines qu'il attendait patiemment Lenora. Presque chaque jour, il venait à l'église et en ouvrait la porte à peu près au moment de la sortie des classes. La plupart du temps, il la voyait assise dans cette Bel Air de merde avec son demi-frère, ou peu importe qui c'était, mais une fois ou deux il l'avait vue rentrer chez elle toute seule. Il entendit ses pas légers sur le plancher rugueux. Lorsqu'elle s'approcha, il sentit son haleine parfumée au Juicy Fruit. Quand il s'agissait des jeunes filles et de leurs différentes odeurs, il avait l'odorat d'un chien de chasse. « Qui est là ? demanda-t-il en levant la tête.

– Lenora Laferty, pasteur Teagardin. »

Il se signa et se tourna vers elle en souriant. « Eh bien, quelle surprise », dit-il. Puis il l'observa de plus près. « On dirait que vous avez pleuré, ma fille.

– Ce n'est rien, dit-elle en secouant la tête. C'est juste des gamins, à l'école. Ils aiment taquiner les autres. »

Il regarda un moment dans le vague, à la recherche d'une réponse adaptée. « Je pense que c'est juste de la jalousie, dit-il. L'envie a tendance à susciter le pire chez les gens, en particulier chez les plus jeunes.

– Je doute que ce soit ça.

– Quel âge avez-vous, Lenora ?

– Presque dix-sept ans.

– Je me souviens quand j'avais cet âge. J'étais là, habité par le Seigneur, et les autres gamins se moquaient de moi jour et nuit. C'était terrible, toutes les idées horribles qui me passaient dans la tête. »

Elle acquiesça et s'assit sur le banc en face de lui. « Et qu'est-ce que vous faisiez ? »

Il ignora sa question, donna l'impression d'être plongé dans ses pensées. « Oui, ça a été une époque pénible, dit-il enfin avec un long soupir. Dieu merci, c'est fini. » Puis il sourit à nouveau. « Vous êtes attendue quelque part, pendant les deux heures qui viennent ?

– Non, pas vraiment », dit-elle.

Teagardin se leva, lui prit la main. « Alors, je pense qu'il est temps qu'on aille faire un tour, tous les deux. »

Vingt minutes plus tard, ils étaient garés sur un vieux chemin d'accès à une ferme, qu'il surveillait depuis son arrivée à Coal Creek. Autrefois, le chemin menait à un champ de foin, à un kilomètre environ à l'écart de la route, mais maintenant le terrain était couvert de sorgho d'Alep et d'épais buissons. Les traces de ses pneus étaient les seules qu'il ait vues depuis deux semaines. C'était un lieu sans risques pour y amener quelqu'un. Quand il coupa le moteur, il prononça une petite prière, puis posa sa chaude main charnue sur le genou de Lenora et lui dit ce qu'elle avait envie d'entendre. De toute façon, elles voulaient toutes entendre à peu près la même chose, même celles qui en avaient plein la bouche de Jésus. Il aurait aimé qu'elle résiste un peu plus, mais elle était facile, comme il l'avait prévu. Même ainsi, aussi souvent qu'il ait fait ça, tout le temps qu'il lui retirait ses vêtements il entendait le moindre oiseau, le moindre insecte, le moindre animal se déplaçant dans la forêt sur ce qui semblait des kilomètres. La première fois avec une nouvelle, c'était toujours comme ça.

Quand il eut terminé, Preston se pencha pour ramasser la culotte grise douteuse sur le plancher de la voiture. Il en essuya le sang lui-même, et la lui tendit. Il écarta une mouche qui bourdonnait autour de son entrejambe, puis prit son pantalon marron et boutonna sa chemise blanche tout en la regardant batailler pour remettre sa longue robe. « Tu n'en parleras à personne, n'est-ce pas ? » dit-il. Il regrettait déjà de ne pas être resté chez lui à lire son manuel de psychologie, peut-être même à essayer de couper l'herbe avec la tondeuse qu'Albert leur avait fait passer après que Cynthia eut marché sur un serpent noir lové devant les toilettes. Malheureusement, il n'avait jamais été de ces hommes adeptes des travaux physiques. Le seul fait de s'imaginer poussant cette tondeuse à travers ce jardin caillouteux lui donnait la nausée.

« Non, dit-elle. Je n'en parlerai jamais, promis.

– C'est bien. Certaines personnes pourraient ne pas comprendre. Et je suis sincèrement persuadé que la relation de quelqu'un avec son pasteur doit rester une affaire privée.

– Ce que vous avez dit, vous le pensiez vraiment ? » demanda-t-elle timidement.

Il s'efforça de se rappeler quelle phrase idiote il avait prononcée. « Évidemment. » Il avait la gorge sèche. Il roulerait peut-être jusqu'à Lewisburg pour prendre une bière fraîche afin de célébrer l'« ouverture » d'une nouvelle vierge. « Dans quelques temps, ces gamins de ton lycée ne pourront pas détacher leurs yeux de toi, dit-il. Il y a des filles à qui il suffit de franchir le pas, c'est tout. Mais je peux te dire qu'il y en a une qui deviendra de plus en plus belle au fur et à mesure qu'elle vieillira. Tu devrais en remercier le Seigneur. Oui, tu as de bien belles années devant toi, Miss Lenora Laferty. »

35

À la fin du mois de mai, Arvin fut diplômé du lycée de Coal Creek en même temps que neuf autres élèves de terminale. Le lundi suivant, il alla travailler sur un chantier de construction chargé de poser un nouveau revêtement sur la portion de la Route 60 qui traversait Greenbrier County. C'est un voisin de l'autre côté de la colline, un certain Clifford Baker, qui l'avait embauché. Le père d'Arvin et lui avaient l'habitude de faire les 400 coups ensemble avant-guerre, et Baker estimait que ce gosse méritait une chance autant qu'un autre. C'était un boulot bien payé, presque au tarif syndical, et bien qu'il s'agît d'un boulot de manœuvre dont on disait que c'était le pire travail de l'équipe, Earskell avait déjà fait travailler Arvin plus dur que ça dans le petit jardin derrière la maison. Le jour où il reçut son premier chèque, il prit au Slot Machine deux litres de bon whisky pour le vieil homme, commanda pour Emma une machine à tambour sur le catalogue Sears, et acheta à Lenora chez Mayfair, le magasin le plus cher trois comtés à la ronde, une nouvelle robe pour aller à l'église.

Tandis que la jeune fille essayait de trouver quelque chose qui lui aille, Emma dit : « Seigneur, je l'avais pas

encore remarqué, mais tu commences à avoir des formes. »
Lenora se retourna vers le miroir et sourit. Elle avait toujours été étroite, pas de hanches, pas de poitrine. L'hiver
dernier, quelqu'un avait scotché sur son casier une photo
de *Life Magazine* montrant un tas de victimes d'un camp
de concentration, et avait écrit à l'encre « Lenora Laferty »,
avec une flèche dirigée sur le troisième cadavre à droite.
S'il n'y avait pas eu Arvin, elle n'aurait même pas pris la
peine de retirer la photo. Enfin elle commençait à ressem-
bler à une femme, ainsi que le lui avait promis le pasteur
Teagardin. Elle le retrouvait maintenant trois, quatre, parfois cinq après-midi par semaine. À chaque fois elle se sentait mal, mais elle ne pouvait pas lui dire non. C'était la
première fois qu'elle se rendait compte à quel point le
péché pouvait être puissant. Pas étonnant qu'il soit si difficile d'aller au Paradis. Chaque fois qu'ils se retrouvaient,
Preston voulait essayer quelque chose de nouveau. Hier,
il avait apporté un tube de rouge à lèvres de sa femme.
« Je sais que ça semble idiot, avec ce qu'on a fait, dit-elle
timidement, mais je ne crois pas qu'une femme doive se
peindre le visage. Tu n'es pas fâché, n'est-ce pas ?
– Allons, bien sûr que non, chérie, pas de problèmes,
lui dit-il. Merde, j'admire tes croyances. J'aimerais bien que
ma femme adore Jésus comme toi. » Puis, dans un grand
sourire, il remonta sa robe, glissa son pouce dans le haut
de sa culotte, et la fit descendre. « En plus, de toute façon,
je pensais te peindre autre chose. »

Un soir, alors qu'elle faisait la vaisselle du dîner, Emma
regarda par la fenêtre et vit Lenora sortir du bois de l'autre
côté du chemin, en face de la maison. Ils l'avaient attendue

quelques minutes, puis avaient commencé à manger.
« C'est sûr que ces temps-ci, cette petite passe pas mal de
temps dans les bois », dit la vieille femme. Arvin était
appuyé au dossier de sa chaise, en train de terminer son
café et de regarder Earskell qui essayait de se rouler une
cigarette. Le vieil homme était penché sur la table, une
expression d'intense concentration sur son visage ridé.
Arvin observa ses doigts qui tremblaient, et se demanda
si son grand-oncle ne commençait pas à baisser un peu.

« Telle que je la connais, dit Arvin, elle doit être allée
parler aux papillons. »

Emma regarda Lenora escalader le talus qui menait à la
maison. À voir son visage, on aurait dit qu'elle avait couru.
Au cours des dernières semaines, la vieille femme avait
remarqué de grands changements en elle. Un jour elle était
heureuse, et le lendemain complètement désespérée. Un tas
de filles deviennent un peu folles pendant un moment
quand leur sang commence à couler, raisonnait Emma,
mais ça faisait deux ans que Lenora était passée par là.
Cependant, elle la voyait toujours plongée dans sa bible,
et elle semblait plus que jamais aimer aller à l'église, même
si, pour ce qui était de faire un bon sermon, le pasteur
Teagardin n'arrivait pas à la cheville d'Albert Sykes. Parfois, vu la façon dont il perdait le fil de ses idées, comme
s'il avait la tête ailleurs, Emma se demandait si cet homme
trouvait le moindre plaisir à prêcher l'Évangile. Voilà
qu'elle était encore toute retournée à propos de ces foies
de volaille, se dit-elle. Il faudrait qu'elle mentionne ça dans
ses prières, ce soir, avant de se coucher. Elle se retourna
et regarda Arvin. « Tu ne penses pas qu'elle puisse avoir
un soupirant, non ?

– Qui ? Lenora ? » Il fit les yeux ronds comme s'il n'avait jamais rien entendu de plus grotesque. « Je ne pense pas que tu devrais t'inquiéter pour ça, grand-mère. » Il jeta un coup d'œil sur Earskell qui avait raté sa cigarette et qui restait assis là, la bouche ouverte, fixant les dégâts sur la table. Le garçon tendit la main vers le petit sachet de tabac et les feuilles de papier à rouler, et commença à en préparer une nouvelle pour le vieil homme.

« La beauté n'est pas tout, dit sévèrement Emma.

– Ce n'est pas ce que je voulais dire », bredouilla Arvin, honteux d'avoir plaisanté à propos de Lenora. Il y avait déjà trop de gens qui le faisaient. Il se rendit compte soudain que bientôt il ne serait plus au lycée pour la défendre. L'automne prochain, ça allait être dur pour elle. « C'est juste que je pense qu'il n'y a dans le coin aucun garçon qui l'intéresse, c'est tout. »

La porte-moustiquaire de devant s'ouvrit et se referma dans un grincement, puis ils entendirent Lenora fredonner. Emma écouta attentivement, et reconnut « Poor Pilgrim of Sorrow ». Provisoirement satisfaite, elle plongea les mains dans l'eau tiède, et commença à récurer une poêle. L'attention d'Arvin revint à la cigarette. Il lécha le papier, effectua une torsion supplémentaire, puis la passa à Earskell. Le vieil homme sourit et fourragea dans sa poche pour trouver une allumette. Il chercha longtemps avant d'en trouver une.

36

À la mi-août, Lenora comprit qu'elle était dans le pétrin. Elle n'avait pas eu ses règles depuis deux mois, et la robe qu'Arvin lui avait offerte ne lui allait quasiment plus. Teagardin avait rompu avec elle quelques semaines plus tôt. Il lui avait dit qu'il craignait, s'ils continuaient à se rencontrer, que sa femme ne l'apprenne, et peut-être même les fidèles. « Et on veut pas que ça se passe comme ça, ni toi ni moi, hein ? » dit-il. Elle passa devant l'église pendant plusieurs jours avant de l'y trouver, la porte maintenue ouverte et sa petite voiture à l'ombre de l'arbre. Quand elle entra, il était assis dans la pénombre, vers l'avant, la tête inclinée. Comme la première fois qu'elle était venue à lui, trois mois auparavant, sauf que cette fois il ne sourit pas quand il se retourna et vit qui arrivait. « Tu n'es pas supposée te trouver là », dit Teagardin. Mais il n'était pas autrement surpris. Certaines filles sont incapables d'arrêter brutalement.

Il ne put s'empêcher de remarquer la façon dont ses nichons étaient maintenant comprimés dans le haut de sa robe. Il avait vu ça parfois, la façon dont leurs jeunes corps se remplissent une fois qu'elles commencent à baiser régulièrement. Jetant un coup d'œil à sa montre, il vit qu'il lui restait quelques minutes. Il était en train de se dire qu'il pourrait peut-être la sauter une dernière fois, une bonne fois pour toutes, quand Lenora lâcha, la voix brisée, hystérique, qu'elle portait son enfant. Il bondit, puis se précipita vers la porte et la ferma. Il baissa les yeux sur ses mains, épaisses mais douces comme celles d'une femme. Le temps de prendre une profonde inspiration, il se demanda s'il pourrait l'étrangler avec ces mains-là, mais il savait trop bien qu'il n'avait pas assez de cran pour ce type de tâche. En plus, si, par hasard il se faisait prendre, la prison, en particulier une forteresse répugnante de Virginie-Occidentale, serait beaucoup trop dure pour quelqu'un d'aussi délicat que lui. Il devait exister un autre moyen. Mais il fallait qu'il réfléchisse rapidement. Il envisagea la situation, une pauvre orpheline en cloque et à moitié folle d'inquiétude. Toutes ces pensées lui couraient dans la tête tandis qu'il prenait le temps de verrouiller la porte. Puis il avança vers l'avant de l'église, là où elle était assise sur un banc, des larmes coulant sur son visage tremblant. Il décida de commencer à parler, ce qui était ce qu'il faisait le mieux. Il lui dit qu'il avait entendu parler de cas comme le sien, où une personne était si perturbée, si malade d'une chose qu'elle avait faite, d'un péché si terrible qu'elle avait commis, qu'elle commençait à imaginer des choses. Et oui, il avait lu ça à propos de gens simples, certains à peine capables d'écrire leur propre nom, qui étaient convaincus d'être le président, ou le pape, ou même une star de cinéma. Ces gens-là, l'avertit

Teagardin d'une voix triste, finissaient en général dans un asile de fous, où ils étaient violés par des infirmiers et obligés de manger leurs propres excréments.

Lenora avait cessé de sangloter. De la manche de sa robe, elle s'essuya les yeux. « Je ne comprends pas de quoi tu parles, dit-elle. Je suis enceinte de ton bébé. »

Il leva les mains, poussa un soupir. « D'après ce que j'ai lu, le fait même de ne pas comprendre fait partie de la maladie. Mais réfléchis un peu. Comment pourrais-je être le père ? Je ne t'ai pas touchée, pas une seule fois. Regarde-toi. J'ai une femme qui m'attend à la maison et qui est cent fois plus jolie, et qui fait tout ce que je lui demande. Et je dis bien absolument tout. »

Elle leva sur lui un regard interloqué.

« Tu veux dire que tu ne te rappelles plus tout ce qu'on a fait dans ta voiture ?

– Je dis que tu dois être folle pour entrer dans la maison du Seigneur et raconter des saloperies pareilles. Tu imagines que quelqu'un croira ta parole plus que la mienne ? Je suis un pasteur. » Seigneur Jésus, pensait-il, debout au-dessus de cette petite harpie pleurnichante au nez rouge, pourquoi ne s'était-il pas retenu, n'avait-il pas attendu que la fille Reaster se pointe ? Pamela s'était avérée le meilleur coup qu'il ait eu depuis ses premiers jours avec Cynthia.

« Mais c'est toi le père, dit Lenora d'une voix douce et absente. Il n'y a eu personne d'autre. »

Teagardin regarda de nouveau sa montre. Il fallait qu'il se débarrasse rapidement de cette pute, ou tout son après-midi serait gâché. « Ce que je te conseille, ma fille, dit-il d'une voix soudain devenue basse et haineuse, c'est d'imaginer un moyen de t'en débarrasser, enfin, si t'es en cloque comme tu le dis. Si tu le gardes, ça sera juste un petit bâtard avec comme mère une putain. Et pense au moins à cette pauvre vieille femme qui t'a élevée, qui t'amène à l'église chaque dimanche. Elle en mourrait de honte. Et maintenant tire-toi avant de causer davantage de problèmes. »

Lenora ne dit pas un mot de plus. Elle regarda la croix accrochée au mur derrière l'autel, puis se leva. Teagardin déverrouilla la porte et la tint ouverte, un air menaçant sur le visage. Elle passa devant lui la tête basse, entendit la porte se refermer rapidement derrière elle. Elle se sentait faible, mais réussit à marcher quelques centaines de mètres avant de s'effondrer sous un arbre à quelques pas du bord du chemin gravillonné. De là où elle était, elle voyait toujours l'église, cette église qu'elle avait fréquentée toute sa vie. À maintes reprises elle y avait perçu la présence de Dieu, mais, elle y pensait seulement maintenant, pas une seule fois depuis l'arrivée du nouveau pasteur. Quelques minutes plus tard, elle vit Pamela Reaster arriver depuis l'autre extrémité de la route et entrer dans l'église, une expression joyeuse sur son joli visage.

Ce soir-là, après dîner, Arvin conduisit Emma pour le service du jeudi soir. Lenora avait dit qu'elle était malade, qu'elle avait l'impression que sa tête allait exploser. Elle n'avait pas touché à son dîner. « Ça, c'est sûr que t'as pas l'air bien, dit Emma en lui touchant les joues pour voir si elle avait de la fièvre. Reste à la maison ce soir. Je ferai dire une prière pour toi. » Lenora attendit dans sa chambre d'avoir entendu démarrer la voiture d'Arvin, puis elle vérifia qu'Earskell dormait toujours dans son rocking-chair sur la véranda. Elle sortit, alla au fumoir et ouvrit la porte. Elle resta là jusqu'à ce que ses yeux se soient habitués à la pénombre. Elle trouva un bout de corde roulé dans un coin derrière un piège à vairons, et fit un nœud rudimentaire à une extrémité. Puis elle tira un seau à saindoux vide au centre de la petite cabane. Elle monta dessus, et, avec l'autre extrémité de la corde, elle fit sept ou huit fois le tour d'une des poutres du plafond. Puis elle sauta du seau et ferma la porte. Maintenant, il faisait noir dans le fumoir.

Remontant sur le seau métallique, elle passa le nœud autour de son cou, et le serra. Un filet de sueur coula sur son visage, et elle se surprit à penser qu'elle aurait dû faire ça au soleil, dans la chaleur de l'air d'été, voire attendre un ou deux jours de plus. Peut-être Preston changerait-il d'avis. C'est ce qu'elle allait faire, pensa-t-elle. Il ne pouvait penser ce qu'il avait dit. Il était bouleversé, voilà tout. Elle commença à détendre le nœud, et le seau commença à tanguer. Puis son pied glissa, le seau roula et la laissa suspendue dans l'air.

Elle n'était tombée que de quelques centimètres, ce qui était loin d'être suffisant pour lui briser nettement le cou. Elle pouvait presque toucher le sol des orteils, il ne s'en fallait que de trois ou quatre centimètres. Agitant les jambes, elle saisit la corde et fit tout son possible pour se hisser jusqu'à la poutre, mais elle n'était pas assez forte. Elle essaya de crier, mais les sons étouffés qu'elle produisait ne franchissaient pas la porte de la cabane. Tandis que la corde lui écrasait peu à peu la trachée, elle devenait de plus en plus frénétique, s'enfonçait les ongles dans le cou.

Son visage devint pourpre. Elle eut vaguement conscience de l'urine qui coulait le long de sa jambe. Les vaisseaux sanguins de ses yeux commencèrent à éclater, et tout devint de plus en plus sombre. Non, pensa-t-elle, non. Je peux avoir ce bébé, mon Dieu. Je peux partir d'ici, partir comme papa. Je peux juste disparaître.

37

Une semaine environ après les funérailles, Tick Thompson, le nouveau shérif de Greenbrier County, attendait près de la voiture d'Arvin que le jeune homme quitte son travail. « Il faut que je te parle, Arvin, dit le policier. C'est à propos de Lenora. » C'était l'un des hommes qui avaient aidé à sortir son corps du fumoir quand Earskell avait vu la porte entrebâillée et l'avait découverte. Au cours des années, on l'avait appelé pour plusieurs suicides, des hommes la plupart du temps, qui s'étaient fait sauter la cervelle à propos d'une femme ou d'une mauvaise affaire, mais jamais pour une jeune fille qui s'était pendue. Quand il avait posé la question juste après le départ de l'ambulance, ce soir-là, Emma et Arvin avaient tous les deux dit que ces temps-ci elle paraissait plus heureuse. Il y avait quelque chose qui ne collait pas. Il n'avait pas bien dormi de toute la semaine.

Arvin jeta sa gamelle sur le siège avant de la Bel Air. « Qu'est-ce que vous voulez savoir ?

– Je pensais qu'il valait mieux que je te parle à toi plutôt qu'à ta grand-mère. D'après ce que j'ai entendu dire, elle ne prend pas tout ça très bien.

– Me parler de quoi ? »

Le shérif retira son chapeau, le garda entre les mains. Il attendit que deux autres hommes soient à l'intérieur de leurs voitures, puis s'éclaircit la gorge. « Eh bien, je ne sais pas trop comment dire ça, Arvin, à part le dire carrément. Savais-tu que Lenora attendait un enfant ? »

Arvin le dévisagea pendant une longue minute, l'air abasourdi. « C'est des conneries, dit-il enfin. Un mensonge de sale fils de pute.

– Je comprends ce que tu dois ressentir, je comprends vraiment. Mais je sors du bureau du coroner. Le vieux Dudley est peut-être un alcoolique, mais c'est pas un menteur. Pour autant qu'il puisse le dire, elle était enceinte de trois mois. »

Le garçon se détourna du shérif, prit un mouchoir sale dans sa poche de derrière et s'essuya les yeux. « Seigneur Jésus, dit-il en faisant tout son possible pour empêcher sa lèvre supérieure de trembler.

– Tu crois que ta grand-mère le savait ? »

Arvin inspira profondément et expira lentement, puis dit : « Si ma grand-mère entendait ça, shérif, ça la tuerait.

– Enfin, est-ce que Lenora avait un petit ami, est-ce qu'elle fréquentait quelqu'un ? » demanda Tick Thompson.

Arvin repensa au soir, il y avait quelques semaines, où Emma lui avait posé la même question. « Pas que je sache. Mince, j'avais jamais vu quelqu'un d'aussi religieux. »

Tick remit son chapeau. « Écoute, voilà comment je vois les choses, dit-il. Personne est forcé de savoir ça, à part moi, toi, et Dudley, et il ne dira rien, je te le garantis. Alors pour l'instant, on la boucle. Ça te va ? »

S'essuyant à nouveau les yeux, Arvin acquiesça. « Merci,

dit-il. Ça a déjà été assez dur que tout le monde sache ce qu'elle s'était fait à elle-même. Mince, on n'a même pas pu obtenir que ce nouveau pasteur... » Soudain son visage s'assombrit. Il détourna les yeux, et regarda Muddy Creek Mountain, dans le lointain.

« Qu'y a-t-il, fiston ?

– Rien, dit Arvin en regardant de nouveau le shérif. On n'a pas pu obtenir qu'il dise quelques mots aux funérailles, c'est tout.

– Tu sais, sur des sujets comme ça, il y a des gens qui sont bornés.

– Oui. Je suppose que c'est vrai.

– Alors tu n'as aucune idée du gars avec qui elle pouvait sortir ?

– La plupart du temps Lenora restait toute seule, dit le garçon. En plus, qu'est-ce que vous pourriez y faire ? »

Tick haussa les épaules. « Pas grand-chose, je suppose. Je n'aurais peut-être pas dû t'en parler.

– Je suis désolé, je voulais pas vous vexer. Et je suis content que vous me l'ayez dit. Au moins, maintenant, je sais pourquoi elle a fait ça. » Il fourra le mouchoir dans sa poche, et serra la main de Tick. « Et merci d'avoir pensé à ma grand-mère, aussi. »

Il regarda le shérif s'éloigner, puis monta dans sa voiture et roula jusqu'à Coal Creek, à une vingtaine de kilomètres. Il mit la radio à fond, et s'arrêta à la cabane du bootlegger, à Hungry Holler, pour acheter deux pintes de whisky. Quand il arriva à la maison, il entra et alla voir comment allait Emma. Pour ce qu'il en savait, elle n'était pas sortie de son lit de toute la semaine. Elle commençait à sentir mauvais. Il lui apporta un verre d'eau et la força à boire un peu. « Écoute, grand-mère, je veux que tu sortes du lit, le matin, et que tu nous prépares le petit-déjeuner, à Earskell et moi.

– Laissez-moi rester comme ça », dit-elle. Elle roula sur le côté, ferma les yeux.

« Encore un jour, pas plus, dit-il. Je ne plaisante pas. » Il alla à la cuisine, fit des pommes de terre sautées, et prépara un sandwich à la mortadelle pour Earskell et un pour lui. Quand ils eurent mangé, Arvin lava la poêle et les assiettes et alla à nouveau voir Emma. Puis il sortit les deux pintes sur la véranda et en tendit une au vieil homme. Il s'assit dans un fauteuil et s'autorisa enfin à réfléchir à ce que lui avait dit le shérif. Enceinte de trois mois. Ce n'était pas un garçon du coin qui avait mis Lenora enceinte, c'est sûr. Arvin connaissait tout le monde, et il savait ce que chacun pensait d'elle. Le seul endroit où elle aimait aller, c'était l'église. Il repensa à l'arrivée du nouveau pasteur. Ça devait être en avril, il y avait un peu plus de quatre mois. Il se rappela l'excitation de Teagardin quand les deux filles Reaster étaient arrivées au repas, ce soir-là. En dehors de lui, personne ne paraissait l'avoir remarqué, sauf la jeune épouse. Lenora avait même cessé de mettre ses bonnets peu après l'arrivée de Teagardin. Il avait pensé que c'était parce qu'elle avait fini par en avoir assez de se faire charrier au lycée, mais peut-être avait-elle une autre raison.

Il secoua son paquet pour en faire sortir deux cigarettes, en tendit une à Earskell. Le jour précédant les funérailles, Teagardin avait dit à certains membres de la congrégation que, face à un suicide, il ne se sentait pas à l'aise pour prêcher. Il demanda à son pauvre vieil oncle malade de

dire quelques mots à sa place. Deux hommes avaient porté
Albert sur une chaise de cuisine. C'était le jour le plus
chaud de l'année, et l'église était comme une fournaise,
mais le vieil homme s'était hissé à la hauteur de la situation.
Quelques heures plus tard, Arvin sortit rouler sur les
petites routes, ce qu'il avait l'habitude de faire quand il
avait des problèmes. Il passa devant la maison de Teagardin, vit le pasteur se diriger vers les toilettes, vêtu de chaus-
sons et d'un chapeau rose mou qu'une femme aurait pu
porter. Sa femme prenait un bain de soleil en bikini, étendue sur une couverture dans le jardin envahi par les mauvaises herbes.

« Merde, qu'est-ce qu'il fait chaud, dit Earskell.

– Oui, dit Arvin au bout d'une minute ou deux. On
pourrait peut-être dormir dehors, ce soir.

– Je ne sais pas comment Emma peut tenir dans cette
chambre, on se sent comme dans un four, là-dedans.

– Demain matin, elle se lèvera pour préparer le petit-
déjeuner.

– Vraiment ?

– Ouais. Vraiment. »

Et c'est vraiment ce qu'elle fit : elle prépara des biscuits,
des œufs et une sauce blanche, elle était debout avant qu'ils
ne s'arrachent de leurs couvertures, sur la véranda. Arvin
remarqua qu'elle s'était lavé le visage, qu'elle avait changé
de robe, et mis un fichu propre autour de ses fins cheveux
gris. Elle ne dit pas grand-chose, mais quand elle s'assit et
commença à se servir, il comprit qu'il pouvait maintenant
cesser de s'inquiéter pour elle. Le lendemain, quand le
contremaître sortit de son pick-up et pointa un doigt sur
sa montre pour indiquer que c'était l'heure de cesser le

travail, Arvin se hâta vers sa voiture et passa à nouveau devant chez Teagardin. Il se gara sur la route cinq cents mètres plus loin et revint sur ses pas en coupant à travers bois. Assis dans la fourche d'un caroubier, il observa la maison du pasteur jusqu'au coucher du soleil. Il ne savait pas encore ce qu'il cherchait, mais il avait une idée de l'endroit où il le trouverait.

38

Trois jours plus tard, à la fin de la journée, Arvin dit au patron qu'il ne reviendrait pas. « Allons, mon garçon, dit le contremaître. Merde, j'ai à peu près jamais eu un aussi bon ouvrier. » Il cracha un épais filament de jus de tabac devant le pneu avant de son pick-up. « Tu veux pas rester deux semaines de plus ? À ce moment-là, on aura à peu près terminé.

– C'est pas le boulot, Tom, dit Arvin. C'est juste que pour l'instant je dois m'occuper d'une chose urgente. »

Il roula jusqu'à Lewisburg et acheta deux boîtes de balles de 9 mm, s'arrêta à la maison et alla voir comment allait Emma. Elle était dans la cuisine, à quatre pattes, récurant le linoléum. Il alla dans sa chambre et sortit le Luger du tiroir du bas de sa commode. C'était la première fois qu'il le touchait depuis qu'Earskell, un an plus tôt, lui avait demandé de le mettre de côté. Après avoir dit à sa grand-mère qu'il serait bientôt de retour, il alla à Stony Creek. Il prit son temps pour nettoyer l'arme, puis chargea huit balles dans le magasin et aligna quelques bouteilles et boîtes de conserve. Dans l'heure qui suivit, il rechargea encore quatre fois. Quand il le remit dans la boîte à gants, le pistolet semblait à nouveau être un prolongement de sa main. Il n'avait raté que trois tirs.

Sur le chemin du retour, il s'arrêta au cimetière. Ils avaient enterré Lenora à côté de sa mère. Le maçon n'avait pas encore installé la pierre tombale. Il resta là devant la terre sèche et brune qui marquait son emplacement, se rappelant la dernière fois qu'il était venu ici avec elle pour voir la tombe d'Helen. Il se rappelait vaguement comment, cet après-midi-là, elle avait essayé, à sa façon étrange, de flirter avec lui, parlant d'orphelins et d'amants maudits, et qu'il s'était irrité contre elle. Si seulement il lui avait prêté plus d'attention, pensa-t-il, si seulement les gens ne s'étaient pas tant moqué d'elle, peut-être que les choses ne se seraient pas passées comme ça.

Le lendemain matin, il quitta la maison à l'heure habituelle, comme s'il allait au travail. Au fond de lui-même, il était certain que c'était Teagardin le coupable, mais il devait en avoir la certitude. Il se mit à espionner les moindres gestes du pasteur. En une semaine, à trois reprises, il vit ce salaud baiser Pamela Reaster sur un ancien chemin d'accès à une ferme, juste en dehors de la route de Ragged Ridge. Elle arrivait à travers champs depuis la maison de ses parents pour le retrouver, tous les deux jours, à midi pile. Teagardin restait assis dans sa voiture de sport et se regardait dans la glace jusqu'à ce qu'elle arrive. Après les avoir vus là pour la troisième fois, Arvin passa un après-midi à entasser du bois mort et des vergerettes pour fabriquer un affût à quelques mètres de l'endroit où le pasteur se garait, à l'ombre d'un grand chêne. Teagardin avait pour habitude d'expédier la fille dès qu'il en avait terminé avec elle. Il aimait traînasser un peu sous l'arbre, soulageant sa vessie et écoutant de la musique de variétés à la radio. Parfois, Arvin l'entendait parler tout seul, mais jamais il ne comprit ce qu'il disait. Au bout de vingt ou trente minutes, la voiture démarrait, Teagardin tournait au bout du chemin, et rentrait chez lui.

La semaine suivante, le pasteur ajouta à son harem la jeune sœur de Pamela, mais les rencontres avec Beth Ann avaient lieu dans l'église. À ce stade-là, Arvin n'eut plus aucun doute et quand, le dimanche matin, il se réveilla au bruit des cloches qui carillonnaient à travers le vallon, il décida que le moment était venu. S'il attendait plus long-temps, il craignait de perdre son sang-froid. Il savait que Teagardin rencontrait toujours l'aînée des filles le lundi. Ce fils de pute avait le feu au cul, mais au moins il était régulier dans ses habitudes

Arvin compta l'argent qu'il avait réussi à mettre de côté au cours des deux dernières années. Il avait 315 dollars dans la boîte à café sous son lit. Le dimanche, après dîner, il roula jusqu'au Slot Machine, acheta un litre de whisky, et passa la soirée à boire avec Earskell sur la véranda. « T'es vraiment gentil avec moi, mon garçon », dit le vieil homme. Arvin dut déglutir plusieurs fois pour ne pas pleu-rer. Il pensait au lendemain. C'était la dernière fois qu'ils partageaient une bouteille.

C'était une soirée magnifique, la plus fraîche depuis plu-sieurs mois. Il rentra dans la maison pour aller chercher Emma, et elle s'assit avec eux un moment avec sa bible et un verre de thé glacé. Elle n'était pas retournée à l'Église du Saint-Esprit Sanctifié de Coal Creek depuis le soir où Lenora était morte. « Je pense que l'automne va arriver tôt, cette année, dit-elle, marquant sa page avec un doigt décharné et regardant, de l'autre côté de la route, les feuilles qui commençaient à se teinter de rouille. Il faudra qu'on pense à rentrer du bois dans pas longtemps, n'est-ce pas, Arvin ? »

Il leva les yeux sur elle. Elle regardait toujours les arbres sur le flanc de la colline. « Oui, dit-il. On n'aura pas eu le temps de s'en rendre compte qu'il fera déjà froid. » Il se détestait de lui mentir, de faire comme si tout allait se passer normalement. Il aurait tellement voulu pouvoir leur dire au revoir, mais si la police se mettait à sa recherche, mieux valait qu'ils ne sachent rien. Ce soir-là, quand ils furent couchés, il fourra quelques vêtements dans un sac de sport qu'il mit dans le coffre de sa voiture. Il s'appuya à la rambarde de la véranda et écouta le grondement lointain d'un train de marchandises qui se dirigeait vers le nord, de l'autre côté des collines. Il rentra dans la maison, mit cent dollars dans la boîte en fer blanc où Emma conservait ses aiguilles et son fil. Cette nuit-là, il ne dormit pas, et le matin, au petit-déjeuner, il but juste un peu de café.

Il était assis dans son affût depuis deux heures quand la fille Reaster traversa le champ d'un pas pressé, avec peut-être un quart d'heure d'avance. Elle semblait préoccupée et n'arrêtait pas de regarder sa montre-bracelet. Quand Teagardin apparut, avançant lentement sur le chemin défoncé, elle ne sauta pas dans la voiture comme elle en avait l'habitude. Au lieu de ça, elle resta à quelques pas et attendit qu'il coupe le moteur.

« Je peux pas rester, dit-elle. On a des problèmes.

– Que veux-tu dire ?

– T'étais censé ne pas toucher à ma sœur, dit la fille.

– Oh, merde, Pamela. Ça ne signifie rien.

– Non, tu ne comprends pas. Elle en a parlé à Mère.

– Quand ?

– Il y a environ une heure. J'ai cru que je ne pourrais pas sortir.

– Sale petite garce, jura Teagardin. Je l'ai à peine touchée.

– C'est pas ce qu'elle a raconté », dit Pamela. Elle regarda nerveusement en direction de la route.

« Qu'est-ce qu'elle a dit, exactement ?

– Elle a tout dit, crois-moi, Preston. Elle a eu la trouille parce que le saignement s'arrête pas. » La fille pointa un doigt sur lui. « J'espère pour toi que t'as rien fait qui l'empêche d'avoir des enfants.

– Merde ! » dit Teagardin. Il sortit de sa voiture et marcha de long en large pendant plusieurs minutes, les mains croisées derrière le dos, comme un général, dans sa tente, préparant une contre-attaque. Il sortit un mouchoir de soie de la poche de son pantalon et se tamponna la bouche. « Qu'est-ce qu'elle va faire, ta vieille, à ton avis ?

– Eh bien, telle que je la connais, une fois qu'elle aura conduit Beth Ann à l'hôpital, la première chose qu'elle fera, ça sera d'appeler ce putain de shérif. Et je te préviens que c'est son cousin ! »

Teagardin mit les mains sur les épaules de la fille et la regarda dans les yeux. « Mais tu n'as rien dit à propos de nous, hein ?

– Tu crois que je suis folle ? Je préférerais mourir. »

Teagardin la lâcha et s'appuya contre la voiture. Son

regard se perdit sur le champ qui s'étendait devant eux. Il se demanda pourquoi personne ne le cultivait plus. Il imagina une vieille maison en ruines, à deux étages, des machines rouillées au milieu des mauvaises herbes, peut-être un puits actionné par une chaîne, rempli d'eau claire et fraîche, recouvert de planches pourries. Un instant, il se vit retapant cet endroit, s'installant dans une vie simple, prêchant le dimanche et, pendant la semaine, travaillant la terre de ses mains calleuses, lisant, le soir, de bons livres sur la véranda après un agréable dîner, tandis que de tendres bambins jouaient dans le jardin ombragé. Il entendit la fille dire qu'elle partait, et quand enfin il se retourna, elle avait disparu. Puis il envisagea la possibilité que, peut-être, Pamela lui mentît, tentât de l'effrayer pour qu'il ne s'approche plus de sa petite sœur. Mais avec elle, on ne pouvait pas savoir ; si ce qu'elle lui avait dit était vrai, il n'avait, au mieux, qu'une heure ou deux pour prendre ses cliques et ses claques et se tirer de Greenbrier County. Il s'apprêtait à démarrer quand il entendit une voix : « Vous êtes pas vraiment pasteur, hein ? »

Teagardin leva les yeux et vit le jeune Russell debout juste à côté de la portière de la voiture, pointant un pistolet sur lui. Il n'avait jamais possédé d'arme à feu, et la seule chose qu'il savait à leur sujet, c'est qu'en général elles causaient des problèmes. De près et vu d'en dessous, le garçon paraissait plus grand. Pas une once de graisse, remarqua-t-il, des cheveux noirs, des yeux verts. Il se demanda ce qu'en aurait pensé Cynthia. Il savait que c'était ridicule, avec toutes les chattes nubiles qu'il s'enfilait, mais à cet instant il sentit pourtant une pointe de jalousie. C'était triste de se rendre compte qu'il n'avait jamais ressemblé, même de loin, à ce garçon. « Qu'est-ce que tu fous là ? demanda le pasteur.

– Je vous ai regardé baiser la fille Reaster qui vient de partir. Et si vous essayez de démarrer cette voiture, je fais exploser votre putain de main. »

Teagardin lâcha la clef de contact. « Tu ne sais pas ce que tu dis, mon garçon. Je ne l'ai pas touchée, on n'a fait que parler.

– Peut-être pas aujourd'hui, mais vous la baisez régulièrement.

– Quoi ? Tu m'as espionné. » Le garçon était peut-être un *voyeur*, pensa-t-il, un terme qu'il avait lu dans un des magazines pornographiques qu'il collectionnait.

« Je vous suis pas à pas depuis deux semaines. »

Teagardin regarda le grand chêne au bout du chemin. Il se demandait si c'était possible. Il calcula mentalement le nombre de fois où il était venu ici avec Pamela au cours des deux dernières semaines. Au moins six. C'était assez grave, mais en même temps il se sentit un peu soulagé. Au moins, le garçon ne l'avait pas vu baiser sa sœur. Difficile de dire ce que ce cinglé de péquenaud aurait pu faire. « Ce n'est pas ce qu'on pourrait croire, dit-il.

– C'est quoi, alors ? » Arvin libéra le cran de sécurité du pistolet.

Teagardin s'apprêtait à expliquer que cette petite pute lui courait après, puis il se rappela qu'il devait se montrer prudent dans le choix de ses mots. Il envisagea la possibilité que ce plouc ait peut-être le béguin pour Pamela. Peut-être que c'était juste ça. De la jalousie. Il essaya de se rappeler ce que Shakespeare avait écrit sur ce sujet, mais les mots ne lui revenaient pas. « Dis donc, t'es pas le petit-fils de Mrs Russell ? » demanda le pasteur. Il regarda la pendule du tableau de bord. À cette heure, il aurait pu être à mi-chemin de chez lui. Des filets de sueur grasse commencèrent à dégouliner le long de son visage rose, rasé de près. « C'est exact, dit Arvin. Et Lenora Laferty était ma sœur. »

Teagardin tourna lentement la tête, les yeux rivés au ceinturon du garçon. Arvin pouvait presque voir les rouages en train de tourner dans sa tête, et le regarda déglutir à plusieurs reprises. « C'est une honte, ce qu'a fait cette pauvre fille, dit le pasteur. Je prie pour son âme chaque soir.

– Vous priez aussi pour celle du bébé ?

– Là, tu te trompes complètement, mon ami. Je n'avais rien à voir avec ça.

– Avec quoi ? »

L'homme se tortilla sur le siège étroit de la voiture, jeta un coup d'œil sur le Luger. « Elle est venue me voir, elle m'a dit qu'elle voulait se confesser, elle m'a dit qu'elle était enceinte. Je lui ai promis de n'en parler à personne. »

Arvin recula d'un pas et dit : « J'imagine bien que tu lui as dit ça, espèce de fils de pute. » Puis il tira trois coups, fit éclater les pneus côté chauffeur, et mit la dernière balle dans la portière arrière.

« Arrête ! hurla Teagardin. Arrête ça, nom de Dieu. » Il leva les mains.

« Assez de mensonges, dit Arvin qui avança et colla le pistolet sur la tempe du pasteur. Je sais que c'est vous qui l'avez mise comme ça. »

Teagardin écarta brusquement sa tête du pistolet. « D'accord », dit-il. Il respira à fond. « J'étais prêt à m'occuper de tout, je le jure, j'était vraiment prêt, et à ce moment-là... et à ce moment-là, j'apprends qu'elle s'est foutue en l'air. Elle était folle.

– Non, dit Arvin. Elle était seule, c'est tout. » Il appuya le canon sur la nuque de Teagardin. « Mais ne vous inquiétez, je vous ferai pas souffrir autant qu'elle a souffert.

– Arrête avec ça, nom de Dieu. Seigneur Jésus, mon gars, tu tuerais pas un pasteur, quand même ?

– Vous êtes pas pasteur, espèce de sale petite merde. » Teagardin commença à pleurer, de vraies larmes lui coulant sur le visage pour la première fois depuis qu'il était un petit garçon. « Laisse-moi d'abord faire ma prière », sanglota-t-il. Il commença à joindre les mains.

« Je l'ai déjà faite pour vous, dit Arvin. J'ai fait une de ces demandes spéciales que font toujours les enfoirés comme vous. Je Lui ai demandé de vous envoyer tout droit en enfer.

– Non », dit Teagardin juste avant que le coup de feu ne parte. Un fragment de balle ressortit juste au-dessus de son nez et atterrit en tintant sur le tableau de bord. Son gros corps tomba en avant et son visage heurta le volant. Son pied gauche appuya plusieurs fois sur la pédale de freins. Arvin attendit qu'il ait cessé de bouger, puis tendit la main à l'intérieur et prit sur le tableau de bord le fragment de balle poisseux, qu'il jeta dans l'herbe. Maintenant il regrettait d'avoir tiré ces autres balles, mais il n'avait pas le temps de les chercher. Il démolit rapidement l'affût qu'il s'était fabriqué, et ramassa la boîte de conserve où il mettait ses mégots. En moins de cinq minutes, il était de retour dans sa voiture. Il jeta dans le fossé son cendrier improvisé. Tandis qu'il coinçait le Luger sous le tableau de bord, il pensa soudain à la jeune femme de Teagardin. À cet instant, elle était sans doute assise dans leur petite maison, attendant son retour, comme Emma l'attendrait ce soir. Il s'enfonça sur son siège et ferma les yeux un instant, essaya de penser à autre chose. Il démarra et roula jusqu'au bout de Ragged Ridge, puis tourna à gauche en direction de la Route 60. Selon ses prévisions, s'il ne s'arrêtait pas, il pourrait être à Meade, Ohio, dans la soirée. Il n'avait rien prévu au-delà.

Quatre heures plus tard, à soixante-dix kilomètres environ de Charleston, Virginie-Occidentale, la Bel Air commença à émettre un martèlement, en dessous. Il réussit à quitter la route et à entrer sur le parking d'une station-service avant que la transmission ne lâche complètement. Il se mit à quatre pattes et regarda la dernière goutte de liquide sortir du châssis. « Nom de Dieu de merde », dit-il. Juste au moment où il allait se relever, un homme mince en ample salopette bleue sortit et lui demanda s'il pouvait l'aider.

« Non, sauf si vous avez un câble de transmission qui aille là-dessus, dit Arvin

— Elle vous a lâché, hein ?

— Elle est morte.

— Vous alliez où ?

— Dans le Michigan.

— Si vous voulez appeler quelqu'un, le téléphone est à votre disposition, dit l'homme.

— J'ai personne à appeler. » Dès qu'il eut prononcé ces mots, Arvin réalisa à quel point c'était vrai. Il réfléchit une minute. Il détestait l'idée de devoir renoncer à la Bel Air, mais il devait poursuivre son chemin. Il allait devoir faire un sacrifice. Il se tourna vers l'homme et essaya de sourire. « Combien vous me donneriez pour cette voiture ? » demanda-t-il.

L'homme jeta un coup d'œil au véhicule et secoua la tête. « Je pourrais rien en faire.

– Le moteur est bon. J'ai changé les vis platinées et les bougies il y a quelques jours. »

L'homme commença à s'approcher de la Chevy, donna des coups de pied dans les pneus, chercha des traces de mastic. « Je ne sais pas, dit-il en passant la main sur son menton mal rasé.

– Si on disait cinquante dollars ? proposa Arvin.

– Elle est pas volée, hein ?

– Les papiers sont à mon nom.

– Je vous en donne trente.

– C'est le mieux que vous pouvez faire ?

– J'ai cinq gamins à nourrir, fiston, dit l'homme.

– D'accord, elle est à vous. Il faut juste que je prenne mes affaires. » Il regarda l'homme rentrer dans la station-service. Il sortit son sac du coffre, puis s'assit une dernière fois dans la voiture. Le jour où il l'avait achetée, Earskell et lui avaient consommé un plein réservoir en roulant au hasard, jusqu'à Beckley, et retour. Il eut soudain le sentiment qu'avant que tout ça soit terminé, il allait perdre beaucoup plus. Il passa la main sous le tableau de bord, prit le Luger, le glissa dans sa ceinture. Puis il prit les papiers et une boîte de cartouches dans la boîte à gants. Quand il entra dans le bâtiment, l'homme posa les trente dollars sur le comptoir. Arvin signa les papiers, les data, puis mit l'argent dans son portefeuille. Il acheta un Zagnut[1] et une bouteille de RC Cola[2]. Il n'avait rien bu ni mangé depuis son café dans la cuisine de sa grand-mère. Tout en mâchant sa friandise, il regarda par la fenêtre le flux ininterrompu des voitures qui passaient sur la route. « Vous avez déjà fait du stop ? » demanda-t-il au garagiste.

---

1. Barre vitaminée à base de beurre de cacahuète et de noix de coco.
2. Soda fabriqué en Géorgie, à base de sucre de canne, de noix de cola et d'arômes naturels.

39

Ce jour-là, Roy finit de cueillir des oranges aux alentours de cinq heures, et reçut sa paie, qui était de treize dollars. Il entra dans le magasin, au croisement, et acheta une demi-livre de *pickle loaf*[1], une demi-livre de fromage, une miche de pain de seigle, deux paquets de Chesterfield et trois bouteilles de porto blanc. C'était agréable d'être payé chaque jour. Quand il revenait à l'endroit où Theodore et lui campaient, il se sentait riche. Le patron était le meilleur qu'il ait jamais eu, et ça faisait trois semaines d'affilée que Roy faisait la cueillette. Aujourd'hui, l'homme lui avait dit qu'il n'y avait peut-être plus que pour quatre ou cinq jours de travail. Theodore serait content de l'apprendre. Il avait terriblement envie de retourner près de l'océan. Ils avaient mis de côté près de cent dollars le mois dernier, plus d'argent qu'ils n'en avaient eu depuis bien, bien longtemps. Ils avaient prévu d'acheter des vêtements corrects et de recommencer à prêcher. Roy pensait qu'ils pourraient trouver deux costumes chez Goodwill[2] pour dix ou douze dol-

---

1. Tourte contenant de la viande, des cornichons et des piments hachés.
2. Équivalent américain des Compagnons d'Emmaüs.

lars. Theodore ne pouvait plus jouer de la guitare comme avant, mais ils s'en sortiraient quand même.

Roy traversa un fossé d'écoulement et se dirigea vers leur campement, sous un petit bosquet de magnolias chétifs. Il vit Theodore endormi sur le sol à côté de son fauteuil roulant, sa guitare posée près de lui. Roy secoua la tête, et sortit une des bouteilles et un paquet de cigarettes. Il s'assit sur une souche et avala une gorgée avant d'allumer une cigarette. Il avait bu la moitié de la bouteille quand il finit par remarquer que le visage de l'invalide grouillait de fourmis. Se précipitant vers lui, Roy le roula sur le dos. « Theodore ? Hé, allons, mon pote, réveille-toi », supplia Roy, le secouant et chassant les fourmis. « Theodore ? »

Quand il essaya de le soulever, Roy comprit qu'il était mort, mais il batailla quand même pendant un quart d'heure pour le remettre dans le fauteuil roulant. Il commença à le pousser sur le terrain sablonneux en direction de la route, mais ne fit que quelques pas avant de s'arrêter. Les autorités lui poseraient un tas de questions, pensa-t-il en regardant une belle voiture passer au loin. Il parcourut des yeux le campement. Ça serait peut-être mieux de le laisser là. Theodore adorait l'océan, mais il aimait bien l'ombre, aussi. Et ce bosquet était autant un foyer que tout ce qu'ils avaient pu connaître depuis la fête foraine de Bradford.

Roy s'assit sur le sol à côté du fauteuil. Ils avaient fait pas mal de mauvais coups au fil des ans, et il passa les heures qui suivirent à prier pour l'âme de l'invalide. Il espérait que, quand son heure arriverait, quelqu'un en ferait autant pour lui. Aux alentours du crépuscule, il finit par se lever et se prépara un sandwich. Il en mangea une partie et jeta le reste. Il avait fumé la moitié d'une cigarette quand il lui apparut qu'il n'avait plus à fuir. Maintenant il pouvait rentrer chez lui, se dénoncer à la police. Ils pourraient bien lui faire tout ce qu'ils voudraient, à condition qu'il puisse voir Lenora encore une fois. Theodore n'avait jamais pu comprendre ça, à quel point pouvait manquer à Roy quelqu'un qu'il ne connaissait pas vraiment. Il pouvait à peine se rappeler le visage de sa petite fille, c'est vrai, mais pourtant il s'était demandé mille fois ce qu'avait été sa vie à elle. Le temps qu'il termine sa cigarette, il répétait déjà quelques mots qu'il lui dirait.

Cette nuit-là, il s'enivra une dernière fois avec son vieil ami. Il construisit un feu, et parla à Theodore comme s'il était encore vivant, lui répéta encore et encore les mêmes histoires, les histoires de Flapjack et de Lady Flamant Rose, et les histoires du Mange-Boutons, et de toutes les autres âmes perdues qu'ils avaient rencontrées sur la route. Plusieurs fois, il s'aperçut qu'il attendait que Theodore se mette à rire, ou ajoute un détail qu'il avait oublié. Au bout de quelques heures, il n'y avait plus d'histoires à raconter, et Roy se sentait plus seul que jamais. « Ça fait un sacré bout de chemin depuis Coal Creek, hein, mon gars ? » Tels furent les derniers mots qu'il prononça avant de s'allonger sur sa couverture.

Il s'éveilla juste avant l'aube. Il humecta un chiffon avec de l'eau de la cruche qu'ils gardaient toujours attachée à l'arrière du fauteuil roulant. Il essuya la crasse du visage de Theodore, le peigna et, du pouce, lui ferma les yeux. Il restait une goutte de vin dans la dernière bouteille, et il la posa sur les genoux de l'invalide, lui mit sur la tête son chapeau de paille défraîchi. Puis Roy emballa dans une couverture le peu d'affaires qu'il possédait, et resta debout un instant, la main sur l'épaule du mort. Il ferma les yeux et dit encore quelques mots. Il comprit qu'il ne prêcherait jamais plus, mais tant pis. De toute façon, il n'avait jamais été très bon pour ça. La plupart des gens voulaient juste entendre la guitare de l'invalide. « J'aimerais bien que tu viennes avec moi, Theodore », dit Roy. Il avait déjà fait trois kilomètres le long de la route quand il réussit à se faire prendre en stop.

SIXIÈME PARTIE

SERPENTS

40

Juillet tirait à sa fin, Dieu merci. Il tardait à Carl de reprendre la route. Il porta à la banque les deux bocaux remplis des pourboires de Sandy, les changea contre des billets, puis passa les quelques jours qui restaient avant les vacances à acheter des provisions – deux nouveaux ensembles et des dessous affriolants chez JC Penney pour Sandy, un gros bidon d'huile de moteur, des bougies de rechange, une scie à métaux qu'il acheta sur un coup de tête, quinze mètres de corde, une série de cartes routières des États du Sud au bureau de l'Automobile Club, deux cartons de Salem, et une douzaine de bites de chien. Quand il eut fini ses achats et fait changer par un mécano les plaquettes de freins de la voiture, il ne leur restait que 134 dollars, mais ça les mènerait loin. Mince, pensa-t-il en s'asseyant à la table de la cuisine pour compter une nouvelle fois, avec une somme pareille, ils pouvaient vivre comme des rois pendant une semaine. Il se rappela l'été, deux ans plus tôt, où ils avaient quitté Meade avec 40 dollars. Ils avaient fait toute la route avec des boîtes de pâté, des chips rances et de l'essence volée, en dormant dans la voiture étouffante, mais, avec l'argent piqué aux modèles, ils avaient réussi à rester partis seize jours. Comparé à ça, cette année, c'était la fortune.

Pourtant, quelque chose l'ennuyait. Un soir, il parcourait ses photos, essayant de s'exciter pour la chasse, quand il était tombé sur une image de Sandy serrée contre le militaire de l'été dernier. Il avait vaguement conscience que, depuis qu'il avait tué celui-là, elle ne se conduisait pas tout à fait de la même façon, comme si cette nuit-là il lui avait ôté un bien précieux. Mais sur la photo qu'il tenait dans sa main, il lisait sur le visage de Sandy une expression de dégoût et de désillusion qu'il n'avait jamais remarquée auparavant. Tout en continuant à regarder la photo, il commença à regretter de lui avoir acheté ce pistolet. Il y avait aussi l'affaire avec la serveuse du White Cow. Sandy s'était mise à lui demander où il passait ses soirées pendant qu'elle était au travail, et même si elle ne l'avait jamais franchement accusé de quoi que ce soit, il commençait à se demander si elle n'avait pas entendu raconter quelque chose. La serveuse, de son côté, se montrait moins amicale que d'habitude. Il s'agissait sans doute juste d'un accès de paranoïa, mais c'était déjà assez difficile de s'occuper des modèles sans avoir en plus à s'inquiéter de voir l'appât se retourner contre lui. Le lendemain, il se rendit à la quincaillerie de Central Center. Cette nuit-là, quand Sandy fut couchée, il déchargea son pistolet – elle avait pris l'habitude de le mettre dans son sac à main – et remplaça les têtes creuses par des balles à blanc. De toute façon, plus il y pensait, moins il parvenait à imaginer une situation où elle dût s'en servir.

Une des dernières choses qu'il fit pour préparer le voyage consista à effectuer un tirage neuf de sa photo préférée. Il la plia et la rangea dans son portefeuille. Sandy l'ignorait, mais, quand ils étaient en sortie, il en avait toujours un exemplaire sur lui. Sur la photo, on voyait Sandy berçant sur ses genoux la tête d'un modèle, un de ceux sur lesquels ils avaient travaillé, l'été de leur première chasse, après qu'ils eurent tué le maniaque sexuel dans le Colorado. Il ne s'agissait pas de l'une de ses meilleures photos, mais, pour quelqu'un qui était encore en train d'apprendre, elle était réussie. La façon dont Sandy regardait le modèle, l'expression de douceur et d'innocence sur son visage, une expression qu'il était parvenue à saisir quelques fois lors de la première ou de la deuxième année, mais qui depuis avait disparu à jamais, rappelaient à Carl l'un de ces tableaux représentant Marie et l'Enfant Jésus. Et le garçon ? D'après ses souvenirs, ils venaient de passer cinq jours sans un seul auto-stoppeur. Ils étaient fauchés, ils se disputaient, Sandy voulait rentrer et lui insistait pour continuer. Puis ils étaient arrivés à un virage sur une deux-voies trouée de nids de poule, juste en dessous de Chicago et il était là, le pouce levé, tel un cadeau tombé du ciel. C'était un vrai rigolo, ce garçon, plein de joie et de plaisanteries idiotes, et si Carl scrutait la photo avec suffisamment d'attention il voyait toujours cette méchanceté sur son visage. Et à chaque fois qu'il la regardait, ça lui rappelait aussi que plus jamais il ne trouverait pour travailler avec lui une fille aussi bonne que Sandy.

41

C'était un dimanche matin très chaud, le premier août, et la chemise de Carl était déjà trempée de sueur. Il était assis dans la cuisine, le regard posé sur la boiserie crasseuse du mur derrière le poêle, couverte d'une couche de graisse rance. Il regarda sa montre, vit qu'il était midi. Ils auraient dû être partis depuis déjà quatre heures, mais Sandy, la nuit dernière, était rentrée imbibée d'alcool, faisant irruption avec une expression mauvaise sur son visage rougeaud, n'arrêtant pas de répéter que, pour elle, ce voyage serait le dernier. Il lui avait fallu toute la matinée pour se remettre. Quand ils sortirent pour aller à la voiture, elle s'arrêta soudain et fourragea dans son sac à la recherche des ses lunettes de soleil. « Seigneur Jésus, je suis encore malade, dit-elle.

– Il va falloir qu'on s'arrête pour faire le plein avant de quitter la ville », dit-il sans lui répondre. Tandis qu'il attendait qu'elle se prépare, il avait décidé qu'il ne la laisserait pas gâcher le voyage. Une fois qu'ils se seraient éloignés de Ross County et de son putain de fouineur de frère, il serait brutal avec elle si besoin était.

« Merde, t'as eu toute la semaine pour faire ça, dit-elle.

– Fais gaffe, ma fille, je te préviens. »

À la station Texaco de Main Street, Carl sortit et commença à remplir le réservoir. Quand le son aigu d'une sirène coupa l'air, il faillit bondir devant une Mustang en train de quitter la pompe. Quand il se retourna, il vit Bodecker assis dans son véhicule derrière le break. Le shérif éteignit la sirène et sortit de sa voiture en riant. « Sacré Carl, dit-il. J'espère que tu n'as pas mouillé ton pantalon. » En passant à côté de leur voiture, il jeta un coup d'œil à l'intérieur, vit leurs affaires entassées à l'arrière. « Vous partez en voyage ? »

Sandy ouvrit la portière et sortit. « On part en vacances, dit-elle.

— Où? demanda Bodecker.

— À Virginia Beach », dit Carl. Il sentit quelque chose d'humide, baissa les yeux, vit qu'il avait fait couler de l'essence sur l'une de ses chaussures.

« Je croyais que vous y étiez allés l'année dernière », dit Bodecker. Il se demanda si sa sœur avait recommencé à faire le tapin. Si c'était le cas, elle était nettement plus discrète. Depuis le coup de téléphone de la femme, l'été précédent, il n'avait plus reçu de plainte à son sujet.

Carl regarda Sandy, et dit : « Ouais, on s'y plaît bien.

— Je me disais que je prendrais bien un peu de repos. Alors, c'est un coin agréable, hein ?

— C'est joli, dit Sandy.

— Qu'est-ce qui vous plaît tant que ça, là-bas ? »

Elle chercha du secours auprès de Carl, mais il était déjà penché sur la voiture, dont il soulevait le capot. Son pantalon était bas sur ses hanches, et elle espéra que Lee ne remarquerait pas la fente de ses fesses blanches. « C'est joli, c'est tout », dit-elle.

Bodecker sortit un cure-dent de la poche de sa chemise. « Vous restez partis combien de temps ? »

Sandy croisa les bras sur sa poitrine, et lui lança un regard mauvais. « Pourquoi toutes ces putains de questions ? » Elle commençait à nouveau à avoir mal à la tête. Elle n'aurait jamais dû mélanger la bière et la vodka.

« Aucune raison, sœurette, dit-il. Juste par curiosité. »

Elle le dévisagea quelques instants. Elle essaya d'imaginer ce que deviendrait son expression suffisante si elle lui disait la vérité. « Environ deux semaines », dit-elle.

Ils regardèrent Carl revisser le bouchon du réservoir. Quand il entra dans la station pour payer, Bodecker retira le cure-dent de sa bouche, et grogna : « Des vacances, tu parles.

– Lâche-nous, Lee. Ce qu'on fait, ça nous regarde. »

42

Jamie Johansen était le premier type comme ça qu'ils aient jamais pris en stop, les cheveux jusqu'aux épaules, des anneaux d'or fin suspendus aux lobes des oreilles. C'est la première chose que lui dit la femme dès qu'il monta dans leur voiture crasseuse, comme s'il ne lui était jamais rien arrivé de plus excitant. Jamie s'était enfui de chez lui, dans le Massachusetts, l'année précédente, et, depuis, il n'était jamais entré chez un coiffeur. Il ne se considérait pas comme un hippie – les rares hippies qu'il avait croisés dans la rue lui avaient paru être des attardés mentaux – mais merde, à la fin ! Qu'elle pense ce qu'elle voulait. Pendant les six derniers mois, il avait vécu avec une famille de travestis, à Philadelphie, dans une maison délabrée et infestée de chats. Il s'en était finalement tiré quand deux des « gonzesses » les plus âgées avaient décidé qu'il fallait que Jamie partage plus équitablement ce qu'il se faisait dans les toilettes de la gare routière de Clark Street. Qu'elles aillent se faire foutre, ces vieilles chouettes, avait pensé Jamie. Juste une bande de ratés, avec des maquillages de merde et des perruques bas de gamme. Il irait à Miami et se trouverait un vieux pédé riche qui serait excité à l'idée de jouer avec ses cheveux longs et magnifiques, et de l'exhiber sur la plage. Il regarda par la vitre de la voiture un panneau disant quelque chose à propos de Lexington. Il ne savait même plus comment il avait atterri dans le Kentucky. Merde, qui va dans le Kentucky ?

Et ces deux qui venaient de le prendre, encore un couple de ratés. À en croire la façon dont elle n'arrêtait pas de lui sourire dans le rétroviseur et de se passer la langue sur les lèvres, la femme semblait imaginer qu'elle était sexy, ou Dieu sait quoi, mais le simple fait de la regarder lui filait les jetons. Il y avait dans la voiture une odeur âcre, une odeur de pourri, et il pensa que ça devait venir d'elle. Vu comme il n'arrêtait pas de se retourner sur son siège et de lui poser des questions idiotes pour avoir l'occasion de lui mater l'entrejambe, il était sûr que le gros type mourait d'envie de le sucer. Ils n'avaient pas fait dix kilomètres que Jamie décida que, s'il en avait l'occasion, il leur volerait leur voiture. Même ce tas de merde serait préférable au stop. Le type qui l'avait pris la veille au soir, chapeau noir guindé, longs doigts blancs, lui avait foutu une sacrée trouille. Il lui avait parlé de gangs de bouseux féroces et de tribus de vagabonds à moitié morts de faim, et des choses horribles qu'ils faisaient aux enfants perdus, jeunes et innocents, quand ils les ramassaient sur la route. Après lui avoir raconté un certain nombre d'histoires qu'il avait entendues – des garçons brûlés vifs, enfoncés tête la première dans des trous étroits, comme des piquets de clôture, d'autres transformés en ragoût gluant assaisonné d'oignons sauvages et de pommes tombées – le type lui avait proposé de l'argent et une nuit dans un joli motel, pour une fête très particulière, une fête qui nécessitait un sac de boules de coton et un entonnoir, mais pour la première fois depuis qu'il était parti de chez lui, Jamie avait refusé du bon argent, imaginant la femme de chambre le découvrant le lendemain matin dans la baignoire, évidé comme une citrouille de Halloween. Comparés à cette espèce de cinglé, ces deux-là étaient comme Papa et Maman Kettle[1].

Il fut pourtant surpris quand la femme quitta la route, et que l'homme lui demanda à brûle-pourpoint si ça lui dirait de baiser sa femme pendant que lui prendrait quelques photos. Il ne l'avait pas vue venir, celle-là, mais il ne se laissa pas démonter. Jamie ne s'intéressait pas vraiment aux femmes ; mais s'il parvenait à convaincre le gros type d'ôter aussi ses vêtements, voler la voiture serait du gâteau. Il n'avait encore jamais eu quatre roues à lui. Il dit à l'homme que, bien sûr, ça lui disait, enfin, s'ils étaient prêts à payer pour ça. Il regardait droit à travers le pare-brise moucheté d'insectes écrasés. Ils étaient maintenant sur un chemin gravillonné. La femme avançait au ralenti ; de façon évidente, elle cherchait un endroit où se garer.

« J'imaginais que les gens comme vous croyaient à l'amour libre, des conneries comme ça, dit l'homme. C'est ce que disait Walter Cronkite aux informations l'autre soir.

– Mais il faut bien qu'un garçon gagne sa vie, non ? dit Jamie.

– Je suppose que oui. Vingt dollars, ça vous irait ? » La femme gara la voiture et coupa le moteur. Ils étaient au bord d'un champ de soja.

---

1. Héros d'une série de films comiques, populaires aux États-Unis dans les années cinquante.

« Mince, pour vingt dollars, je vous prends tous les deux, dit Jamie en souriant.

– Tous les deux ? » Le gros homme se retourna et le regarda de ses yeux gris et froids. « On dirait que vous me trouvez mignon. » La femme eut un petit gloussement.

Jamie haussa les épaules. Il se demandait s'ils riraient encore quand il partirait avec leur voiture. « J'ai connu pire, dit-il.

– Oh, j'en doute », dit l'homme en ouvrant sa portière.

43

« Tu n'as pris qu'une chemise ? » lui demanda Sandy. Ça faisait six jours qu'ils étaient sur la route, et ils avaient travaillé avec deux modèles, le gosse avec tous ces cheveux et un homme avec un harmonica, qui pensait aller à Nashville pour devenir une star de la country. Du moins jusqu'à ce qu'ils l'eurent entendu massacrer *Ring of Fire*, de Johnny Cash, qui, cet été-là, se trouvait être la chanson préférée de Carl.

« Ouais, dit Carl.

– O.K., alors il va falloir qu'on fasse un peu de lessive.

– Pourquoi ?

– Parce que tu pues, voilà pourquoi. »

Quelques heures plus tard, ils tombèrent sur une laverie automatique dans une petite ville de Caroline du Sud. Sandy lui fit quitter sa chemise. Elle entra dans la laverie avec un sac d'épicerie rempli de linge sale qu'elle mit dans une machine. Il s'assit sur un banc devant la boutique, regardant les voitures qui passaient de temps à autre tout en mâchonnant un cigare, ses seins pendants tombant presque jusqu'à sa bedaine d'un blanc laiteux. Sandy sortit et s'assit à l'autre extrémité du banc, dissimulée derrière ses lunettes. Son corsage lui collait au dos à cause de la transpiration. Elle appuya sa tête contre le mur et ferma les yeux.

« Ce qu'on lui a fait, c'est la meilleure chose qui pouvait lui arriver », dit Carl.

Seigneur, pensa Sandy, il parle encore de ce connard avec l'harmonica. Il avait jacassé là-dessus toute la matinée. « J'ai déjà entendu ça, dit-elle.

– Je dis juste que, pour commencer, il aurait pas pu chanter plus mal. Et il avait, quoi, allons, disons, trois putains de dents dans la bouche. T'as déjà vu les stars de la country ? Ces gens-là dépensent une fortune pour avoir de belles dents. Non, ils l'auraient chassé de Nashville à force de rire ; il serait rentré chez lui, aurait baisé une vieille peau et il se serait trouvé coincé par une bande de chiards, et ça aurait été la fin.

– La fin de quoi ? demanda Sandy.

– La fin de son rêve, voilà la fin de quoi. Peut-être qu'hier soir il s'en rendait pas compte, mais je lui ai rendu un sacré service, à ce garçon. Il est mort avec ce rêve encore vivant dans la tête.

– Seigneur, Carl, qu'est-ce qui te prend ? » Elle entendit la machine s'arrêter et se leva, la main tendue. « Donne-moi un *quarter* pour le sèche-linge. »

Il lui tendit de la monnaie, puis se pencha, dénoua ses lacets, et ôta ses chaussures d'un coup de pied. Il ne portait pas de chaussettes. Maintenant, il ne lui restait que son pantalon. Il sortit son canif et commença à se nettoyer les ongles de pied. Deux jeunes garçons, âgés peut-être de neuf ou dix ans, apparurent au coin de la rue, fonçant sur leurs bicyclettes, à l'instant où il étalait une substance épaisse et grise sur l'assise du banc. Tous les deux lui firent signe de la main et lui sourirent quand il leva les yeux. Pendant une seconde, tandis qu'ils s'éloignaient en appuyant sur leurs jambes et en riant comme s'ils n'avaient pas un seul souci au monde, ils lui firent regretter de ne pas être quelqu'un d'autre.

44

Au douzième jour de leur sortie, l'un d'eux s'échappa. Ça n'était encore jamais arrivé. Il s'agissait d'un ancien détenu nommé Danny Murdock, le quatrième modèle qu'ils aient pris depuis le début du voyage. Sur son avant-bras droit, il avait un tatouage représentant deux serpents écailleux entortillés autour d'une pierre tombale, et Carl pensa qu'il en ferait quelque chose de spécial une fois qu'ils l'auraient liquidé. Ils avaient roulé tout l'après-midi à boire des bières et à se partager un énorme sac de couennes de porc, pour qu'il se sente à l'aise. Ils trouvèrent à se garer le long d'un lac étroit, à un kilomètre, ou un peu plus, à l'intérieur de la Sumter National Forest. Dès que Sandy coupa le moteur, Danny ouvrit la portière à la volée et sortit. Il s'étira et bâilla, puis commença à marcher tranquillement vers le lac, se débarrassant de ses vêtements au fur et à mesure. « Qu'est-ce que vous faites ? » cria Carl.

Danny jeta sa chemise sur le sol, et se retourna pour les regarder. « Hé, ça me pose pas de problème de baiser votre nana, mais d'abord laissez-moi me laver, dit-il en quittant son slip. Mais je vous avertis, mon vieux, elle se contentera plus jamais de votre cul.

– Mince, il a une grande gueule, hein ? » dit Sandy en faisant le tour du break. Elle s'appuya contre le pare-chocs, et regarda l'homme sauter à l'eau.

Carl posa l'appareil sur le capot et sourit. « Pas pour longtemps, tu vas voir. » Ils partagèrent une autre bière et le regardèrent nager, pompant des bras et battant des pieds, jusqu'au milieu du lac, puis se mettre sur le dos.

« Je dois dire que ça paraît amusant », dit Sandy. Elle quitta ses sandales et étendit la couverture sur l'herbe.

« Merde, difficile de dire ce qu'il y a au fond de cette mare de boue », dit Carl. Il ouvrit une autre bière, essaya de profiter de ces quelques instants passés hors de la puanteur de la voiture. Mais il finit par s'impatienter contre le nageur. Ça faisait plus d'une heure qu'il s'amusait comme ça. Il s'approcha de la berge et commença à crier et à faire des gestes pour que Danny revienne, et à chaque fois que l'homme plongeait et réapparaissait en éclaboussant et en criant comme un écolier, Carl était de plus en plus agacé. Quand Danny sortit enfin du lac, avec un grand sourire, et la bite qui lui tombait à mi-genoux, le soleil du soir étincelant sur son corps mouillé, Carl sortit le pistolet de sa poche et dit : « Alors, vous êtes assez propre, maintenant ?

– Qu'est-ce qui se passe ? » dit l'homme.

Carl fit un geste avec le pistolet. « Nom de Dieu, venez vous mettre sur cette couverture, comme on l'avait dit. Merde, il va plus y avoir assez de lumière. » Il se tourna vers Sandy et secoua la tête. Elle passa ses mains derrière sa tête, et commença à dénouer sa queue de cheval.

Carl entendit l'homme crier : « Allez vous faire foutre. » Le temps qu'il réalise ce qui se passait, Danny Murdock fonçait déjà dans les bois, de l'autre côté de la route. Carl tira deux fois au hasard et se précipita derrière lui. Glissant et trébuchant, il s'enfonça profondément dans la forêt jusqu'au moment où il craignit de ne plus retrouver le chemin de la voiture. Il s'arrêta et tendit l'oreille, mais il n'entendait rien, sauf le son de sa propre respiration rauque. Il était trop gras et trop lent pour poursuivre qui que ce soit, et encore moins un connard aux longues jambes qui avait passé l'après-midi à se vanter d'avoir, la semaine précédente, semé en courant trois voitures de patrouille à travers le centre de Spartanburg. À ce moment-là, la nuit tombait, et Carl réalisa soudain que l'homme avait pu revenir à son point de départ jusqu'à l'endroit où Sandy attendait, près de la voiture. Mais même avec des balles à blanc dans son arme, il aurait entendu un coup de feu, enfin, sauf si cet enfoiré l'avait eue par surprise. Nom de Dieu, espèce de putain de sournois. L'idée de revenir les mains vides à la voiture lui déplaisait. Sandy en parlerait pendant des siècles. Il hésita une seconde, puis pointa le pistolet en l'air et tira deux fois.

Quand il émergea des broussailles, le visage cramoisi, à bout de souffle, elle était debout près de la portière ouverte, côté conducteur, le .22 dans les mains. « Il faut qu'on se tire d'ici », hurla-t-il. Il attrapa au vol la couverture qu'ils avaient étalée sur le sol, se précipita pour ramasser dans l'herbe les vêtements de l'homme et ses chaussures, jeta le tout sur le siège arrière et monta à l'avant.

« Seigneur, Carl, que s'est-il passé ? demanda Sandy en démarrant.

– T'inquiète pas, j'ai eu ce salopard. Je lui en ai collé deux dans sa stupide caboche. »

Elle leva les yeux sur lui. « T'as descendu ce fils de pute ? »

Il perçut le doute dans sa voix. « Tais-toi une minute, dit-il. Il faut que je réfléchisse. » Il étala une carte routière qu'il étudia pendant quelques instants, en suivant le tracé du doigt. « À mon avis, on est à une quinzaine de kilomètres de la frontière. Fais demi-tour, tourne à gauche là où on est arrivés, et on va filer par cette route.

— Je ne te crois pas, dit-elle.

— Quoi ?

— Ce type a filé comme un chevreuil. T'as pas pu le rattraper. »

Carl respira plusieurs fois à fond. « Il se cachait sous un tronc. J'ai failli lui marcher dessus.

— Alors pourquoi se précipiter ? On peut retourner là-bas, pour prendre quelques photos. »

Carl posa le .38 sur le tableau de bord, remonta sa chemise, essuya la sueur sur son visage. Son cœur battait toujours la chamade. « Contente-toi de conduire cette putain de voiture, d'accord, Sandy ?

— Il s'est tiré, c'est ça ? »

Il regarda par la vitre les bois qui devenaient sombres. « Ouais, ce salopard s'est tiré. »

Elle enclencha une vitesse. « Ne me mens plus jamais, Carl, dit-elle. Et autre chose, tant qu'on est sur ce sujet. Si j'entends encore une fois dire que tu as fricoté avec cette petite connasse du White Cow, tu le regretteras. » Puis elle appuya sur l'accélérateur et vingt minutes plus tard ils traversaient la frontière de l'État de Géorgie.

45

Plus tard ce soir-là, Sandy se gara au bord d'une aire pour camions à quelques kilomètres au sud d'Atlanta. Elle mangea un peu de bœuf séché et rampa sur le siège arrière pour dormir un peu. Aux alentours de trois heures du matin, il commença à pleuvoir. Carl s'assit à l'avant et écouta la pluie battre sur le toit de la voiture, réfléchissant à l'ancien détenu. Il y a une leçon à tirer de ça, pensa-t-il. Il avait tourné le dos une seconde à ce trouillard à la con, mais ça avait suffi pour tout foutre en l'air. Il sortit de sous le siège les vêtements de l'homme, et commença à les fouiller. Il trouva un cran d'arrêt cassé, une adresse à Greenwood, Caroline du Sud, inscrite à l'intérieur d'une plaquette d'allumettes, et onze dollars dans son portefeuille. Sous l'adresse étaient écrits les mots TÊTE BIEN FAITE. Il mit l'argent dans sa poche, fit une boule de tout le reste, puis traversa le parking et la jeta dans une poubelle.

Le lendemain matin, quand elle se réveilla, la pluie tombait toujours. Tandis qu'il prenait un petit-déjeuner avec Sandy au relais routier, Carl se demanda si l'un des chauffeurs assis autour d'eux avait déjà tué un auto-stoppeur. Pour quelqu'un qui aurait ce penchant, ça serait un boulot rêvé. Alors qu'ils commençaient leur troisième tasse de café, la pluie s'arrêta et le soleil apparut dans le ciel comme un gros furoncle suppurant. Le temps qu'ils règlent l'addition, des traînées de vapeur montaient déjà sur le parking goudronné. « À propos de ce qui s'est passé hier, dit Carl tandis qu'ils retournaient à la voiture, j'aurais jamais dû faire ça.

– C'est comme je te l'ai dit. Ne me mens plus jamais. Si on se fait prendre je serai autant dans la merde que toi. »

Carl repensa aux balles à blanc qu'il avait mises dans son arme, mais conclut que mieux valait ne pas lui en parler. Bientôt ils seraient de retour chez eux, et il pourrait les remplacer sans qu'elle s'en aperçoive. « Personne ne va nous prendre, dit-il.

– Ouais. Mais tu n'imaginais sans doute pas non plus qu'il y en aurait un qui se tirerait.

– T'inquiète. Ça se reproduira pas. »

Ils contournèrent Atlanta et s'arrêtèrent pour prendre de l'essence dans un patelin du nom de Roswell. Il leur restait vingt-quatre dollars et un peu de monnaie pour rentrer chez eux. Au moment où Carl se réinstallait dans le break après avoir réglé, un homme décharné dans un costume noir élimé s'approcha timidement. « Vous n'iriez pas vers le nord, par hasard ? » demanda-t-il. Carl souleva son cigare du cendrier avant de lever les yeux sur l'homme. Son costume était trop grand de plusieurs tailles. Les revers de son pantalon avaient été retroussés plusieurs fois pour ne pas traîner sur le sol. Il apercevait une petite étiquette encore attachée à une manche de la veste. L'homme portait un vieux sac de couchage, et même si on lui aurait donné facilement soixante ans, Carl imagina que le voyageur était sans doute plus jeune de quelques années. Sans que Carl sache pourquoi, il lui faisait penser à un pasteur, un de ces vrais pasteurs comme on n'en rencontre plus que rarement : pas un de ces salauds avides couverts de parfum et qui ne cherchent qu'à prendre l'argent des autres et à se faire du gras en vivant sur le dos de Dieu, mais un homme qui croyait vraiment aux enseignements de Jésus. À la réflexion, peut-être qu'il poussait les choses un peu loin ; le vieil homme était sans doute juste un clochard comme les autres.

« C'est possible », dit Carl. Il regarda Sandy pour voir si elle avait compris, mais elle se contenta de hausser les épaules et de mettre ses lunettes de soleil. « Où vous allez ?

– Coal Creek, Virginie-Occidentale. »

Carl pensa à celui qui s'était échappé, la veille au soir. Ce fils de pute à la grosse queue allait lui laisser longtemps un goût amer dans la bouche. « Après tout, pourquoi pas ? dit-il à l'homme. Montez à l'arrière. »

Quand ils furent sur l'autoroute, l'homme dit : « J'apprécie vraiment votre geste, monsieur. Mes pauvres pieds n'en peuvent plus.

– Vous avez eu du mal à vous faire prendre, hein ?

– J'ai marché plus que je n'ai roulé, je peux vous le dire.

– Ouais, dit Carl. Je ne comprends pas les gens qui ne prennent pas les étrangers. C'est pourtant bien, d'aider les autres.

– Vous parlez comme un chrétien », dit l'homme.

Sandy étouffa un rire, mais Carl l'ignora. « D'une certaine façon, oui, je suppose, dit-il à l'homme. Mais je dois reconnaître que je pratique de façon moins rigoureuse qu'avant. »

L'homme acquiesça, et regarda par la fenêtre. « C'est difficile de bien agir, dit-il. On dirait que le Diable n'abandonne jamais.

– Comment tu t'appelles, chéri ? » demanda Sandy. Carl lui jeta un coup d'œil et sourit, puis lui effleura la jambe. Après la façon dont il avait tout gâché, la veille, il avait craint qu'elle ne se conduise comme une emmerdeuse de première pour la fin du voyage.

« Roy, dit l'homme. Roy Laferty.

– Alors, qu'est-ce que tu vas faire en Virginie-Occidentale, Roy ?

– Je rentre chez moi pour voir ma petite fille.

– C'est mignon, dit Sandy. Depuis quand tu l'as pas vue ? »

Roy réfléchit quelques instants. Seigneur, jamais il ne s'était senti aussi fatigué. « Ça fait presque dix-sept ans. » Rouler en voiture le rendait somnolent. Il ne voulait pas se montrer impoli mais, malgré tous ses efforts, il ne pouvait empêcher ses yeux de se fermer.

« Qu'est-ce que vous avez fait, aussi longtemps loin de chez vous ? » demanda Carl. Après avoir attendu une minute ou deux la réponse de l'homme, il se retourna pour regarder sur le siège arrière. « Merde, il s'est évanoui, dit-il.

– Laisse-le tranquille pour l'instant. Et si tu penses que je vais baiser avec lui, oublie. Il pue encore plus que toi.

– Bon, bon », dit-il en sortant de la boîte à gants la carte de la Géorgie. Une demi-heure plus tard, il montra à Sandy une rampe de sortie, et lui dit de l'emprunter. Ils roulèrent quelques kilomètres sur une route de terre, puis trouvèrent une aire de repos souillée de vestiges de fête et d'un piano déglingué. « Il faudra se contenter de ça », dit Carl en sortant de la voiture. Il ouvrit la portière du passager et le secoua par l'épaule. « Hé, mon pote, allez, je veux vous montrer quelque chose. »

Quelques minutes plus tard, Roy se trouvait dans un bosquet de grands pins rigides. Le sol était couvert d'aiguilles sèches et brunes. Il ne se rappelait plus exactement depuis combien de temps il voyageait. Peut-être trois jours. Il n'avait pas eu beaucoup de chance avec le stop, et il avait marché jusqu'à en avoir les pieds couverts d'ampoules. Il pensait ne pas pouvoir faire un pas de plus, mais il ne voulait pas non plus s'arrêter. Il se demandait si les animaux avaient déjà découvert Theodore. Puis il vit que la femme retirait ses vêtements, ce qui le gêna. Il regarda autour de lui à la recherche de la voiture dans laquelle il était monté, et vit que le gros homme pointait un pistolet sur lui. Un appareil-photo noir était suspendu à son cou par un cordon, un cigare non allumé coincé entre ses grosses lèvres. Roy pensa que peut-être il rêvait. Mais, nom de Dieu, ça paraissait trop réel. Il sentait l'odeur de la sève que la chaleur faisait couler des arbres. Il vit la femme s'asseoir sur une couverture rouge à carreaux, comme celles dont de braves gens pourraient se servir pour pique-niquer, puis l'homme dit quelque chose qui le réveilla. « Quoi ? demanda Roy.

– Je dis que je vous fais un beau cadeau, dit Carl. Elle aime les vieux clous efflanqués comme vous.

– Que se passe-t-il ici, monsieur ? » demanda Roy.

Carl poussa un soupir. « Seigneur Jésus, faites un peu attention, mon pote. Je vous l'ai déjà dit : vous allez baiser ma femme, et je prendrai quelques photos, c'est tout.

– Votre femme ? dit Roy. Je n'ai jamais entendu une chose pareille. Et moi qui vous prenais pour un type bien.

– Bouclez-la, et quittez-moi ce costume de l'Armée du Salut », dit Carl.

Roy tendit les mains vers Sandy. « Je suis désolé, madame, dit-il, mais quand Theodore est mort, je me suis promis qu'à partir de maintenant je me conduirais correctement, et j'ai l'intention de tenir ma promesse.

– Oh, allons, mon cœur, dit Sandy. On va juste prendre quelques photos, et ensuite ce gros connard nous laissera tranquilles.

– Femme, écoutez-moi. Je ne connais même pas la moitié des endroits où je me suis fourré ! Vous voulez vraiment être touchée par ces mains ?

– Tu vas faire ce que je te dis, espèce de fils de pute », dit Carl.

Roy secoua la tête. « Non, monsieur. La dernière femme avec laquelle j'ai été était un oiseau, et je vais en rester là. Theodore avait peur d'elle, alors j'ai pas continué, mais Priscilla était un véritable flamant rose. »

Carl éclata de rire et jeta son cigare. Seigneur Jésus, quel bordel. « Dis donc, on dirait qu'on est tombé sur un dingo. »

Sandy se leva et commença à renfiler ses vêtements. « Allez, on se tire d'ici », dit-elle

À l'instant où Roy se retournait pour la regarder se diriger vers la voiture parquée au bord du chemin, il sentit sur sa tempe le canon du pistolet. « Pense même pas à t'enfuir, dit Carl.

– Ne vous inquiétez pas pour ça, dit Roy. Le temps de la fuite est fini pour moi. » Il leva les yeux à la recherche d'un petit carré de ciel bleu visible à travers la densité vert sombre des branches des pins. Une petite mèche de nuage flottait. Mourir, ça sera comme ça, pensa-t-il. Juste flotter dans l'air. Ça n'a rien de désagréable. Il eut un petit sourire. « Si je comprends bien, vous n'allez pas me laisser remonter dans la voiture, c'est bien ça ?

– T'as tout compris, dit Carl qui commença à appuyer sur la gâchette.

– Juste une chose, dit Roy d'une voix pressante.

– Quoi donc ?

– Elle s'appelle Lenora

– De qui tu parles, putain ?

– De ma petite fille », dit Roy.

46

C'était difficile à croire, mais ce dingo au costume sale avait près de cent dollars dans sa poche. Ils prirent de la viande cuite au barbecue et de la salade de chou dans une cahute d'un quartier noir de Knoxville, et ils passèrent cette nuit-là au Holiday Inn de Johnson City, Tennessee. Comme d'habitude, Sandy, le matin, prit tout son temps. Quand elle annonça qu'elle était prête à partir, Carl était plongé dans une humeur morose. En dehors de celles du garçon dans le Kentucky, la plupart des photos qu'il avait prises cette fois-ci étaient sans intérêt. Tout avait mal tourné. Il avait passé la nuit à ruminer ça, assis sur un fauteuil près de leur fenêtre au deuxième étage, regardant le parking et roulant entre ses doigts un cigare jusqu'à ce qu'il tombe en morceaux. Il ne cessait de repenser aux signes, peut-être qu'il avait raté quelque chose. Mais rien ne lui venait à l'esprit, sauf l'attitude globalement nulle de Sandy, et l'ancien détenu qui s'était enfui. Il se jura bien de ne plus jamais chasser dans le Sud.

Ils arrivèrent en Virginie-Occidentale aux environs de midi. « Écoute, on a encore la fin de la journée, dit-il. S'il y a la moindre putain de chance, je veux faire encore une

pellicule avant qu'on soit à la maison, et un truc bien. »
Ils s'étaient arrêtés sur une aire de repos pour qu'il puisse
vérifier le niveau d'huile.

« Vas-y, dit Sandy avec un geste en direction de la
fenêtre. Il y a un tas de photos à prendre, autour de nous.
Regarde, il y a un merle bleu qui vient de se poser sur cet
arbre.

– Très drôle, dit-il. Tu sais parfaitement ce que je veux
dire. »

Elle enclencha une vitesse. « Tu peux faire ce que tu
veux, Carl, mais ce soir je veux dormir dans mon lit.

– Ça me va », dit-il.

Pendant les quatre ou cinq heures suivantes, ils ne ren-
contrèrent pas un seul auto-stoppeur. Plus ils approchaient
de l'Ohio, plus Carl devenait agité. Il n'arrêtait pas de dire
à Sandy de ralentir, et plusieurs fois il la fit s'arrêter pour
se dégourdir les jambes et boire un café, juste afin de main-
tenir son espoir vivant un peu plus longtemps. Quand ils
traversèrent Charleston et se dirigèrent vers Point Pleasant,
il était rempli de déception et de doute. Peut-être l'ex-
détenu était-il un signe. Si c'était le cas, pensa Carl, ça ne
pouvait vouloir dire qu'une chose : il fallait qu'ils s'arrêtent
tant qu'ils avaient le vent en poupe. Voilà ce qu'il pensait
tandis qu'ils s'approchaient de la longue file de voitures
attendant de traverser le Silver Bridge[1], qui les mènerait
en Ohio. C'est alors qu'il vit le beau garçon brun avec un
sac de sport debout sur la voie piétonne, à sept ou huit
voitures devant eux. Il se pencha, respira les fumées

---

1. Pont suspendu, enjambant l'Ohio, construit en 1928, et surnommé ainsi en raison de sa peinture couleur aluminium.

d'échappement et la puanteur de la rivière. La circulation avança de quelques mètres, puis s'immobilisa de nouveau. Dans la file derrière eux, quelqu'un klaxonna. Le garçon se retourna et regarda dans leur direction, les yeux clignotant au soleil.

« Tu vois ce que je vois ? dit Carl.

– Et tes putains de règles ? On est en train de rentrer dans l'Ohio, merde. »

Carl gardait les yeux rivés sur le garçon, priant pour que personne ne lui propose de le prendre avant qu'ils ne soient à son niveau. « On va juste lui demander où il va. Nom d'un chien, ça peut pas faire de mal, non ? »

Sandy retira ses lunettes de soleil pour mieux voir le garçon. Elle connaissait suffisamment Carl pour savoir qu'il ne s'agirait pas juste de s'arrêter pour lui faire faire un petit bout de chemin, mais d'après ce qu'elle voyait, il était peut-être plus mignon que tous ceux sur lesquels ils étaient tombés jusque-là. Et, pendant ce voyage, ils n'avaient pas croisé d'anges. « Je suppose que non, dit-elle.

– Mais j'ai besoin que tu parles un peu, d'accord ? Fais lui ton sourire, fais-le saliver. Je ne veux pas insister là-dessus, mais pendant ce voyage, t'as pas été à la hauteur. Je peux pas y arriver tout seul.

– Bien sûr, Carl. Tout ce que tu voudras. Merde, dès qu'il posera son cul sur le siège, je lui proposerai de le sucer. Ça devrait marcher.

– Seigneur, qu'est-ce que tu es grossière.

– Peut-être, dit-elle. Mais je veux en finir avec tout ça. »

SEPTIÈME PARTIE

OHIO

47

À voir la lenteur de la circulation, il devait y avoir eu un accident. Arvin venait de se décider à franchir le pont à pied quand la voiture s'arrêta, et que le gros homme lui demanda s'il voulait monter. Après avoir vendu la Bel Air, il avait commencé à longer la route, et était allé jusqu'à Charleston avec un représentant en engrais – chemise blanche froissée, cravate tachée de sauce, les pores suintant de l'alcool de la veille – en route pour un congrès à Indianapolis. Le type le laissa sur la Route 35, à Nitro. Et quelques minutes plus tard, il fut pris par une famille de couleur, dans un pick-up, qui le conduisit jusqu'aux abords de Point Pleasant. Il s'assit à l'arrière avec une douzaine de cagettes de tomates et de haricots verts. L'homme lui indiqua la direction du pont, et Arvin commença à marcher. À plusieurs rues de distance, il sentit l'odeur de l'Ohio, avant de voir sa surface d'un gris-bleu graisseux. Sur la rive, une horloge indiquait 5 h 47. Il avait du mal à croire qu'on puisse voyager si rapidement à l'aide de son seul pouce.

Quand il monta dans le break noir, la femme qui était au volant se retourna et lui sourit. On aurait presque dit qu'elle était heureuse de le voir. Ils s'appelaient Carl et Sandy, lui dit le gros homme. « Vous allez où ? demanda Carl.

– À Meade, Ohio, dit Arvin. Vous connaissez ?

– Nous…, commença Sandy.

– Bien sûr, dit Carl. Si je ne me trompe pas, il y a une fabrique de papier. » Il retira son cigare de sa bouche et regarda la femme. « À vrai dire, on a prévu d'y passer. Pas vrai, chérie ? » Ça devait être un signe, pensa Carl, au milieu de tous ces ploucs au bord du fleuve, de prendre un garçon aussi mignon que ça, et qui allait à Meade.

« Ouais », dit-elle. La file recommença à avancer. Le bouchon était dû à un accident côté Ohio, deux voitures ratatinées et du verre brisé sur la chaussée. Une ambulance actionna sa sirène et déboucha devant eux, évitant de peu une collision. Un policier siffla et leva la main pour faire signe à Sandy de s'arrêter.

« Seigneur, fais attention, dit Carl qui s'agita sur son siège.

– Tu veux conduire ? » dit Sandy en appuyant trop sèchement sur le frein. Ils restèrent immobilisés encore quelques instants tandis qu'un homme en salopette balayait précipitamment le verre. Sandy régla son rétroviseur, regarda encore une fois le garçon. Elle était si contente d'avoir pu prendre un bain ce matin. Au moins, pour lui, elle serait toute propre. Quand elle plongea la main dans son sac pour y chercher un paquet de cigarettes neuf, sa main effleura le pistolet. Tout en regardant l'homme finir de nettoyer la chaussée, elle s'imagina tuant Carl et filant avec le garçon. Il n'avait sans doute que six ou sept ans de moins qu'elle. Elle pourrait s'arranger pour que ça marche. Et même avoir des enfants. Puis elle referma son sac à main et commença à retirer la cellophane de son paquet de Salem. Elle ne le ferait jamais, évidemment, mais c'était agréable d'y penser.

« Comment tu t'appelles, chéri ? » demanda-t-elle au garçon quand le policier leur fit signe de passer.

Arvin s'autorisa un soupir de soulagement. Il était quasiment sûr que la femme allait les faire verser. Il la regarda plus attentivement. Elle était mince comme un fil, et avait l'air sale. Son visage était encrassé d'un excès de maquillage et ses dents étaient jaunies par trop d'années de tabac et de négligence. Il émanait du siège avant une forte odeur de transpiration et de saleté et il se dit que tous les deux auraient sacrément besoin d'un bain. « Billy Burns », dit-il. C'était le nom du représentant en engrais.

« C'est un joli nom, dit-elle. Tu es d'où ?

– Du Tennessee.

– Alors pourquoi allez-vous à Meade ? demanda Carl.

– Oh, juste pour une petite visite.

– Vous avez de la famille là-bas ?

– Non. Mais j'y ai vécu il y a longtemps.

– Ça n'a sans doute pas beaucoup changé, dit Carl. En général, ces petites villes, ça ne change jamais.

– Et vous, vous habitez où, tous les deux ? demanda Arvin.

– On est de Fort Wayne. On était en vacances en Floride. On aime rencontrer des gens nouveaux, pas vrai, chérie ?

– Ça, c'est sûr », dit Sandy.

Quand ils passèrent devant le panneau indiquant la limite de Ross County, Carl regarda sa montre. Sans doute auraient-ils dû s'arrêter avant d'arriver aussi loin, mais il connaissait un endroit tranquille, tout près de là, où ils pourraient s'occuper du garçon. Il était tombé dessus l'hiver dernier, lors de l'une de ses sorties en voiture. Meade n'était plus maintenant qu'à quinze kilomètres, et il était plus de six heures. Ça voulait dire qu'il ne leur restait qu'à peu près une heure et demie de lumière correcte. Jamais encore il n'avait enfreint aucune des règles principales, mais il était déjà décidé. Ce soir, il allait tuer un homme en Ohio. Mince, si ça marchait, il pourrait même abandonner complètement cette règle. Peut-être que ce garçon était là uniquement pour ça, peut-être que non. Il n'avait pas le temps d'y penser. Il bougea sur son siège et dit : « Ma vieille vessie ne fonctionne plus aussi bien qu'avant, Billy. On va s'arrêter pour que je puisse pisser un coup, d'accord ?

– Ouais, bien sûr. C'est vraiment gentil de m'avoir pris.

– Il y a une route, sur la droite, dit Carl à Sandy.

– Loin d'ici ? demanda Sandy.

– Un peu plus d'un kilomètre. »

Arvin se pencha, juste un peu, regarda à travers le pare-brise au-delà de la tête de Carl. Il ne voyait rien indiquant une route, et il trouva un peu curieux qu'un homme sût qu'il en existait une un peu plus loin alors qu'il n'était pas du coin. Il a peut-être une carte, pensa le garçon. Il se renfonça sur son siège et regarda défiler le paysage. En dehors du fait que les collines étaient plus basses et plus rondes, ça ressemblait beaucoup à la Virginie-Occidentale. Il se demanda si quelqu'un avait déjà découvert le corps de Teagardin.

Sandy quitta la 55 et s'engagea sur un chemin de terre. Elle passa devant une grosse ferme, au coin. Après un bon kilomètre, elle ralentit et demanda à Carl : « Ici ?

– Non, continue. »

Arvin se redressa et regarda autour de lui. Depuis la ferme, ils n'avaient vu aucune habitation. Le Luger lui appuyait sur l'entrejambe, et il changea de position.

« Ça paraît être un bon endroit », finit par dire Carl en montrant les vestiges confus d'une allée menant à une maison délabrée. Il était évident qu'elle était depuis longtemps inhabitée. Les rares fenêtres étaient brisées, et la véranda s'affaissait à une extrémité. La porte d'entrée était ouverte, pendant de travers à un gond. De l'autre côté du chemin, il y avait un champ de maïs, les tiges fanées et jaunies par la chaleur et la sécheresse. Dès que Sandy eut coupé le moteur, Carl ouvrit la boîte à gants. Il en sortit un élégant appareil-photo, qu'il souleva pour le montrer à Arvin. « Je parie que tu n'aurais jamais deviné que je suis photographe, n'est-ce pas ? » dit-il.

Arvin haussa les épaules. « Sans doute que non. » Il entendait le bourdonnement des insectes dans les herbes sèches, à l'extérieur. Des milliers d'insectes.

« Mais tu sais, je ne suis pas un de ces imbéciles qui prennent des photos idiotes comme celles qu'on voit dans le journal, hein, Sandy ?

– Non, dit-elle en regardant Arvin. Il est pas comme ça. Il est vraiment doué.

– Tu as déjà entendu parler de Michel-Ange, ou de Léonard... ? Oh, zut, son nom m'échappe. Tu vois qui je veux dire ?

– Ouais, dit Arvin. Je crois que oui. » Il se rappela quand Lenora lui avait montré, dans un livre, un tableau intitulé *La Joconde*. Elle lui avait demandé s'il trouvait qu'elle ressemblait un peu à la femme pâle du tableau, et il était heureux de lui avoir répondu qu'elle était plus jolie que ça.

« Eh bien, j'aime à penser qu'un jour des gens regarderont mes photographies et qu'ils les trouveront aussi bonnes que tout ce qu'ont pu faire ces gars-là. Les photos que je fais, Billy, c'est de l'art, comme on en voit dans un musée. Tu es déjà allé dans un musée ?

– Non, dit Arvin. Je peux pas dire ça.

– Eh bien, peut-être qu'un jour tu iras. Alors c'est d'accord ?

– D'accord pour quoi ? demanda Arvin.

– Si on sortait par là, et que tu me laisses prendre quelques photos de toi avec Sandy ?

– Non, monsieur, je préfère pas. Ça a été une longue journée pour moi, et je ferais mieux de continuer à avancer. Je veux juste arriver à Meade.

– Oh, allons, fiston. Ça ne prendra que quelques minutes. Écoute-moi bien. Si elle se mettait toute nue pour toi ? »

Arvin tendit la main vers la poignée de la portière. « C'est bon, dit-il. Je vais juste retourner à pied à la route. Vous pouvez rester là et prendre toutes les photos que vous voulez.

– Non, attends, nom de Dieu, dit Carl. Je voulais pas te fâcher. Enfin, merde, ça coûte rien de demander, hein ? » Il posa l'appareil sur le siège et soupira. « Bon, je vais juste aller pisser et on repartira d'ici. »

Carl hissa son grand corps hors de la voiture et fit le tour vers l'arrière. Sandy prit une cigarette. Arvin remarqua que ses mains tremblaient tandis qu'elle essayait plusieurs fois de frotter une allumette. Une sensation sur laquelle il ne pouvait mettre un nom lui fouailla soudain les tripes, comme un couteau. Il dégageait déjà le Luger de la ceinture de sa salopette quand il entendit Carl. « Sors de la voiture, mon garçon. » Le gros homme se tenait à moins de deux mètres de la portière arrière, pointant sur lui un pistolet à canon long.

« Si c'est de l'argent que vous voulez, j'en ai un peu », dit Arvin. Il libéra la sécurité de son arme. « Vous pouvez le prendre.

– On fait le gentil, hein ? » dit Carl. Il cracha dans l'herbe. « Je vais te dire, petit connard, pour l'instant tu peux garder ton argent. Sandy et moi, on arrangera ça quand on aura pris mes fichues photos.

– Tu ferais mieux de faire ce qu'il demande, Billy, dit Sandy. Si les choses marchent pas comme il le veut, il peut sacrément s'énerver. » Quand elle se retourna pour lui sourire de toutes ses dents pourries, Arvin se décida et poussa sèchement la portière. Avant que Carl ait réalisé ce que le garçon tenait dans la main, la première détonation lui avait déchiré le ventre. La puissance de la balle commença à le faire tourner comme une toupie. Il tituba de trois ou quatre pas en arrière, et se reprit. Il essaya de lever son arme et de viser le garçon, mais une autre balle le toucha à la poitrine. Dans un bruit sourd, il atterrit sur le dos au milieu des herbes. Il sentait toujours le .38 dans sa main, mais ses doigts ne fonctionnaient plus. Quelque part dans le lointain, il percevait la voix de Sandy. On aurait dit qu'elle répétait son nom : Carl, Carl, Carl. Il voulut lui répondre, pensa que s'il se reposait quelques instants, il pourrait encore sortir de ce pétrin. Quelque chose de froid se mit à ramper sur lui. Il sentit que son corps commençait à

329

s'enfoncer dans un trou qui semblait s'ouvrir sous lui, dans le sol, et ce sentiment le remplit de terreur, la façon dont il aspirait son souffle. Grinçant des dents, il lutta pour s'en extirper avant de s'être enfoncé trop profondément. Il sentit qu'il s'élevait. Oui, mon Dieu, il pouvait encore arranger les choses, puis ils arrêteraient. Il vit ces deux petits garçons, sur leurs bicyclettes, qui lui faisaient signe de la main. Plus de photos, voulut-il dire à Sandy, mais il avait du mal à trouver de l'air. Puis une chose avec d'énormes ailes noires se posa sur lui, l'enfonçant à nouveau, et il avait beau s'accrocher frénétiquement de sa main gauche à l'herbe et à la terre pour ne pas glisser, cette fois-ci il ne parvint pas à s'arrêter.

Quand la femme commença à hurler le nom de l'homme, Arvin se retourna et la vit sur le siège avant, en train de sortir quelque chose de son sac à main. « Ne faites pas ça », dit-il en secouant la tête. Il s'éloigna de la voiture à reculons, et pointa le Luger sur elle. « Je vous en supplie. » Le mascara coulait en traînées noires le long des joues. Elle gémit encore une fois le nom de l'homme, puis s'arrêta. Respirant profondément, elle fixait les semelles de Carl tout en essayant de se calmer. L'une des semelles, remarqua-t-elle, avait un trou aussi gros qu'une pièce de cinquante cents. Il n'en avait pas parlé de tout le voyage. « Je vous en prie, madame », dit Arvin en la voyant sourire.

« Va te faire foutre », dit-elle calmement juste avant de lever le pistolet au-dessus de son siège et de faire feu. Elle visa directement le milieu du corps du garçon, mais il ne tomba pas. Des deux pouces, affolée, elle écarta à nouveau le percuteur mais, avant qu'elle ait pu tirer une deuxième balle, Arvin la toucha au cou. Le .22 tomba sur le plancher tandis que la balle précipitait Sandy contre la portière côté conducteur. Elle pressa les mains contre sa gorge pour tenter d'arrêter le flot rouge qui jaillissait de la blessure. Elle commença à suffoquer et toussa un jet de sang sur le siège. Ses yeux se fixèrent sur le visage d'Arvin. Pendant quelques secondes, ils devinrent immenses, puis se fermèrent lentement. Arvin entendit quelques respirations rauques, puis un dernier hoquet gluant. Il n'arrivait pas à croire que la femme l'avait raté. Seigneur Jésus, elle était si proche de lui.

Il s'assit sur le bord du siège arrière, et vomit un peu dans l'herbe entre ses pieds. Un désespoir paralysant commença à s'emparer de lui, et il essaya de s'en libérer. Il redescendit sur le chemin de terre et se mit à marcher en rond. Il remit le Luger dans sa ceinture et s'agenouilla à côté de l'homme. Il passa la main sous son corps et sortit de sa poche arrière un portefeuille dont il parcourut rapidement le contenu. Il ne vit pas de permis de conduire, mais il trouva une photo derrière quelques billets. Soudain, il eut à nouveau envie de vomir. C'était une photo de la femme berçant sur ses genoux, comme un bébé, un homme mort. Elle ne portait qu'un soutien gorge et une culotte. Il y avait au-dessus de l'œil droit de l'homme ce qui semblait un trou fait par une balle. Elle avait les yeux baissés sur lui, avec un soupçon de tristesse.

Arvin mit la photo dans la poche de sa chemise et laissa tomber le portefeuille sur la poitrine du gros homme. Puis il ouvrit la boîte à gants, où il ne trouva que des cartes routières et des rouleaux de pellicules. Il tendit l'oreille pour vérifier qu'aucune voiture n'arrivait, essuya la sueur de ses yeux. « Réfléchis, nom de Dieu, réfléchis. » Mais la seule chose dont il était certain, c'est qu'il devait se tirer rapidement de cet endroit. Ramassant son sac de sport, il prit vers l'ouest à travers les alignements de maïs desséché. Il avait fait vingt mètres dans le champ lorsqu'il s'arrêta et fit demi-tour. Il se dirigea rapidement vers la voiture, et prit dans la boîte à gants deux boîtes de pellicules qu'il mit dans la poche de son pantalon. Puis il sortit une chemise de son sac et la passa sur tout ce qu'il avait pu toucher. Les insectes reprirent leur bourdonnement.

48

Il décida de rester à l'écart des routes, et il était plus de minuit quand il finit par entrer dans Meade. Au centre de la ville, juste un peu à l'écart de Main Street, il trouva un motel massif en briques qui s'appelait le Scioto Inn. Il arborait encore la pancarte CHAMBRES LIBRES. C'était la première fois qu'il entrait dans un motel. Le réceptionniste, un garçon à peine plus âgé que lui, regardait d'un air las un vieux film, *Deux nigauds et la momie*[1], sur une petite télé noir et blanc posée dans un coin. La chambre coûtait cinq dollars la nuit. « On change le linge tous les deux jours », dit le réceptionniste.

Une fois dans sa chambre, Arvin se déshabilla et resta longtemps sous la douche, pour essayer de se sentir propre. Nerveux et épuisé, il s'allongea sur le dessus de lit et but une pinte de whisky. Il était sacrément content d'avoir pensé à la prendre. Il remarqua sur le mur une petite image de Jésus sur sa croix. Quand il se leva pour aller pisser, il retourna l'image. Elle lui rappelait trop celle de la cuisine

---

1. *Abbott and Costello Meet the Mummy* (1956).

de sa grand-mère. À trois heures du matin, il était assez ivre pour s'endormir.

Le lendemain, il s'éveilla vers dix heures après avoir rêvé de la femme. Dans son rêve, elle tirait sur lui avec le pistolet comme elle l'avait fait la veille, sauf que cette fois elle le touchait en plein front, et que c'était lui qui mourait, et pas elle. Les autres détails étaient flous, mais il pensa que peut-être elle le prenait en photo. Quand il alla à la fenêtre et regarda à travers le voilage, s'attendant à moitié à voir le parking rempli de véhicules de police, il regrettait presque que ça ne se soit pas passé comme ça. Tout en fumant une cigarette, il regarda la circulation sur Bridge Street, puis il prit une autre douche. Une fois habillé, il alla à la réception et demanda s'il pouvait garder la chambre un jour de plus. Le garçon de la nuit était tou· jours de service. Il était à moitié endormi, mâchonnant distraitement une boule de bubble-gum rose. « Vous devez manquer de sommeil », dit Arvin.

Le garçon bâilla et acquiesça, inscrivit une autre nuit dans le registre. « À qui le dites-vous ! Cet endroit appartient à mon vieux, alors quand je ne suis pas à la fac, je suis quasiment son esclave. » Il rendit à Arvin la monnaie de vingt dollars. « Mais c'est quand même mieux que d'être expédié au Vietnam.

– Oui, je suppose », dit Arvin. Il remit les billets flasques dans son portefeuille. « Autrefois, il y avait un snack qui s'appelait le Wooden Spoon. Il existe encore ?

– Sûr. » Le garçon se dirigea vers la porte et montra le haut de la rue. « Continuez jusqu'au feu, et ensuite à gauche. Vous le verrez, en face de la gare routière. Ils font un bon chili. »

Il resta quelques minutes devant la porte du Wooden Spoon, les yeux fixés sur la gare, en face, essayant d'imaginer son père descendant d'un Greyhound et voyant sa mère pour la première fois, il y avait plus de vingt ans. Une fois entré, il commanda des œufs, du jambon et des toasts. Il n'avait rien mangé depuis la friandise de la veille, mais il s'aperçut qu'il n'avait pas très faim. Au bout d'un moment, la vieille serveuse s'approcha et enleva son assiette sans un mot. Elle le regarda à peine, mais, quand il se leva, il lui laissa quand même un dollar de pourboire.

Au moment où il sortait, trois véhicules de patrouille fonçaient à toute allure vers l'est, tous gyrophares allumés, toutes sirènes hurlantes. Il eut l'impression que son cœur s'arrêtait un instant de battre, puis repartait, très rapide. Il s'appuya au mur de brique et essaya d'allumer une cigarette, mais ses mains tremblaient trop pour qu'il pût frotter une allumette, exactement comme la femme. Les sirènes s'éloignèrent, et il se calma suffisamment pour pouvoir l'allumer. À cet instant, un car s'arrêta dans le passage à côté de la gare routière. Il vit en sortir une dizaine de voyageurs. Deux d'entre eux portaient des uniformes militaires. Le chauffeur, un homme aux grosses bajoues, à l'air renfrogné, en chemise grise et cravate noire, s'enfonça sur son siège et baissa sa casquette sur ses yeux.

Arvin retourna au motel et passa le reste de la journée à arpenter la moquette verte râpée. Ce n'était qu'une question de temps avant que la police comprenne qu'il avait tué le pasteur Teagardin. Il réalisa soudain que le fait de quitter Coal Creek si brutalement était de loin la chose la plus stupide qu'il ait pu faire. Comment aurait-il pu mieux attirer l'attention sur lui ? Plus il arpentait la chambre, plus il lui devenait évident qu'en abattant le pasteur, il avait mis en mouvement quelque chose qui allait le suivre pour le restant de ses jours. D'instinct, il savait qu'il devait immédiatement essayer de quitter l'Ohio, mais il ne pouvait supporter l'idée de partir sans avoir revu une dernière fois la vieille maison et le tronc à prières. Quoi qu'il puisse arriver, se dit-il, il devait essayer de régler tout ce qui, à propos de son père, continuait à le ronger. De toute façon, il ne serait jamais libre avant de l'avoir fait.

Il se demanda s'il se sentirait jamais de nouveau propre. Il n'y avait pas de télévision dans la chambre, juste une radio. La seule station qu'il put trouver qui ne grésillait pas était une station de country. Il la laissa allumée tout doucement, tandis qu'il essayait de s'endormir. De temps en temps, quelqu'un toussait dans la chambre voisine, et ce bruit lui faisait penser à la femme étouffant dans son sang. Quand le matin arriva, il pensait toujours à elle.

49

« Je suis désolé, Lee, dit Howser quand Bodecker s'approcha. C'est une sacrée merde. » Il était debout à côté du break de Carl et Sandy. On était mardi, aux alentours de midi. Bodecker venait d'arriver. Un paysan avait découvert les corps une heure plus tôt environ, et avait hélé une camionnette Wonder Bread sur la route. Quatre voitures de patrouille étaient garées l'une derrière l'autre sur le chemin, et des hommes en uniforme gris, tout autour, s'éventaient avec leurs chapeaux, attendant des ordres. Howser était le premier adjoint de Bodecker, le seul homme sur lequel il pût compter pour quoi que ce soit en dehors des petits larcins et des contraventions pour excès de vitesse. Aux yeux du shérif, tous les autres n'étaient même pas capables de faire la circulation devant une école à une seule classe.

Il jeta un coup d'œil au cadavre de Carl, puis regarda sa sœur. L'adjoint, par radio, lui avait déjà dit qu'elle était morte. « Seigneur, dit-il d'une voix presque brisée. Seigneur Jésus.

– Je sais », dit Howser.

Bodecker respira profondément plusieurs fois pour se

reprendre, et mit ses lunettes de soleil dans sa poche.
« Laisse-moi un moment seul avec elle, dit-il.

– Bien sûr », dit l'adjoint. Il se dirigea vers les autres
hommes, leur dit quelque chose à voix basse.

S'accroupissant à côté de la portière passager restée
ouverte, Bodecker observa attentivement Sandy, les rides
sur son visage, ses mauvaises dents, les bleus décolorés sur
ses jambes. Elle avait toujours été un peu bizarre, mais
c'était quand même sa sœur. Il sortit son mouchoir et
s'essuya les yeux. Elle portait un short ultracourt et un corsage moulant. Elle s'habillait toujours comme une pute,
pensa-t-il. Il monta sur le siège avant, la tira vers lui,
regarda par dessus son épaule. La balle avait traversé son
cou et était ressortie au sommet de son dos, à gauche de
la colonne, quelques centimètres plus bas qu'elle n'était
entrée. Elle avait pénétré dans le rembourrage de la portière côté conducteur. Il prit son canif pour l'extraire. On
aurait dit une 9 millimètres. Il vit un calibre .22 à côté de
la pédale d'embrayage.

« Quand vous êtes arrivés, la portière arrière était
ouverte comme ça ? » cria-t-il à Howser.

L'adjoint quitta les hommes sur le chemin et trottina
jusqu'au break. « On n'a touché à rien, Lee.

– Où est le fermier qui les a découverts ?

– Il a dit qu'il devait s'occuper d'une génisse malade,
mais je l'ai bien interrogé avant qu'il parte. Il ne sait rien
du tout.

– T'as déjà pris des photos ?

– Ouais, je venais de le faire quand t'es arrivé. »

Il tendit la balle à Howser, puis se pencha encore une
fois sur le siège avant et prit le .22 avec son mouchoir. Il

renifla le canon, puis libéra le cylindre, vit qu'il avait fait feu une seule fois. Quand il repoussa l'extracteur, cinq balles tombèrent dans sa main. Leurs extrémités étaient serties. « Merde, ce sont des balles à blanc.

– À blanc ? Pourquoi faire une chose pareille, Lee ?

– Je ne sais pas, mais c'était une grave erreur, ça c'est sûr. »

Il posa l'arme sur le siège à côté du sac à main et de l'appareil-photo, puis il sortit de la voiture et se dirigea vers le corps de Carl. Le mort serrait toujours le .38 dans sa main droite, et dans l'autre un peu d'herbe et de terre. On aurait dit qu'il avait agrippé le sol. Des mouches grouillaient autour de ses blessures, et l'une était posée sur sa lèvre inférieure. Bodecker vérifia l'arme. « Et cet enculé, il n'a même pas tiré.

– L'un ou l'autre des trous qu'il a dans le corps doit expliquer ça, dit Howser.

– De toute façon, c'était pas difficile de descendre Carl », dit Bodecker. Il tourna la tête et cracha. « Jamais vu un bon à rien pareil. » Il prit le portefeuille posé sur le corps et compta cinquante-quatre dollars. Il se gratta la tête. « En tout cas, on dirait qu'il ne s'agissait pas d'un vol, non ?

– Tater Brown pourrait être pour quelque chose là-dedans ? »

Bodecker rougit. « Qu'est-ce qui peut bien te faire penser ça ? »

L'adjoint haussa les épaules. « Je ne sais pas. Je dis ce qui me passe par la tête. Je veux dire, qui d'autre dans le coin est capable d'une chose pareille ? »

Bodecker se releva en secouant la tête. « Non, ce genre

de chose est trop voyant pour ce connard obséquieux. Si c'était lui qui avait fait ça, on les aurait pas trouvés si facilement. Il aurait fait en sorte que les asticots aient quelques jours seuls avec eux.

– Ouais, je suppose que t'as raison, dit l'adjoint.

– Où en est le coroner ? demanda Bodecker.

– Il doit être en route. »

Bodecker fit un signe de tête en direction des autres hommes. « Dis-leur de fouiller le champ de maïs, voir s'ils trouvent quelque chose, et guette le médecin-légiste. » Avec son mouchoir, il essuya la sueur sur sa nuque. Il attendit que Howser se soit éloigné, puis s'assit sur le siège passager du break. Il y avait un appareil-photo à côté du sac à main de Sandy. La boîte à gants était ouverte. Sous quelques cartes froissées, il découvrit plusieurs pellicules, une boîte de balles de .38. Jetant un coup d'œil autour de lui pour s'assurer que Howser parlait toujours aux adjoints, Bodecker fourra les pellicules dans la poche de son pantalon, puis regarda dans le sac à main. Il trouva un reçu d'un Holiday Inn à Johnson City, Tennessee, qui datait de l'avant-veille. Il repensa au jour où il les avait vus à la station-service. Ça faisait maintenant seize jours, calcula-t-il. Ils étaient presque rentrés chez eux.

Il finit par remarquer dans l'herbe ce qui ressemblait à des vomissures séchées, couvertes de fourmis. Il s'assit sur le siège arrière et plaça ses pieds sur le sol, de part et d'autre des vomissures. Il regarda, plus loin, son beau-frère allongé dans l'herbe. Celui qui avait vomi était assis sur ce siège, se dit Bodecker. Il y avait donc Carl à l'extérieur avec une arme, et Sandy à l'avant, et quelqu'un à l'arrière. Il observa encore le vomi quelques instants. Carl n'avait même pas eu la possibilité de faire feu avant que quelqu'un ait tiré trois coups. Et à un moment donné, sans doute une fois la fusillade terminée, celui qui avait fait ça avait été salement secoué. Il repensa à la première fois qu'il avait tué un homme pour Tater. Ce soir-là, il avait failli se vomir dessus. Il y a des chances pour que celui qui a fait ça n'ait pas eu l'habitude de tuer, pensa-t-il, mais ce salopard savait se servir d'une arme.

Bodecker regarda les adjoints traverser le fossé et se mettre à se déplacer lentement à travers les rangs de maïs, le dos de leur chemise noir de transpiration. Il entendit une voiture arriver, se retourna, et vit Howser commencer à longer le chemin à la rencontre du coroner. « Nom de Dieu, ma fille, qu'est-ce que tu foutais là ? » dit-il à Sandy. Tendant la main par dessus le siège, il retira rapidement quelques clefs suspendues au même anneau de métal que la clef de contact et les mit dans sa poche. Il entendit Howser et le légiste derrière lui. Quand il fut assez près pour voir Sandy sur le siège avant, le médecin s'arrêta. « Seigneur Jésus, dit-il.

– Je ne pense pas que le Seigneur ait quoi que ce soit à voir là-dedans, Benny », dit Bodecker. Il leva les yeux sur l'adjoint. « Fais venir Willis pour t'aider à trouver des empreintes avant qu'on déplace la voiture. Étudie de près le siège arrière.

– Qu'est-ce qui s'est passé, à votre avis ? » demanda le coroner. Il posa sa mallette noire sur le capot de la voiture.

« Selon moi, Carl a été abattu par quelqu'un qui était assis à l'arrière. À ce moment-là, Sandy a réussi à tirer une balle avec son .22, mais elle n'avait pas la moindre chance. Ce putain de flingue est chargé à blanc. Et à mon avis,

vue la position du trou qu'a fait la balle en ressortant, le
tireur était debout quand il a ouvert le feu. » Il montra le
sol à quelques pas de la portière arrière. « Sans doute pré-
cisément ici.

– À blanc ? » demanda le légiste.

Bodecker ne lui répondit pas. « Ils sont morts depuis
combien de temps, à votre avis ? »

Le coroner se mit sur un genou, et souleva le bras de
Carl, essaya de le faire tourner un peu, appuya les doigts
sur la peau tachetée de bleu et de gris. « Hier soir, je dirais.
Enfin, en gros. »

Ils regardèrent silencieusement Sandy pendant une
minute ou deux, puis Bodecker se tourna vers le médecin.
« Assurez-vous qu'on prenne bien soin d'elle, d'accord ?

– Absolument, dit Benny.

– Et quand vous aurez fini, appelez chez Webster pour
qu'ils viennent la chercher. Dites leur que je passerai plus
tard pour régler le détail des obsèques. Il faut que je
retourne au bureau.

– Et l'autre ? » demanda Benny tandis que Bodecker
commençait à s'éloigner.

Le shérif s'arrêta, regarda le corps du gros homme et
cracha sur le sol. « Arrangez-vous comme vous pourrez,
Benny, mais assurez-vous bien que celui-là ait une tombe
d'indigent. Pas de plaque, pas de nom, rien. »

50

« Lee, j'ai reçu un appel d'un certain shérif Thompson,
à Lewisburg, Virginie-Occidentale, dit le répartiteur. Il
voudrait que tu le rappelles dès que possible. » Il tendit à
Bodecker un morceau de papier sur lequel était griffonné
un numéro.
« C'est un cinq ou un six, Willis ? »
Le répartiteur regarda le papier. « Non, c'est un neuf. »
Bodecker referma la porte de son bureau, s'assit, ouvrit
un tiroir et en sortit un morceau de sucre d'orge. En voyant
le corps de Sandy, la première chose à laquelle il avait
pensé, c'était un verre de whisky. Il mit le sucre d'orge
dans sa bouche et composa le numéro. « Shérif Thompson ? Ici Lee Bodecker, en Ohio.
– Merci de me rappeler, shérif, dit l'homme avec une
voix traînante de péquenaud. Comment ça va, là-haut ?
– Ça pourrait aller mieux.
– Enfin, si je vous ai appelé, c'est peut-être pour rien,
mais ici, hier matin, quelqu'un a descendu un homme, un
pasteur, et le garçon qu'on soupçonne d'avoir été mêlé à
ça vivait autrefois dans votre coin.
– C'est vrai ? Comment a-t-il tué cet homme ?

– Il lui a tiré une balle dans la tête pendant qu'il était assis dans sa voiture. Il lui a collé l'arme sur la nuque. Ça a fait des dégâts, mais au moins il n'a pas souffert.

– De quel genre d'arme s'est-il servi ?

– D'un pistolet, sans doute un Luger, une de ces armes allemandes. On savait que le garçon en avait un. Son père la lui avait rapportée de la guerre.

– Un neuf millimètres, n'est-ce pas ?

– C'est exact.

– Comment m'avez-vous dit qu'il s'appelait, déjà ?

– Je ne vous l'ai pas dit, mais il s'appelle Arvin Russell. Son deuxième prénom est Eugene. D'après ce que je sais, ses deux parents sont morts vers chez vous. Je crois que peut-être que son père s'est suicidé. Ça fait sept ou huit ans qu'il vit avec sa grand-mère à Coal Creek. »

Bodecker fronça les sourcils, regarda les affiches et les prospectus épinglés aux murs. Russell. Russell ? Comment connaissait-il ce nom ? « Il a quel âge ? demanda-t-il à Thompson.

– Arvin a dix-huit ans. Écoutez, c'est pas un mauvais gosse, je le connais depuis longtemps. Et d'après ce que j'ai entendu dire, ce pasteur méritait peut-être de se faire descendre. Apparemment, il fricotait avec des gamines. Mais je suppose que ça ne change rien.

– Ce garçon, il conduit ?

– Il a une Chevy Bel Air bleue, modèle .54.

– De quoi il a l'air ?

– Oh, taille moyenne, cheveux noirs, beau garçon, dit Thompson. Arvin est quelqu'un de calme, mais il n'est pas non plus du genre à se faire marcher dessus. Et il n'a peut-être rien à voir avec ça, mais je n'arrive pas à mettre la main sur lui, et il est la seule piste que j'aie.

– Envoyez-nous toutes les informations que vous avez jusque-là, immatriculation de la voiture, etc... On surveillera. Et s'il se repointe dans votre coin, appelez-moi, d'accord ?

– D'accord.

– Une dernière chose. Vous avez une photo de lui ?

– Pas dans l'immédiat. Je suis sûr que sa grand mère en a quelques-unes, mais pour l'instant elle n'est pas d'humeur à coopérer. Dès que j'en aurai, je vous en envoie une copie. »

Quand Bodecker raccrocha, tout lui revint d'un seul coup, le tronc à prières, ces animaux morts, ce gamin au visage barbouillé de jus de myrtilles. Arvin Eugene Russell. « Maintenant, je me souviens de toi, mon garçon. » Il s'approcha d'une grande carte des États Unis sur le mur. Il trouva Johnson City et Lewisburg, traversa du doigt la Virginie-Occidentale, et pénétra en Ohio par la 35, à Point Pleasant. Il arrêta son doigt sur la zone où Carl et Sandy avaient été tués, à l'écart de la route. Donc, si c'était ce jeune Russell, ils avaient dû se rencontrer quelque part par là. Mais Sandy lui avait dit qu'elle allait à Virginia Beach. Il étudia encore la carte. Ça n'avait aucun sens, qu'ils aient dormi à Johnson City. Ça leur faisait un sacré détour pour rentrer chez eux. Et en plus, qu'est ce qu'ils foutaient avec ces armes ?

Muni des clefs qu'il avait prises sur l'anneau, il se rendit à leur appartement. Dès qu'il ouvrit la porte, il fut assailli par la puanteur. Après avoir ouvert quelques fenêtres, il parcourut les pièces, mais ne trouva rien d'extraordinaire.

Putain, qu'est-ce que je cherche, d'ailleurs ? pensa-t-il. Il s'assit sur le divan du salon. Sortant une des pellicules qu'il avait prises dans la boîte à gants, il la fit rouler dans sa main. Ça faisait peut-être dix minutes qu'il était assis là quand il réalisa enfin que quelque chose n'allait pas dans l'appartement. Parcourant à nouveau les pièces, il ne vit pas une seule photographie. Pourquoi Carl n'en avait-il pas accroché au mur, pourquoi n'en avait-il même pas posé sur une commode ? Ce salopard de photographe à la con ne pensait qu'à ça. Il entreprit de chercher à nouveau, sérieusement cette fois, et trouva rapidement un carton à chaussures sous le lit, caché derrière des couvertures.

Plus tard, il était assis sur le divan, fixant d'un œil vide le plafond par lequel la pluie avait filtré. Des morceaux de plâtre s'entassaient juste en dessous, sur la carpette tressée. Il repensa à un jour du printemps de 1960. À cette époque ça faisait presque deux ans qu'il était shérif et, comme sa mère avait fini par accepter qu'il laisse Sandy quitter le lycée, celle-ci travaillait à plein temps au Wooden Spoon. D'après ce qu'il pouvait voir, ce boulot ne l'avait pas énormément fait sortir de sa coquille. Elle paraissait aussi attardée et triste qu'avant ; mais il avait entendu des histoires à propos de garçons arrivant au moment de la fermeture, la persuadant de monter dans leur voiture pour un coup rapide, avant de la larguer en pleine cambrousse, forcée de rentrer par ses propres moyens. Chaque fois qu'il s'arrêtait au *diner* pour voir comment elle allait, il s'attendait à ce qu'elle lui dise qu'il y avait un bâtard en route. Et, supposait-il, c'est bien ce qu'elle avait fait ce jour-là, mais ce n'était pas le genre de bâtard auquel il pensait.

C'était un jour « Tout Le Poisson Que Vous Pourrez Manger ». « Je reviens. J'ai quelque chose à te dire », lui dit Sandy en se dépêchant avec une assiette remplie de perches pour Doc Leedom. Le podologue venait tous les vendredis et essayait de se tuer d'une indigestion de poisson grillé. C'étaient les seules fois où il s'arrêtait au *diner*. « Tout Le Quoi-que-ce-soit Que Vous Pourrez Manger » est bien l'idée la plus stupide que puisse avoir un propriétaire de restaurant, disait-il à ses patients.

Elle prit la cafetière, et versa une tasse à Bodecker. « Ce gros lard me coupe les jambes », murmura-t-elle.

Bodecker se retourna et regarda le docteur s'empiffrer d'un long morceau de poisson pané qu'il avala. « Mince, il ne mâche même pas, non ?

— Et il peut passer la journée à faire ça, dit-elle.

— Alors, que se passe-t-il ? »

Elle repoussa une boucle rebelle. « Eh bien, je me suis dit que je devrais te prévenir avant que tu l'apprennes par quelqu'un d'autre. »

On y était, pensa-t-il, un polichinelle dans le tiroir, un autre souci pour alimenter son ulcère. Elle ne connaît sans doute même pas le nom du père. « Ce n'est pas que tu as des ennuis, hein ?

— Quoi ? Tu veux dire enceinte ? » Elle alluma une cigarette. « Seigneur, Lee, tu me lâches jamais, hein ?

— O.K. Qu'y a-t-il, alors ? »

Elle souffla un anneau de fumée au dessus de sa tête, et cligna de l'œil. « Je me suis engagée.

— Tu veux dire pour te marier ?

— Eh bien, ouais, dit-elle avec un petit rire. Qu'est-ce que ça peut être d'autre ?

– Que je sois damné ! Il s'appelle comment ?

– Carl. Carl Henderson.

– Henderson, répéta Bodecker, en versant dans son café un peu de lait d'un petit pichet de métal. C'est un de ceux avec qui tu étais au lycée ? Toute cette bande de Plug Run ?

– Oh, merde, Lee, tu sais très bien que ces gosses sont à moitié débiles. Carl n'est même pas du coin. Il a grandi au sud de Columbus.

– Qu'est-ce qu'il fait ? Comme métier, je veux dire.

– Il est photographe.

– Ah bon ! Alors il a un studio ? »

Elle écrasa sa cigarette dans le cendrier et secoua la tête. « Pas pour l'instant, dit-elle. Une installation comme ça, ce n'est pas donné.

– Comment est-ce qu'il gagne sa vie, alors ? »

Elle fit les yeux ronds, soupira. « T'inquiète pas, il s'en sort.

– En d'autres termes, il ne travaille pas.

– J'ai vu son appareil, et tout le reste.

– Merde, Sandy. Florence a un appareil, mais je ne dirais pas d'elle qu'elle est photographe. » Il regarda dans la cuisine derrière lui, où le préposé au grill se tenait devant un réfrigérateur ouvert, le T-shirt remonté, pour essayer de trouver un peu de fraîcheur. Il ne put s'empêcher de se demander si Henry avait jamais sauté Sandy. On racontait de lui qu'il était monté comme un poney des Shetland. « Où as-tu bien pu rencontrer ce type ?

– Juste ici, dit Sandy en montrant une table dans le coin.

– Il y a combien de temps ?

– La semaine dernière, dit-elle. T'inquiète pas, Lee. C'est un type bien. » Moins d'un mois après, ils étaient mariés.

Deux heures plus tard, il était de retour à la prison. Il avait une bouteille de whisky dans un sac de papier brun. Les pellicules et le carton à chaussures contenant les photos étaient dans le coffre de sa voiture de patrouille. Il ferma à clef la porte de son bureau et se servit un verre dans un gobelet de carton. C'était son premier verre depuis plus d'un an, mais il ne pouvait pas dire qu'il en profitait. Florence appela au moment où il s'apprêtait à s'en servir un autre. « J'ai appris ce qui s'est passé, dit-elle. Pourquoi ne m'as-tu pas appelée ?

– J'aurais dû le faire, je sais.

– Alors c'est bien vrai ? Sandy est morte ?

– Elle et ce putain de bon à rien, tous les deux.

– Mon Dieu, c'est difficile à croire. Ils n'étaient pas partis en vacances ?

– Je suis persuadé que Carl était bien pire que tout ce que j'imaginais.

– Tu n'as pas l'air bien, Lee. Si tu rentrais à la maison ?

– J'ai encore du boulot. Vu la façon dont ça se présente, je risque d'y passer la nuit.

– Tu as une idée de qui a fait ça ?

– Non, dit-il en regardant la bouteille posée sur son bureau. Pas vraiment.

– Lee ?

– Ouais, Flo.

– Tu n'as pas bu, n'est-ce pas ? »

51

Arvin vit le journal sur le présentoir devant la boutique de beignets quand il alla prendre un café, le lendemain matin. Il en acheta un exemplaire qu'il emporta dans sa chambre, et lut que la sœur du shérif du coin et son mari avaient été retrouvés assassinés. Ils rentraient de vacances à Virginia Beach. On ne mentionnait aucun suspect, mais une photo du shérif Lee Bodecker accompagnait l'article. Arvin reconnut le même homme qui était de service le soir où son père s'était suicidé. Nom de Dieu, murmura-t-il. Il remballa rapidement ses affaires et commença à se diriger vers la porte, puis s'arrêta et fit demi-tour. Il retira du mur l'image du Calvaire, l'enveloppa dans le journal et la fourra dans son sac.

Arvin prit Main Street, en direction de l'est. Aux abords de la ville, il se fit prendre par un camion chargé de bois qui se dirigeait vers Bainbridge et le laissa au croisement de la 59 et de Blaine Highway. Il traversa à pieds Schott's Bridge, qui enjambait Paint Creek, et une heure plus tard il arrivait en lisière de Knockemstiff. En dehors de quelques maisons nouvelles, dans le style ranch, se dressant dans ce qui était autrefois un champ de maïs, tout ressemblait beaucoup au souvenir qu'il en avait gardé. Il avança un peu plus loin, puis franchit la petite colline au milieu du vallon. Le magasin de Maude était toujours au coin, et derrière le magasin il y avait la même caravane qu'il y a huit ans. Il fut content de la voir.

Quand il entra, le commis était assis sur un tabouret derrière la vitrine des bonbons. C'était toujours le même Hank, juste un peu plus vieux, un peu plus décrépit. « B'jour », dit-il en baissant les yeux sur le sac de sport d'Arvin.

Le garçon fit un signe de tête, posa son sac sur le sol de ciment. Il entrouvrit le couvercle de la glacière, en sortit une bouteille de *root beer*[1]. Il l'ouvrit, et avala une longue gorgée.

Hank alluma une cigarette et dit : « On dirait que vous avez fait de la route.

– Ouais, dit Arvin en s'appuyant contre la glacière.

– Vous allez où ?

– Je sais pas vraiment. Il y avait une maison au sommet de la colline, derrière, qui appartenait à un avocat. Vous voyez ce que je veux dire ?

– Bien sûr, je vois. Sur les Mitchell Flats.

– J'y habitais autrefois. » Dès qu'il eut prononcé ces mots, Arvin aurait voulu pouvoir les reprendre.

Hank l'observa un moment, puis dit : « Que je sois damné ! Vous êtes le petit Russell, n'est-ce pas ?

– Oui. Je me suis dit que j'allais m'arrêter pour revoir les lieux.

---

1. Boisson gazeuse à base d'extraits végétaux.

– Fiston, ça me peine de te dire ça, mais cette maison a brûlé il y a deux ans. On pense que ce sont des gamins qui ont fait ça. Plus personne n'y a habité après tes parents et toi. La femme de cet avocat et son amant noir ont été mis en prison pour son assassinat, et pour ce que j'en sais, depuis, tout a été bloqué par le tribunal. »

Une vague de déception balaya Arvin. « Il ne reste plus rien du tout ? demanda-t-il en essayant de garder la voix ferme.

– En gros, juste les fondations. Je crois que la grange est peut-être encore là, du moins en partie. Maintenant tout est recouvert de mauvaises herbes. »

En finissant son soda, Arvin, par l'ouverture vitrée, regardait fixement en direction de l'église. Il pensait au jour où son père avait traîné le chasseur dans la boue. Après tout ce qui lui était arrivé au cours des deux derniers jours, ce n'était plus un aussi bon souvenir. Il posa des crackers sur le comptoir, et demanda deux tranches de mortadelle et du fromage. Il acheta un paquet de Camel et une boîte d'allumettes, et une autre bouteille de soda. « Bon, dit-il quand le commis eut fini de mettre le tout dans un sac, je pense que je vais quand même monter jusque là-haut. Mince, je suis venu de si loin. On peut toujours monter par la forêt derrière ?

– Ouais, coupe par le pré de Clarence. Il dira rien. »

Arvin mit ses achats dans son sac de sport. De là où il était, il apercevait le haut de la vieille maison des Wagner. « Il y a toujours une fille qui s'appelle Janey Wagner, dans le coin ?

– Janey ? Non, elle s'est mariée il y a deux ans. La dernière fois que j'ai entendu parler d'elle, elle vivait à Massieville. »

Le garçon secoua la tête, commença à se diriger vers la porte, puis s'arrêta. Il se retourna et regarda Hank. « Je ne vous ai jamais remercié pour le soir où mon père est mort. Vous avez été sacrément gentil avec moi, et je veux que vous sachiez que je l'ai pas oublié. »

Hank sourit. Il lui manquait deux dents du bas. « Tu avais de la tarte sur le visage. Ce satané Bodecker croyait que c'était du sang. Tu te souviens ?

– Oui, je me souviens de tout ce qui s'est passé ce soir-là.

– Je viens d'entendre à la radio que sa sœur avait été assassinée. »

Arvin tendit la main vers le bouton de la porte. « C'est vrai ?

– Je ne la connaissais pas, mais sans doute que ça aurait mieux valu que ce soit lui qui soit tué plutôt qu'elle. On ne fait pas pire vaurien, et c'est lui qui représente la loi dans ce comté.

– Eh bien, dit Arvin en poussant la porte, je repasserai peut-être vous voir.

– Reviens ce soir, on s'assiéra à côté de la caravane et on boira une bière.

– D'accord.

– Hé, il faut que je te demande quelque chose, dit Hank. T'as déjà été à Cincinnati ? »

Arvin secoua la tête. « Pas encore, mais j'en ai beaucoup entendu parler. »

52

Quelques minutes après que Bodecker eut fini de parler avec sa femme au téléphone, Howser entra muni d'une enveloppe en papier kraft contenant les balles que le légiste avait retirées du corps de Carl. Toutes deux étaient des 9 millimètres. « Les mêmes que celle qui a eu Sandy, dit l'adjoint.

– C'est bien ce que je pensais. Un seul tireur.

– Dis donc, Willis m'a dit qu'un policier de Virginie-Occidentale t'avait appelé. Ça avait un rapport avec ça ? »

Bodecker regarda la carte sur le mur. Il pensa aux photos dans le coffre de sa voiture. Il fallait absolument qu'il trouve ce garçon avant tout le monde. « Non. Juste des conneries à propos d'un pasteur. Pour tout te dire, je sais pas vraiment pourquoi il voulait nous parler.

– Bien.

– Vous avez trouvé des empreintes sur la voiture ? »

Howser secoua la tête. « On dirait que l'arrière a été soigneusement essuyé. Toutes les empreintes qu'on a trouvées étaient celles de Sandy et de Carl.

– Vous avez trouvé autre chose ?

– Pas vraiment. Il y avait une facture d'essence de Morehead, Kentucky, sous le siège avant. Des tas de cartes routières dans la boîte à gants. Un tas de saloperies à l'arrière, des oreillers, des couvertures, des bidons d'essence, ce genre de trucs. »

Bodecker acquiesça et se frotta les yeux. « Rentre chez toi et repose-toi un peu. On dirait que pour l'instant tout ce qu'on peut faire, c'est espérer que quelque chose nous tombe tout cuit dans le bec. »

Ce soir-là, il finit sa bouteille de whisky dans son bureau et le lendemain matin il se réveilla sur le sol avec la bouche pâteuse et un sacré mal de tête. Il se rappelait qu'à un moment donné, au cours de la nuit, il avait rêvé qu'il marchait dans les bois avec le jeune Russell, et qu'il tombait sur tous ces animaux en décomposition. Il alla aux toilettes, se lava, puis demanda au répartiteur de lui apporter le journal et deux aspirines. Il s'apprêtait à sortir sur le parking quand Howser l'intercepta et suggéra qu'ils fassent une vérification des motels et des stations-service. Bodecker réfléchit un instant. Il voulait s'occuper de cette affaire lui-même, mais il ne fallait pas que ce soit trop voyant. « C'est pas une mauvaise idée, dit-il. Envoie Taylor et Caldwell.

– Qui ? dit Howser en fronçant les sourcils.

– Taylor et Caldwell. Assure-toi juste qu'ils comprennent bien que ce putain de cinglé leur fera exploser la tête dès qu'il les verra. » Il se retourna et sortit avant que l'adjoint ait pu protester. Trouillards comme étaient ces deux-là, Bodecker pensait qu'une fois qu'ils auraient entendu ça, ils ne mettraient pas le nez hors de leur véhicule.

Il roula jusqu'au magasin d'alcool, acheta une pinte de Jack Daniel's. Puis il s'arrêta au White Cow afin de prendre un café pour la route. Quand il entra, toutes les conversations s'arrêtèrent. Lorsqu'il se retourna pour partir, il pensa qu'il allait peut-être dire quelque chose, à propos du fait qu'ils faisaient leur possible pour trouver le tueur, mais il n'en fit rien. Il versa du whisky dans son café, et alla jusqu'à la vieille décharge sur Reub Hill Road. Ouvrant sa malle arrière, il en sortit le carton à chaussures rempli de photos et les parcourut encore une fois. Il compta trente-six hommes différents. Il y avait au moins deux cents photos, peut-être plus, retenues pas des élastiques. Il posa le carton sur le sol, déchira quelques pages tachées et froissées d'un catalogue Frederick's of Hollywood[1] qu'il trouva sur le tas d'ordures, et les fourra dans le carton. Puis il laissa tomber dessus les boîtes de pellicules et frotta une allumette. Debout sous le soleil brûlant, il but le reste de son café et regarda les photos se transformer en cendres. Quand la dernière eut brûlé, il sorti de son coffre un Ithaca 37. Il vérifia que le fusil était chargé, et le posa sur le siège arrière. Il sentait suinter par tous ses pores l'odeur de sa cuite de la veille. Il passa une main sur sa barbe. C'était la première fois depuis l'armée qu'il avait oublié de se raser le matin.

Quand Hank vit la voiture de patrouille s'arrêter sur le parking gravillonné, il plia le journal et le posa sur le comptoir. Il regarda Bodecker boire au goulot. La dernière fois que Hank se souvenait d'avoir vu le shérif à Knockemstiff, c'était un soir d'Halloween, devant l'église, quand il avait donné des pommes véreuses aux enfants, lorsqu'il faisait campagne pour son élection. Il tendit la main et baissa la

---

1. Marque de lingerie.

radio. Les dernières notes du « You're the Only World I Know », de Sonny James, se terminèrent à l'instant où le shérif arrivait à la porte-moustiquaire.

« Que se passe-t-il ? demanda le vendeur.

– Vous vous rappelez quand ce cinglé de salopard de Russell s'est tué, dans les bois, par-là, derrière ? Ce soir-là, son gamin était avec vous. Il s'appelait Arvin.

– Je me rappelle.

– Ce gamin est passé par là, hier soir ou ce matin ? »

Hank baissa les yeux sur le comptoir. « Je suis désolé pour votre sœur.

– Je vous ai posé une question, nom de Dieu.

– Qu'est-ce qu'il a fait, il s'est mis dans le pétrin ?

– On peut dire ça comme ça », dit Bodecker. Il empoigna le journal sur le comptoir, et brandit la Une sous les yeux de Hank.

Lorsqu'il relut une fois de plus les lettres noires de la manchette, Hank plissa le front. « C'est pas lui qui a fait ça, n'est-ce pas ? »

Bodecker laissa tomber le journal sur le sol, sortit son revolver et le pointa sur le commis. « J'ai pas de temps de temps à perdre avec des conneries, espèce d'idiot. Tu l'as vu ? »

Hank déglutit et tourna les yeux vers la vitrine, regardant la bagnole trafiquée de Talbert Johnson ralentir en passant devant le magasin.

« N'imagine pas que j'hésiterais, dit Bodecker. Une fois que j'aurai éclaboussé le casier à bonbons du peu de cervelle que t'as, je te mettrai ce couteau de boucher dans la main que tu as posée là près de ta trancheuse de merde. Ça sera un cas facile d'autodéfense. "Ce putain de cinglé essayait de protéger un tueur, monsieur le Juge." » Il arma le pistolet. « Allez, prends soin de toi. C'est de ma sœur, qu'on parle.

– Ouais, je l'ai vu, dit Hank à contrecœur. Il est passé il y a un petit moment. Il a acheté une bouteille de soda et des cigarettes.

– Qu'est-ce qu'il conduisait ?

– J'ai pas vu de voiture.

– Il était à pied, alors ?

– Oui, je suppose.

– En sortant, il est allé dans quelle direction ?

– Je ne sais pas. Je n'ai pas fait attention.

– Ne me mens pas. Qu'est-ce qu'il a dit ? »

Hank regarda la glacière contre laquelle le garçon s'était appuyé pour boire sa bière. « Il a dit quelque chose à propos de la vieille maison où il habitait autrefois, c'est tout. »

Bodecker remit l'arme dans son holster. « Tu vois ? C'était pas si difficile hein ? » Il se dirigea vers la porte. « Un jour tu feras un bon petit indic. »

Hank le regarda monter dans son véhicule et s'engager sur Black Run Road. Il posa ses deux mains à plat sur le comptoir et pencha la tête. Derrière lui, d'une voix aussi ténue qu'un murmure, le présentateur de la radio lança une nouvelle chanson à la demande.

53

Au sommet des Flats, Arvin prit vers le sud. Les buissons en lisière de la forêt étaient maintenant plus denses, mais il ne lui fallut que quelques minutes pour trouver la coulée de cerf que son père et lui suivaient pour aller au tronc à prières. Il aperçut le toit métallique de la grange, et il hâta le pas. La maison avait disparu, comme l'avait dit Hank. Il posa son sac et s'approcha de l'emplacement de la porte de derrière. Il traversa la cuisine, puis le couloir jusqu'à la chambre où sa mère était morte. Il écarta du pied des cendres et des morceaux de bois carbonisé, espérant trouver des reliques de sa mère, ou l'un des petits trésors qu'il gardait sur la fenêtre de sa chambre. Mais en dehors d'un bouton de porte rouillé et de ses souvenirs, il ne restait plus rien. Quelques bouteilles de bière vides étaient soigneusement alignées dans un angle des fondations de pierre, là où quelqu'un, un soir, s'était installé pour boire.

La grange n'était plus qu'une coquille. Tout le placage de bois extérieur avait été arraché. Le toit, par endroits, était percé de rouille, la peinture rouge délavée et écaillée par les intempéries. Arvin pénétra dans l'ombre de la grange, et là, dans un coin, se trouvait le seau pour le bétail dans lequel, un jour, Willard avait transporté son précieux sang. Arvin l'approcha de l'entrée, et s'en servit comme d'un siège pendant qu'il déjeunait. Il regarda un faucon à queue rouge dessiner dans le ciel des cercles nonchalants. Puis il sortit la photo de la femme et de l'homme mort. Pourquoi les gens faisaient-ils des choses pareilles ? Et il se demanda à nouveau comment la balle de la femme avait pu le manquer, alors qu'elle n'était pas à deux mètres de lui. Dans le silence, il entendit la voix de son père : « C'est un signe, mon garçon. Il faut être plus attentif. » Il mit la photo dans sa poche et cacha le seau derrière une balle de foin moisie. Puis il traversa à nouveau le champ.

Il retrouva la coulée de cerf et arriva bientôt à la clairière à laquelle Willard avait tant travaillé. Elle était maintenant presque entièrement envahie de fougères sauvages, mais le tronc à prières était toujours là. Cinq croix se dressaient encore, striées d'un rouge terne à cause de la rouille des clous. Les quatre autres étaient tombées sur le sol, des bignones aux fleurs orange entortillées autour. Quand il vit une partie des restes du chien encore suspendus à la première croix que son père avait dressée, son cœur s'emballa une seconde. Il s'appuya contre un arbre, repensa aux journées qui avaient précédé la mort de sa mère, au si grand désir qu'elle vive qui était celui de Willard. Il aurait tout fait pour elle ; tant pis pour le sang et la puanteur et les insectes et la chaleur. Tout, se dit Arvin. Et soudain, debout une fois de plus dans « l'église » de son père, il comprit que Willard avait éprouvé le besoin d'aller où que soit allée Charlotte, de façon à pouvoir continuer à veiller sur elle. Pendant toutes ces années, Arvin l'avait méprisé pour ce qu'il avait fait, comme s'il se fichait complètement de ce qui pouvait arriver à son fils après sa mort. Puis il repensa au trajet de retour du cimetière, quand Willard avait parlé d'aller voir Emma à Coal Creek. C'était la première fois que ça lui venait à l'esprit, mais son père ne pouvait pas lui dire plus clairement que lui aussi allait partir, et qu'il était désolé. « Peut-être y rester un moment, lui avait dit Willard ce jour-là. Ça te plaira, là bas. »

Il essuya quelques larmes, posa son sac de sport sur le tronc puis fit le tour et s'agenouilla au pied de la croix du chien. Il écarta quelques feuilles mortes. Le crâne était à moitié enfoui dans le terreau, le petit trou qu'avait fait la balle de .22 encore visible entre les orbites vides. Il trouva le collier moisi, une petite touffe de poils encore collée au cuir autour de la boucle de métal rouillée. « Tu étais un bon chien, Jack », dit-il. Il rassembla tous les restes qu'il put trouver sur le sol – les minces côtes, l'os iliaque, une unique patte – et détacha les fragments cassants encore fixés à la croix. Délicatement, il en fit un petit tas. À l'aide de ses mains et de l'extrémité pointue d'une branche, il creusa un trou dans la terre noire humide au pied de la croix. Il creusa une cinquantaine de centimètres, puis installa soigneusement le tout au fond de la petite tombe. Puis il alla à son sac et en sortit l'image de la Crucifixion qu'il avait prise au motel et la fixa à l'un des clous de la croix.

Il fit à nouveau le tour du tronc et s'agenouilla à l'endroit où, autrefois, il priait à côté de son père. Il sortit le Luger de son jean et le posa au sommet du tronc. L'air était épais et immobile de chaleur et d'humidité. Il regarda Jésus sur la croix et ferma les yeux. Il fit de son mieux pour visualiser Dieu, mais il avait du mal à fixer son attention. Il finit par y renoncer, trouva plus facile d'imaginer plutôt ses parents le regardant de là-haut. Il semblait que toute sa vie, tout ce qu'il avait vu, ou dit, ou fait, menait à cet instant : seul, enfin, avec les fantômes de son enfance. Il commença à prier, pour la première fois depuis la mort de sa mère. « Dis-moi ce que je dois faire », murmura-t-il plusieurs fois. Au bout de quelques minutes, une soudaine rafale de vent descendit la colline derrière lui, et certains os encore accrochés aux arbres commencèrent à s'entre-choquer comme des carillons éoliens.

54

Bodecker tourna sur le chemin de terre qui menait à la maison où avaient vécu les Russell, sa voiture cahotant doucement à travers les ornières. Il arma son revolver et le posa sur le siège. Il roula lentement sur de jeunes pousses fragiles et de grosses mottes de vergerettes, s'arrêta à une cinquantaine de mètres de l'endroit où se trouvait autrefois la maison. Au milieu du sorgho d'Alep, il distinguait à peine le haut des fondations de pierre. Le peu qui restait de la grange était à une quarantaine de mètres, sur la gauche. Une fois que cette foutue affaire serait terminée, pensa-t-il, peut-être qu'il achèterait la propriété. Il pourrait construire une autre maison, planter un verger. Laisser à Matthews ce fichu boulot de shérif. Ça plairait à Florence. Elle était du genre inquiet, cette femme. Il glissa la main sous le siège et en sortit la bouteille, avala une gorgée. Il faudrait faire quelque chose à propos de Tater, mais ça ne serait pas trop difficile.

Mais d'autre part, le petit Russell était peut-être tout ce qu'il lui fallait pour être réélu. Quoi que puisse dire un plouc de flic de Virginie-Occidentale, quelqu'un capable de tuer un pasteur pour une histoire de chatte fraîche

363

devait être dingo. Ça serait facile de faire de ce voyou un maniaque au sang froid, et tout le monde voterait pour le héros. Il prit une autre gorgée, et mit la bouteille sous le siège. « Je m'inquiéterai de ça plus tard », pensa Bodecker à voix haute. Pour l'instant, il avait un boulot à faire. Même s'il ne se représentait pas, il ne pouvait supporter l'idée que quelqu'un sache la vérité à propos de Sandy. Ce qu'elle faisait sur certaines de ces photos, il était incapable de le mettre en mots.

Une fois sorti de la voiture, il mit son revolver dans son holster, et prit son fusil a l'arriere. Il balança son chapeau sur sa tête. Il avait l'estomac retourné à cause de la gueule de bois, et il se sentait vraiment mal. Il ôta le cran de sécurité du fusil et commença à remonter lentement l'allée menant à la maison. Plusieurs fois, il s'arrêta, tendit l'oreille, reprit sa marche. Tout était silencieux, en dehors de quelques oiseaux qui gazouillaient. Arrivé à la grange, il s'immobilisa dans l'ombre, regarda au-delà des vestiges de la maison. Il se passa la langue sur les lèvres, regretta de ne plus rien avoir à boire. Une guêpe volait autour de sa tête, et il la fouetta de la main, l'écrasa du talon de sa botte. Au bout de quelques minutes, il avança à travers le champ, tout en restant proche de la ligne des arbres. Il traversa des plaques sèches de laiteron, d'orties, de bardane. Il essaya de se rappeler sur quelle distance il avait suivi le garçon, cette nuit-là, avant qu'ils n'arrivent au chemin menant à l'endroit où son père avait perdu tout son sang. Il jeta un coup d'œil à la grange derrière lui, mais il n'arrivait pas à se souvenir. Il aurait dû prendre Howser avec lui, pensa-t-il. Ce connard adorait la chasse.

Il commençait à se dire qu'il avait dû louper le chemin

quand il tomba sur des herbes écrasées. Son cœur battit un tout petit peu plus fort, et il essuya la sueur de ses yeux. Se courbant, il scruta les bois au-delà des herbes et des broussailles, vit la trace de l'ancienne coulée de cerf à quelques mètres à l'intérieur. Il regarda derrière lui et vit trois corbeaux noirs plonger sur le champ, croassant. Il se baissa brusquement derrière des mûriers sauvages, fit quelques pas, et se trouva sur la piste. Il inspira profondément, et commença à descendre lentement la colline, son fusil prêt à faire feu. Il se sentait trembler intérieurement à la fois de peur et d'excitation, comme lorsqu'il avait tué ces deux hommes pour Tater. Il espéra que celui-là serait aussi facile.

55

La brise se calma et les os cessèrent de cliqueter. Arvin entendait maintenant d'autres sons, des petits bruits de tous les jours qui montaient du vallon : une porte-moustiquaire qui claquait, des enfants qui criaient, le ronronnement d'une tondeuse à gazon. Puis les cigales arrêtèrent un instant leur bourdonnement aigu, et il ouvrit les yeux. Tournant légèrement la tête, il crut entendre un léger bruit derrière lui, une feuille sèche crissant sous un pas, peut-être le craquement d'une brindille. Il n'en était pas certain. Quand les cigales recommencèrent, il empoigna le Luger sur le tronc. Accroupi, il fit le tour d'un buisson de rosiers sauvages sur la gauche de ce qui restait de la clairière, et commença à remonter la pente. Il avait fait vingt ou trente mètres quand il se rappela que son sac de sport était resté à côté du tronc à prières. Mais il était trop tard.

Il entendit une voix forte dans son dos. « Arvin Russell ? » Il plongea derrière un noyer blanc, et se redressa lentement. Retenant sa respiration, il jeta un coup d'œil de l'autre côté de l'arbre et vit Bodecker, armé d'un fusil. Sur le coup, il ne vit qu'une partie de la chemise brune et des bottes. Puis le policier avança de quelques pas, et

il distingua la plus grande partie de son visage. « Arvin ?
Je suis le shérif Bodecker, fiston, cria le shérif. Je suis pas
là pour te faire du mal, promis. Je veux juste te poser
quelques questions. » Arvin le vit cracher et essuyer la
sueur qui lui coulait dans les yeux. Bodecker avança
encore de quelques pas, et un coq de bruyère s'envola de
sa cachette et traversa la clairière, battant furieusement
des ailes. Levant brusquement son fusil, Bodecker tira,
puis fit rapidement monter une autre cartouche dans le
chargeur. « Merde, mon garçon, je suis désolé, cria-t-il. Ce
fichu oiseau m'a fait peur. Maintenant, sors, qu'on puisse
parler un peu. » Il avança à pas de loup, s'arrêta à la
lisière de la clairière embroussaillée. Il vit le sac de sport
sur le sol, l'image de Jésus, dans son cadre, suspendue à
la croix. Peut-être que ce fils de pute est vraiment dingue,
pensa-t-il. Dans la pénombre des bois, il distinguait encore
des ossements suspendus à des fils de fer. « Je pensais
bien que c'est là qu'on viendrait. Tu te souviens, le soir
où tu m'as conduit là ? C'était terrible, ce qu'avait fait ton
père. »

Arvin libéra le cran de sûreté du Luger et ramassa un
morceau de bois sec à ses pieds. Il le jeta bien haut dans
une ouverture au milieu des branches. Quand il rebondit
sur un arbre en contrebas du tronc à prières, Bodecker
tira encore deux balles en une succession rapide. Il fit monter une autre cartouche dans le chargeur. Des fragments
de feuilles et d'écorce flottèrent dans l'air. « Sacré nom de
Dieu, mon garçon, te fous pas de moi », hurla-t-il. Il pivota,
regardant comme un fou dans toutes les directions, puis
s'approcha un peu plus du tronc.

Arvin avança silencieusement dans le chemin derrière

lui. « Vous feriez mieux de poser ce fusil, shérif, dit le garçon. J'ai un flingue pointé sur vous. »

Bodecker s'immobilisa à mi-pas, puis posa lentement le pied. Baissant les yeux sur le sac de sport ouvert, il vit, posée sur un jean, un exemplaire de la *Meade Gazette* du matin. En Une, sa photo lui retournait son regard. D'après le son de sa voix, il estima que le garçon était juste derrière lui, à six ou sept mètres peut-être. Il lui restait deux cartouches dans son fusil de chasse. Contre un pistolet, les chances étaient pour lui. « Fiston, tu sais que je peux pas faire ça. Merde, c'est une des premières règles qu'on vous apprend à l'école de police. On ne renonce jamais à son arme.

– Ce qu'on vous apprend, j'y peux rien, dit Arvin. Posez-le par terre et reculez. » Il sentait son cœur battre contre sa chemise. Soudain, toute l'humidité semblait comme aspirée.

« Alors quoi ? Tu veux me tuer comme tu as tué ma sœur et ce pasteur en Virginie-Occidentale ? »

La main d'Arvin commença à trembler un peu quand il entendit le shérif mentionner Teagardin. Il réfléchit une seconde. « J'ai dans ma poche une photo où elle est en train de caresser un type mort. Si vous lâchez ce fusil, je vous la montre ». Il vit le dos du policier se raidir, et il affermit sa prise sur le Luger.

« Espèce de petit salopard », dit Bodecker dans sa barbe. Il regarda à nouveau son visage sur le journal. La photo avait été prise juste après son élection. Le serment de faire respecter la loi ! Il y avait presque de quoi rire. Puis il leva l'Ithaca et s'apprêta à se retourner brusquement. Le garçon fit feu.

Le fusil de Bodecker partit, la chevrotine faisant un trou dentelé dans les rosiers sauvages à la droite d'Arvin. Le garçon tressaillit et appuya à nouveau sur la gâchette. Le shérif laissa échapper un cri aigu et tomba en avant dans les feuilles. Arvin attendit une minute ou deux, puis s'approcha prudemment. Bodecker était allongé sur le flanc, regardant le sol. Une balle lui avait fracassé le poignet et l'autre avait pénétré sous son bras. Apparemment, au moins l'un de ses poumons avait été percé. À chaque pénible respiration de l'homme, un jet de sang rouge imprégnait le devant de sa chemise. Quand Bodecker vit les bottes usées du garçon, il tenta de tirer le pistolet de son holster, mais Arvin se pencha, le saisit et le jeta à quelques pas.

Il posa le Luger sur le tronc et, aussi délicatement qu'il put, retourna Bodecker sur le dos. « Je sais que c'était votre sœur, mais regardez ça », dit-il. Il sortit la photographie de son portefeuille et la tendit devant le shérif pour qu'il la voie. « J'avais pas le choix. Je lui ai dit de poser son arme, je vous le jure. » Bodecker leva les yeux sur le visage du garçon, puis tourna le regard vers Sandy et l'homme mort qu'elle tenait dans les bras. Il grimaça et tenta de saisir la photo avec son bras valide, mais il était trop faible pour produire autre chose qu'un effort hésitant. Puis il se recoucha sur le dos et commença à cracher du sang, comme elle l'avait fait.

Arvin eut l'impression que des heures passaient tandis qu'il écoutait le shérif lutter pour rester en vie, mais en réalité il ne fallut à l'homme que quelques minutes pour mourir. Maintenant, plus moyen de revenir en arrière, pensa-t-il. Il ne pouvait pas non plus continuer comme ça.

Il imagina la porte d'une pièce triste et vide se refermant avec un léger clic, pour ne plus jamais s'ouvrir, et ça le calma un peu. Quand il entendit Bodecker pousser son dernier râle, il prit une décision. Il saisit le Luger et s'approcha du trou qu'il avait creusé pour Jack. Se mettant à genoux dans la terre humide, il passa lentement la main sur le canon de métal gris, pensa à son père qui l'avait rapporté, il y avait tant d'années. Puis il le posa dans le trou à côté des ossements de l'animal. Avec ses mains, il remit toute la terre dans le trou, et l'aplanit. Il recouvrit la tombe avec des feuilles mortes et quelques branchages. Il décrocha l'image du Sauveur, l'emballa, et la mit dans son sac de sport. Peut-être aurait-il un jour un endroit pour l'accrocher. Ça aurait fait plaisir à son père. Il mit la photo de Sandy et les deux pellicules dans la poche de la chemise de Bodecker.

Arvin se retourna une dernière fois vers le tronc couvert de mousse et les croix grises pourrissantes. Il ne reverrait jamais cet endroit ; sans doute ne reverrait-il jamais non plus Emma et Earskell, d'ailleurs. Il fit demi-tour et prit la direction de la coulée de cerf. Quand il arriva au sommet de la colline, il frôla une toile d'araignée et sortit des bois obscurs. Le ciel sans nuage était du bleu le plus profond qu'il ait jamais vu, et le champ semblait flamber de lumière. On aurait dit qu'il s'étendait à l'infini. Il commença à marcher vers le nord, en direction de Paint Creek. En se dépêchant un peu, il pourrait être sur la 50 dans une heure. Avec un peu de chance, quelqu'un le prendrait.

REMERCIEMENTS

Je suis extrêmement reconnaissant envers les personnes et les organisations suivantes, sans lesquelles ce livre n'existerait pas : Joan Bingham et le PEN pour la Bourse PEN/Robert Bingham 2009 ; l'Ohio Arts Council pour l'Individual Excellence Award 2010, l'Ohio State University pour une Presidential Fellowship 2008 ; mon ami Mick Rothgeb pour ses renseignements sur les armes à feu ; le Dr. John Gabis pour avoir répondu à mes questions concernant le sang ; James E. Talbert, de la Greenbrier Historical Society pour ses informations à propos de Lewisburg, Virginie-Occidentale. J'ai une dette toute particulière envers mes agents et mes lecteurs, Richard Pine et Nathaniel Jacks, de Inkwell Management, et, enfin, pour sa confiance, sa patience et ses conseils, je tiens à remercier mon éditeur, Gerry Howard, ainsi que tous les gens merveilleux de Doubleday.

« Terres d'Amérique »

Collection dirigée par Francis Geffard

SHERMAN ALEXIE

Indian Blues, roman
Indian Killer, roman
Phoenix, Arizona, nouvelles
La Vie aux trousses, nouvelles
Dix Petits Indiens, nouvelles
Red Blues, poèmes
Flight, roman
Danses de guerre, nouvelles

GAIL ANDERSON-DARGATZ

Remède à la mort par la foudre, roman
Une recette pour les abeilles, roman

DAVID BERGEN

Une année dans la vie de Johnny Fehr, roman
Juste avant l'aube, roman
Un passé envahi d'ombres, roman
Loin du monde, roman

JON BILLMAN

Quand nous étions loups, nouvelles

TOM BISSELL

Dieu vit à Saint-Pétersbourg, nouvelles

AMANDA BOYDEN

En attendant Babylone, roman

JOSEPH BOYDEN

Le Chemin des âmes, roman
Là-haut vers le nord, nouvelles
Les Saisons de la solitude, roman

KEVIN CANTY

Une vraie lune de miel, nouvelles

DAN CHAON

Parmi les disparus, nouvelles
Le Livre de Jonas, roman
Cette vie ou une autre, roman

BROCK CLARKE

*Guide de l'incendiaire des maisons d'écrivains
en Nouvelle-Angleterre*, roman

CHRISTOPHER COAKE

Un sentiment d'abandon, nouvelles

CHARLES D'AMBROSIO

Le Musée des poissons morts, nouvelles
Orphelins, récits

CRAIG DAVIDSON

Un goût de rouille et d'os, nouvelles
Juste être un homme, roman

RICK DEMARINIS

Cœurs d'emprunt, nouvelles

ANTHONY DOERR

Le Nom des coquillages, nouvelles
À propos de Grace, roman

DAVID JAMES DUNCAN
La Vie selon Gus Orviston, roman

DEBRA MAGPIE EARLING
Louise, roman

GRETEL EHRLICH
La Consolation des grands espaces, récit

LOUISE ERDRICH
L'Épouse Antilope, roman
*Dernier rapport sur les miracles
à Little No Horse*, roman
La Chorale des maîtres bouchers, roman
Ce qui a dévoré nos cœurs, roman
Love Medicine, roman
La Malédiction des colombes, roman

BEN FOUNTAIN
Brèves rencontres avec Che Guevara, nouvelles

TOM FRANKLIN
Le retour de Silas Jones, roman

JUDITH FREEMAN
Et la vie dans tout ça, Verna ?, roman
Dernières épouses, roman

JAMES GALVIN
Prairie, récit
Clôturer le ciel, roman

DAGOBERTO GILB
Le Dernier Domicile connu de Mickey Acuña, roman
La Magie dans le sang, nouvelles

LEE GOWAN

Jusqu'au bout du ciel, roman

PAM HOUSTON

*J'ai toujours eu un faible
pour les cow-boys*, nouvelles
Une valse pour le chat, roman

RICHARD HUGO

La Mort et la Belle Vie, roman
Si tu meurs à Milltown

KARL IAGNEMMA

Les Expéditions, roman

MATTHEW IRIBARNE

Astronautes, nouvelles

THOM JONES

Le Pugiliste au repos, nouvelles
Coup de froid, nouvelles
Sonny Liston était mon ami, nouvelles

SANA KRASIKOV

L'an prochain à Tbilissi, nouvelles

THOMAS KING

Medicine River, roman
Monroe Swimmer est de retour, roman
L'Herbe verte, l'eau vive, roman

WILLIAM KITTREDGE

La Porte du ciel, récit
Cette histoire n'est pas la vôtre, nouvelles

KARLA KUBAN

Haute Plaine, roman

RICHARD LANGE

Dead Boys, nouvelles
Ce monde cruel, nouvelles

CRAIG LESLEY

Saison de chasse, roman
La Constellation du Pêcheur, roman
L'Enfant des tempêtes, roman

BRIAN LEUNG

Les Hommes perdus, roman

DEIRDRE MCNAMER

Madrid, Montana, roman

DAVID MEANS

De petits incendies, nouvelles

DINAW MENGESTU

Les belles choses que porte le ciel, roman
Ce qu'on peut lire dans l'air, roman

BRUCE MURKOFF

Portés par un fleuve violent, roman

JOHN MURRAY

*Quelques notes
sur les papillons tropicaux*, nouvelles

RICHARD NELSON

L'Île, l'océan et les tempêtes, récit

DAN O'BRIEN

Brendan Prairie, roman

LOUIS OWENS

Même la vue la plus perçante, roman
Le Chant du loup, roman
Le Joueur des ténèbres, roman
Le Pays des ombres, roman

KEVIN PATTERSON

Dans la lumière du Nord, roman

BENJAMIN PERCY

Sous la bannière étoilée, nouvelles
Le canyon, roman

SUSAN POWER

Danseur d'herbe, roman

ERIC PUCHNER

La Musique des autres, nouvelles
Famille modèle, roman

ELWOOD REID

Ce que savent les saumons, nouvelles
Midnight Sun, roman
La Seconde Vie de D.B. Cooper, roman

JON RAYMOND

Wendy & Lucy, nouvelles

EDEN ROBINSON

Les Esprits de l'océan, roman

GREG SARRIS
Les Enfants d'Elba, roman

NATHAN SELLYN
Les Caractéristiques de l'espèce, nouvelles

GERALD SHAPIRO
Les Mauvais Juifs, nouvelles
Un schmok à Babylone, nouvelles

LESLIE MARMON SILKO
Cérémonie, roman

MARK SPRAGG
Là où les rivières se séparent, récit

MARLY SWICK
Dernière saison avant l'amour, nouvelles

WELLS TOWER
Tout piller, tout brûler, nouvelles

DAVID TREUER
Little, roman
Comme un frère, roman
Le Manuscrit du Dr Apelle, roman

BRADY UDALL
Lâchons les chiens, nouvelles
Le Destin miraculeux d'Edgar Mint, roman
Le Polygame solitaire, roman

GUY VANDERHAEGHE
La Dernière Traversée, roman
Comme des loups, roman

VENDELA VIDA

Se souvenir des jours heureux, roman

WILLY VLAUTIN

Motel Life, roman
Plein nord, roman

JAMES WELCH

L'Hiver dans le sang, roman
La Mort de Jim Loney, roman
Comme des ombres sur la terre, roman
L'Avocat indien, roman
À la grâce de Marseille, roman
Il y a des légendes silencieuses, poèmes

SCOTT WOLVEN

La Vie en flammes, nouvelles

Composition Nord Compo
Impression CPI Bussière en février 2012
à Saint-Amand-Montrond (Cher)
Éditions Albin Michel
22, rue Huyghens, 75014 Paris
www.albin-michel.fr
ISBN : 978-2-226-24000-2
ISSN : 1272-1085
N° d'édition : 19846/01. – N° d'impression : 120083/4.
Dépôt légal : mars 2012.
Imprimé en France.